“十二五”国家重点图书出版规划项目

CHINA WETLANDS RESOURCES
Xinjiang Volume

中国湿地资源

新疆卷

◎ 国家林业局组织编写

中国林业出版社

图书在版编目（CIP）数据

中国湿地资源·新疆卷／国家林业局组织编写；吾拉孜别克·索力坦分册主编．－北京：中国林业出版社，2015.12

“十二五”国家重点图书出版规划项目

ISBN 978-7-5038-8297-5

Ⅰ.①中… Ⅱ.①国… ②吾… Ⅲ.①湿地资源－研究－新疆 Ⅳ.① P942.078

中国版本图书馆 CIP 数据核字（2015）第 296667 号

总 策 划： 金 旻

策划编辑： 徐小英

主要编辑： 徐小英 刘香瑞 李 伟

何 鹏 于界芬

美术编辑： 赵 芳

出版发行 中国林业出版社（100009 北京西城区刘海胡同 7 号）

http://lycb.forestry.gov.cn

E-mail:forestbook@163.com 电话：(010)83143515、83143543

设计制作 北京天放自动化技术开发公司

北京捷艺轩彩印制版有限公司

印刷装订 北京中科印刷有限公司

版 次 2015 年 12 月第 1 版

印 次 2015 年 12 月第 1 次

开 本 787mm × 1092mm 1/16

字 数 421 千字

印 张 16.5

定 价 115.00 元

中国湿地资源系列图书
编撰工作领导小组

顾　问：陈宜瑜　李文华　刘兴土

组　长：张永利

副组长：马广仁

成　员：（按姓氏笔画排序）

王文宇　王忠武　王海洋　韦纯良　邓乃平　邓三龙
兰宏良　刘建武　刘艳玲　刘新池　李　兴　李三原
李永林　来景刚　吴　亚　张宗启　陆月星　陈则生
陈传进　陈俊光　林云举　呼　群　金　旻　金小麒
周光辉　降　初　孟　沙　侯新华　夏春胜　党晓勇
徐济德　奚克路　阎钢军　程中才　雷桂龙　蔡炳华
樊　辉

中国湿地资源系列图书
编撰工作领导小组办公室

主　任：马广仁

副主任：鲍达明　唐小平　熊智平　马洪兵

成　员：王福田　姬文元　刘　平　闫宏伟　李　忠　田亚玲
王志臣　张阳武　但新球　刘世好　王　侠　徐小英

《中国湿地资源·新疆卷》
编写组

主　　编：吾拉孜别克·索力坦

副 主 编：杜　农　张　林

编 著 者：蔡新斌　柳吉业　王立平　江晓珩　刘丽燕　齐　成
买尔燕古丽　丁守杰　布早拉木　王燕燕

主　　审：蔡新斌　杜　农

地图绘制：齐　成　谢　磊

插图绘制：齐　成　买尔燕古丽

图片摄影：蔡新斌　王立平　阿勒泰　杨　军

总 序

湿地是地球表层系统的重要组成部分，是自然界最具生产力的生态系统和人类文明的发祥地之一。在联合国环境规划署（UNEP）委托世界自然保护联盟（IUCN）编制的《世界自然资源保护大纲》中，湿地与森林和海洋一起并称为全球三大生态系统。湿地具有类型多样、分布广泛的特点；湿地更重要的是还具有多种供给、调节、支持与文化服务功能，是人类重要的生存环境和资源资本。湿地与人类生产生活和社会经济发展息息相关。湿地的重要性受到世界各国和国际社会的普遍关注。早在1971 年，国际社会就建立了全球第一个政府间多边环境公约，即《关于特别是作为水禽栖息地的国际重要湿地公约》（简称《湿地公约》）。同时，该公约也是全球最早针对单一生态系统保护的国际公约。1992 年中国加入《湿地公约》，自此我国湿地保护事业进入了新的发展时期。

我国加入《湿地公约》后，在国家林业局设立了专门的湿地保护和履约机构，对内负责组织、协调、指导和监督全国湿地保护工作，对外负责《湿地公约》的履约工作。近年来，中国各级政府在湿地保护方面开展了大量卓有成效的工作，采取了一系列保护和合理利用湿地资源的措施，在湿地保护规划和重点工程建设、财政补贴政策制定实施、法规制度建设、保护体系建设、科研监测、宣传教育和国际合作等方面取得了长足进步。但我国湿地生态系统仍然面临着盲目围垦与改造、污染、水土流失、泥沙淤积、生物资源过度利用等多种因素的破坏和威胁，导致面积减少，生态功能下降，生物多样性丧失。因此，切实保护和合理利用湿地资源，既是保障生态安全和国土安全的当务之急，更是中国实施可持续发展战略势在必行的要务。

开展湿地资源调查，摸清湿地资源家底，把握湿地资源动态，是所有湿地保护工作的基础，也是履行《湿地公约》各项工作的根基。2009 ～ 2013 年，在中央财政的支持下，国家林业局组织开展了第二次全国湿地资源调查工作。在此期间，我有幸作为第二次全国湿地资源调查专家技术委员会的主任委员，和其他专家一起全程参与了此次湿地资源调查的主要技术环节和成果鉴定。

我认为此次调查具有以下几个特点：一是，此次调查的湿地分类、界定标准、调查方法基本与《湿地公约》规定相接轨，使得调查数据符合《湿地公约》的要求，调查成果易于被国际认可，便于国际间的对比和交流。二是，制定了内容全面、方法科学、符合国际标准的统一技术规程《全国湿地资源调查技术规程（试行）》，进行了同标准、同口径的分期分批调查。三是，本次调查利用“3S”技术与现地验证相结合的技术方法，查清了全国范围内（未包括香港、澳门、台湾）8 公顷以上的湿地资源基本情况。四是，湿地调查分为一般调查和重点调查。重点调查包括，国际重要湿地、国家重要湿地、自然保护区（含自然保护小区）和湿地公园内的湿地以及其他特有、分布濒危物种和红树林等具有特殊保护价值的湿地。五是，组织保障有力。国家层面上，成立了第二次全国湿地资源调查领导小组、专家技术委员会、中央技术支撑单位和国家质量检查组；省级层面上，分别成立了湿地调查专职机构，组建了省级专业调查队伍。

需要指出的是，第二次全国湿地资源调查期间，我国湿地保护事业发展迅速。2009 年，中央启动了“湿地生态效益补偿试点”工作；2010 年开始，中央财政设立了湿地保护补助专项资金；2012 年，党的十八大将建设生态文明纳入中国特色社会主义事业“五位一体”总体布局，提出要“扩大森林、湖泊、湿地面积，保护生物多样性”。期间，国家林业局会同相关部门认真实施了《全国湿地保护工程实施规划 (2005 ～ 2010 年)》和《全国湿地保护工程“十二五”实施规划》。2013 年，国家林业局出台的《推进生态文明建设规划纲要》划定了湿地保护红线，到 2020 年中国湿地面积不少于 8 亿亩。2013 年，国家林业局出台了第一部国家层面的湿地保护部门规章《湿地保护管理规定》。应该说，历时 5 年的湿地资源调查与同期湿地保护事业的发展，是休戚相关，相互促进的。

第二次全国湿地资源调查取得了丰硕成果。在全球范围内，我国率先完成了《湿地公约》倡导的国家湿地资源调查，首次科学、系统地查明了《湿地公约》所定义的我国湿地资源情况。建立了完整的全国湿地资源空间数据库和属性数据库，掌握了近 10 年来湿地资源动态变化情况，建立了稳定的湿地资源调查专业队伍和专家团队，形成了较为完整的湿地资源调查监测技术规范，完成了全国湿地资源总报告、分省报告和多个专题报告，编制了系列成果图。调查成果达到国际先进水平。

党的十八大对建设生态文明作出了全面部署，强调把生态文明建设放在突出地位，融入经济建设、政治建设、文化建设、社会建设各方面和全过程。在全国第二次湿地资源调查成果的基础上，系统编著形成了中国湿地资源系列图书，为新时期我国湿地保护事业奠定了坚实基础。希望本系列图书能够为我国湿地工作者在开展湿地研究、保护与合理利用工作时提供参考和借鉴。

中国科学院院士 [签名]

2015 年 9 月

前　言

新疆地处欧亚大陆腹地，远离海洋，气候干燥少雨，属典型的温带大陆性干旱、半干旱气候区。湿地作为干旱、干旱区水资源的重要载体，在新疆更具有其特殊的价值，是不可替代的宝贵资源。湿地维系着新疆的绿洲，是新疆各族人民生存和社会发展的依托，对于维持西北内陆干旱区脆弱的生态平衡，社会、经济的发展具有十分重要的意义。

新疆湿地不仅在我国湿地中占有较大的比重，而且分布在江河源头地区、绿洲、河滩、内陆湖滨等生态环境敏感地带，一旦破坏则很难恢复。新疆天然湿地的广泛分布，特别是湖泊湿地的大面积存在，其生态作用和价值是显而易见的，对地处内陆干旱、半干旱的新疆生态建设、生态系统维护与修复发挥着决定性作用，对全国生态保护和生态建设发挥着十分突出的屏障作用。

为查清全国湿地资源的现状，掌握湿地资源动态变化，国家林业局决定实施第二次全国湿地资源调查。根据《国家林业局湿地保护管理中心关于开展 2011 年湿地资源调查的通知》（林湿调字[2010]55 号）的相关要求，新疆维吾尔自治区（简称新疆，下同，含新疆生产建设兵团）被列入 2011 年开展湿地资源调查工作的省区。根据国家林业局的要求，结合新疆实际情况，新疆从 2011 年开始湿地调查的准备工作，包括成立新疆湿地调查领导小组、领导小组办公室、专家技术委员会，编制完成了新疆湿地资源调查工作方案。2011 年 3 月，根据《全国湿地资源调查技术规程（试行）》的规定，结合新疆的湿地资源现状，组织人员进行了深入和细化，编制完成了《新疆第二次湿地资源调查实施细则》，并进一步明确了新疆重点调查湿地名单。2011 年 5 ～ 12 月，由新疆林科院完成南疆和东疆地区的湿地外业调查工作，由新疆林业规划设计院完成北疆地区的湿地外业调查工作，由兵团林业规划设计院完成兵团辖区的湿地外业调查工作。2012 年 2 ～ 5 月，三家调查单位共同进行湿地数据分析处理和汇总工作，2012 年 6 月，由新疆林科院编制完成《新疆维吾尔自治区湿地资源调查报告》，并组织新疆有关专家对调查报告进行了评审。6 月下旬，国家林业局西北规划设计院对新疆湿地资源调查工作进行了检查验收。7 月，编制单位将湿地调查报告修改完善后上报国家林业局湿地保护管理中心。

通过本次湿地调查，新疆湿地总面积 394.82 万公顷。此外，据自治区农业厅提供数据，新疆还有水稻田 5.89 万公顷。

新疆湿地（不含水稻田面积，下同）有河流湿地、湖泊湿地、沼泽湿地和人工湿地四大类。其中河流湿地 121.64 万公顷，占湿地总面积的 30.81%；湖泊湿地 77.45 万公顷，占湿地总面积 19.62%；沼泽湿地 168.74 万公顷，占湿地总面积的 42.74%；人工湿地 26.99 万公顷，占湿地总面积的 6.84%。

新疆湿地分天然湿地和人工湿地两大类。天然湿地有河流湿地、湖泊湿地、沼泽湿地 3 类 13 型，面积 367.83 万公顷，占全疆湿地总面积的 93.16%。人工湿地有库塘、输水河、水产养殖场、盐田 4 型，面积 26.99 万公顷，占全疆湿地总面积的 6.84%。

本次湿地调查，区划湿地斑块 8501 块。其中重点调查湿地 86 个，重点调查湿地斑块 2382 块，湿地总面积 246.91 万公顷，占新疆湿地总面积的 62.59%。一般调查湿地斑块 6119 块，湿地总面积 147.91 万公顷，占新疆湿地总面积的 37.41%。

通过本次湿地资源调查，基本摸清了新疆湿地资源的分布、类型、数量以及主要生态特征，完成了新疆湿地植物资源调查、湿地动物资源调查，完成了国家重要湿地、自然保护区、湿地公园以及其他重点湿地的保护与利用情况调查，全面系统地编写了新疆湿地资源调查报告，建立了新疆湿地资源信息库，编绘了新疆湿地资源分布图与重点调查湿地分布图。为今后加强湿地资源科研监测、湿地自然保护区建设、湿地公园建设、湿地保护与恢复工程建设以及湿地野生动植物资源保护和合理利用提供了科学依据，为新疆湿地保护与合理利用提供了翔实的本底资料。

本次湿地资源调查采用了新技术、新方法，培养了一大批湿地资源保护管理人员与专业技术人才，锻炼了队伍，夯实了新疆湿地保护管理工作基础，进一步提升了新疆湿地保护与管理的优势，同时大力地宣传新疆湿地保护工作的重要性，对今后湿地保护工作具有极其重要的意义。

本书系统介绍了新疆湿地类型、面积、分布情况和分布规律，新疆湿地野生动植物资源种类及分布情况，新疆湿地开发利用情况，新疆湿地生态现状、受威胁状况、湿地资源变化情况和原因分析，新疆湿地资源评价，湿地保护管理现状和各重点调查湿地情况，可以为今后新疆湿地资源保护管理和合理利用提供统一、完整、准确的基础资料和决策依据，为科学保护和可持续利用湿地资源奠定坚实的理论基础。本书内容丰富，具有较高的学术价值，为今后新疆开展湿地资源科研监测、湿地自然保护区建设、湿地公园建设、湿地保护与恢复工程建设以及湿地野生动植物资源科学保护和合理利用提供了科学依据。

由于本书内容多，数据量大，参与作者多，时间紧，不可避免存在一些问题，恳请广大读者批评指正。

《中国湿地资源 · 新疆卷》编辑委员会

2014 年 9 月

目　录

第一章 基本情况

第一节 自然概况

1 地理位置及行政区划

新疆维吾尔自治区位于中国的西北部，地处欧亚大陆中心，地理坐标为东经73°41′～96°18′，北纬34°22′～49°33′，总面积166.49万平方公里，占全国陆地总面积的六分之一，周边与俄罗斯、哈萨克斯坦、吉尔吉斯斯坦、塔吉克斯坦、巴基斯坦、蒙古、印度和阿富汗8个国家接壤；陆地边境线长达5600多公里，占全国陆地边境的四分之一，是中国面积最大、陆地边境线最长、毗邻国家最多的省份。

新疆维吾尔自治区总面积166.49万平方公里，是中国陆地面积第一大、国土面积第一大的省级行政区。截至2010年年底，自治区下辖5个自治州：伊犁哈萨克自治州、博尔塔拉蒙古自治州、昌吉回族自治州、巴音郭楞蒙古自治州、克孜勒苏柯尔克孜自治州；7个地区：塔城地区、阿勒泰地区、吐鲁番地区、哈密地区、阿克苏地区、喀什地区、和田地区；2个地级市：乌鲁木齐市、克拉玛依市；4个自治区直辖市：石河子市、阿拉尔市、图木舒克市和五家渠市。全自治区共有14个地区(州、市)、11个市辖区、19个县级市、62个县、6个自治县，628个乡(其中含43个民族乡)、229个镇、137个街道办事处。新疆生产建设兵团是新疆维吾尔自治区的重要组成部分，有14个师，175个农牧团场。自治区首府为乌鲁木齐市。新疆维吾尔自治区行政区划见表1-1。

2 地质地貌

新疆地域辽阔，地层发育齐全，从上太古界到第四系均有出露。极为频繁而强烈的构造运动造就了阿尔泰、天山、昆仑等山系，尤其是表现十分活跃的新构造运动，对现代三山夹二盆的地貌格局起到了决定性作用。山地的隆起，昆仑山北侧及天山两侧出现数排低山、丘陵，早更新世及以前地层强烈变形，甚至直立、倒转以及昆仑山第四纪火山活动都与新构造运动直接相关。

新疆远离海洋，四周高山环抱，境内冰峰耸立，沙漠浩瀚，草原辽阔，绿洲点布，地形地貌概括为“三山夹两盆”：北面是阿尔泰山，南面是昆仑山，天山横亘中部，把新疆分为南北两部分：南部是塔里木盆地，北部是准噶尔盆地。习惯上称天山以南为南疆，天山以北为北疆。

表 1-1 新疆维吾尔自治区行政区划表

序号	地区、自治州、市名称	县级行政单位数量	县级行政单位
1	乌鲁木齐市	8	天山区、沙依巴克区、新市区、水磨沟区、头屯河区、达坂城区、米东区、乌鲁木齐县
2	克拉玛依市	4	独山子区、克拉玛依区、白碱滩区、乌尔禾区
3	吐鲁番地区	3	吐鲁番市、鄯善县、托克逊县
4	昌吉回族自治州	7	昌吉市、呼图壁县、玛纳斯县、阜康市、奇台县、吉木萨尔县、木垒哈萨克自治县
5	哈密地区	3	哈密市、巴里坤哈萨克自治县、伊吾县
6	博尔塔拉蒙古自治州	3	博乐市、精河县、温泉县
7	巴音郭楞蒙古自治州	9	库尔勒市、轮台县、尉犁县、若羌县、且末县、焉耆回族自治县、和静县、和硕县、博湖县
8	阿克苏地区	9	阿克苏市、库车县、沙雅县、新和县、拜城县、温宿县、乌什县、阿瓦提县、柯坪县
9	克孜勒苏柯尔克孜自治州	4	阿图什市、阿克陶县、阿合奇县、乌恰县
10	喀什地区	12	喀什市、疏勒县、英吉沙县、泽普县、莎车县、叶城县、麦盖提县、岳普湖县、伽师县、巴楚县、疏附县、塔什库尔干塔吉克自治县
11	和田地区	8	和田市、和田县、墨玉县、皮山县、洛浦县、策勒县、于田县、民丰县
12	伊犁哈萨克自治州	10	奎屯市、伊宁市、伊宁县、察布查尔锡伯自治县、霍城县、巩留县、新源县、昭苏县、特克斯县、尼勒克县
13	塔城地区	7	塔城市、乌苏市、额敏县、沙湾县、托里县、裕民县、布克赛尔蒙古自治县
14	阿勒泰地区	7	阿勒泰市、布尔津县、富蕴县、福海县、哈巴河县、青河县、吉木乃县
15	自治区直辖行政单位	4	石河子市、阿拉尔市、图木舒克市、五家渠市

2.1 阿尔泰山

阿尔泰山为西北—东南走向，平均山脊线海拔不到 3000 米，最高的友谊峰海拔 4373 米。受断裂作用的影响，形成清晰的断崖，并有地堑性的山间盆地镶嵌于低山区，如可可托海、青河以及阿尔泰山东南部盆地。这些盆地规模不大，面积都不足 500 平方公里。山地海拔多为 2000 ~

3000 米，4000 米以上的高峰不多。

2.2　天　山

天山山脉东西横贯新疆中部，将新疆分隔成南、北疆两大部分，山脊线海拔 4000 米以上，一般高度在 4000 ~ 5000 米之间，最高峰托木尔峰海拔 7455 米，北坡雪线高度为 3500 ~ 3800 米，南坡雪线高度为 4000 ~ 4200 米。北坡较陡，有许多河流穿过，形成很深的峡谷。著名的风景胜地天池，就位于博格达峰下的西北坡，湖面海拔为 1940 米。新疆的天山山系，可分为数十个山段，夹有许多山间盆地和谷地，如昭苏 - 特克斯盆地、伊犁谷地、尤尔都斯盆地、乌什盆地、拜城盆地、焉耆盆地、吐鲁番盆地、哈密盆地等。其中，吐鲁番盆地中有低于海平面 154 米的世界第二低地艾丁湖。

2.3　昆仑山

昆仑山环绕塔里木盆地的南缘，形成一条向东突出的弧形山，其范围从帕米尔高原一直绵延到柴达木盆地的边缘及藏北高原的广大地区。在新疆境内，长达 1800 公里以上，最宽处达 150 公里，平均山脊线海拔为 5000 ~ 6000 米。新疆与克什米尔地区之间，耸立着海拔 8611 米的世界第二高峰乔戈里峰。整个山地可分为低山带、中山带和高山带。在高山带的起伏面上，耸立着皑皑雪山，雪线高度在 4000 米以上。

2.4　塔里木盆地

塔里木盆地面积达 53 万平方公里，是中国最大的盆地。盆地中间是浩瀚无垠的塔克拉玛干沙漠，面积 33.7 万平方公里。盆地西高东低，西部水源较充足，盆地周缘的绿洲，犹如镶嵌在黄色沙滩上的颗颗翡翠。绿洲区田连阡陌，绿树成荫，日照长，积温高，人工灌溉渠系发达，已形成较好的农业生产基地。

2.5　准噶尔盆地

准噶尔盆地近于三角形，介于天山、阿尔泰山之间，面积约 38 万平方公里。西侧的准噶尔西部山地由一系列低山丘陵组成，有几处地势较低的缺口，湿润盛行的西风能进入盆地。北部的额尔齐斯河是外流河，所以被称为半封闭性内陆盆地。地势由东向西倾斜，盆地平均海拔不到 500 米，最低处在西南的艾比湖，湖面海拔 189 米。盆地中心是古尔班通古特沙漠，面积约 4.73 万平方公里，大部分是固定、半固定沙丘，在固定沙丘上植被覆盖度约 50%。

3　气　候

新疆远离海洋，气候干燥少雨，属典型的温带大陆性干旱、半干旱气候区，南疆干旱，光照长，少雨，年降水量仅 20 ~ 100 毫米，而北疆为 100 ~ 500 毫米。年平均气温南疆平原 10 ~ 13℃，北疆平原低于 10℃。极端最高气温吐鲁番曾达 48.9℃，极端最低气温富蕴县可可托海曾达 -51.5℃。南疆平原无霜期 200 ~ 220 天，北疆平原大多不到 150 天。新疆夏季相对湿度、冬季绝对湿度都不大，形成夏季干热，冬季干冷的特点。新疆多年平均降水量为 145 毫米，只有全国平均年降水量630毫米的23%。北疆地区和山区的降雪量约占全年降水量的三分之一。新疆风多风大，并呈现北疆大于南疆、戈壁大于山区、盆地边缘大于盆地腹地的特征，大风(即大于等于8级的风)是新疆农业气象的主要灾害。北疆西北部、东疆和南疆东部是大风高值区，起风沙日数塔里木盆地一般在30天以上，北疆和东疆部分地区则在20天以下。近年来，南疆地区浮尘天气较过去出现得更加频繁。新疆日照丰富，太阳辐射总量全年为542.10～646.35焦耳/平方厘米，仅次于青藏高原。

4 水 文

新疆位于西北内陆干旱区，水汽主要来自西、西北和北方，特殊的地理环境决定了降水及地表水资源时空分布的不均匀性。新疆是我国乃至亚洲中部最大的内流区之一，绝大多数内流河流出山口后，因河水渗漏、蒸发和被引用，在冲洪积扇平原中、上部便干涸消失，只有少数水量丰富的大、中型河流可达平原区下部的低洼地潴水成湖。

4.1 地表水

新疆地表水资源量788.7亿立方米(指国界、省界范围以内产水量)，河川总径量879亿立方米，平均径流深0.48米，水资源可利用总量596.8亿立方米，地表水可利用总量522.2亿立方米。

地表径流的补给来源是自然降水(包括降雨和降雪)。因此，径流在地区上的分布与降水分布有密切关系，与地形高低和坡向有关，与高山冰雪有关。年径流在地区上的分布极不均匀，但有明显规律。年降水量平均150毫米，降水量多集中在山区。阿尔泰山及天山都在300毫米以上，最高处超过600毫米，准噶尔盆地中部、哈密南北戈壁、吐鲁番盆地是新疆降水量最少地区，其中托克逊是全国降水量最少的地方，年降水量只有4～6毫米。同时，降雪也是新疆主要的水来源，北疆降雪量为180～200毫米，南疆和东疆平原不足50毫米，北疆地区的降雪占新疆全年降水量的20%～45%，南疆地区的降雪占新疆全年降水量的20%。按多年平均计算，河川径流补给量占总补给量的31.37%，其他渠系补给量占总补给量的35.82%，田间年补给量占总补给量的10.7%，山前侧渗补给量占总补给量的9.91%，降水年补给量占总补给量的3.28%，水库补给量占总补给量的2.32%，井灌回归补给量占总补给量的0.65%。

新疆潜水面变化趋势与地表高程变化趋势相近，埋深变化较大，为2～50米。

4.1.1 河流水系

新疆的河流绝大部分属于内陆河，除北部的额尔齐斯河流入哈萨克斯坦，最终注入北冰洋，西南部喀喇昆仑山的奇普恰普等河流入印度河，最后注入印度洋外，其余均属内陆河。额尔齐斯河是我国唯一的北冰洋水系河流。

根据实测和调查资料，新疆共有大小河流721条，年径流量为800亿～900亿立方米，其中南疆有318条，北疆、东疆共有403条，年径流量大于10亿立方米的河流有18条，产生地表径流量达793亿立方米，加上国外入境水量年径流量为879亿立方米。

新疆境内的河流主要分布在天山南北坡、阿勒泰西南坡，其次分布在昆仑山北坡和帕米尔高原东坡。河流、水源主要依赖山地降水和高山冰雪。新疆主要有三大河流：南疆的塔里木河是全国最长的内陆河，年径流量为300多亿立方米；北疆有两大水系，伊犁河有170亿立方米的流量，额尔齐斯河每年流入哈萨克斯坦的水量有232亿立方米。其他较大的河流有乌伦古河、玛纳斯河、奎屯河、孔雀河、开都河等。

4.1.2 湖 泊

新疆是一个湖泊分布较多的地区，面积大于5平方公里的天然湖泊有52个，其中较大的有乌伦古湖、艾比湖、赛里木湖、博斯腾湖等。新疆除额尔齐斯河流域有外流湖外，其余均属内陆湖。内陆湖的特点是通常处于河川尾闾，有许多是孤立的集水盆地，蒸发量大，矿化度高。除博斯腾湖、乌伦古湖等矿化度在2克/升左右，其余多属咸水湖，矿化度多在5克/升以上。吐鲁番地区的艾丁湖矿化度高达200克/升，湖水多属氯化物型，其中很多湖泊已成为新疆著名的产盐基地。

4.1.3 冰 川

冰川为下游提供了丰富的水源，同时对河流流量起着调节作用。据统计，新疆各山体共有大小冰川18.6万多条，总面积2.4万平方公里，占全国冰川面积的42%。冰川储水量2.58万亿立方米，其中天山占43%，昆仑山占30%，喀喇昆仑山占14%，阿尔泰山等占13%。新疆的冰川融水约占新疆总径流量的21%。在新疆，以天山托木尔峰地区的冰川资源最为丰富，在那里仅我国境内有冰川501条，面积2746平方公里。这些冰川为新疆提供了比较稳定的水资源，故有"固体水库"之称。

4.2 地下水

新疆地下水资源总量为572亿立方米，地下水可开采量为252亿立方米，主要分布在平原区。平原区地下水总补给量为304.9亿立方米，其中，天然补给量44.5亿立方米，转化补给量为260.4亿立方米。地下水可开采量为153亿立方米，目前已开发利用地下水54亿立方米。按其补给来源和可开采范围来看，新疆地下水在径流区还是比较丰富的，可采范围大，农业区上游大部分分布有潜水溢出带，地下水埋藏浅，水量丰富，便于开采。

5 土 壤

在新疆，土壤的成土过程及土壤的地理分布规律，明显地受着强大的干旱气候和地质地貌的深刻影响。由于地貌和气候水文条件的差异，新疆不同的地域发育着各种类型的土壤。按照中国土壤分类，执行中华人民共和国国家标准《中国土壤分类与代码》(GB/T17296—2000)，新疆土壤共划分为灰色森林土(170)、棕色针叶林土(100)、灰化土(110)、灰棕漠土(240)、棕钙土(210)、黑钙土(180)、栗钙土(190)、石质土(360)、棕漠土(250)、灰钙土(220)、灰漠土(230)、林灌草甸土(400)、草甸土(370)、风沙土(300)、寒钙土(550)、盐土(440)、山地草甸土(410)、沼泽土(420)、黑毡土(540)、冷钙土(560)、草毡土(530)、水稻土(500)、寒漠土(580)、寒冻土(600)和潮土(380)25个土类。

新疆的湿地土壤都归属于水成土壤，根据水分条件来看，分为草甸土、沼泽土、盐土、水稻土等。新疆湿地主要土壤类型如下。

5.1 草甸土

分布比较广泛，南至昆仑山北麓，北至两河流域。主要分布于河漫滩、三角洲、洪积扇缘地下水溢出地带及湖泊周围的低地等，新疆草甸土面积为1.24万平方公里，草甸土的地下水位都相当高，多为1~3米，地下水矿化度较高，多为1~3克/升。草甸土有机质含量较高，可达5%，表层腐殖质含量可达2%~5%。因低洼地常有积盐，故草甸土都有不同程度的盐渍化现象，地表常有盐霜或盐结皮，pH值7.5~8.0，草甸土的腐殖质含量高，潜在肥力大，水源充足，草甸植被生长茂密，故多为良好的平原牧场，部分区域已开垦为农田。草甸土分为4个亚类：暗色草甸土、浅色草甸土、草原化草甸土和荒漠化草甸土。

5.2 沼泽土

新疆沼泽土的分布面积不大，主要分布在天山北麓、阿尔泰山南麓、伊犁谷地、塔里木河平原、叶尔羌河平原和焉耆盆地中的扇缘地带、扇间洼地、大河河滩—低阶地以及博斯腾湖等的湖滨地带。沼泽土的地下水位较高，一般在1米以内，甚至地表有积水现象，水质一般为淡水或弱矿化水，生长的水生植物覆盖度高达90%~100%。沼泽土泥炭层或粗腐质层有机质含量高达4%~8%，含氮、磷、钙元素也多，含氮量0.5%~1.0%，含磷量0.2%。潜育层腐殖质含量较低，一般约为0.3%~1.0%，呈中性，pH值6.8~7.5。沼泽土因水草丰茂，主要用作平原牧场，少量垦作农田，多种植水稻。沼泽土分为草甸沼泽土、淤泥沼泽土、泥炭沼泽土和残余沼泽土4个亚类。

5.3 盐 土

盐土分布于新疆全境，北疆准噶尔盆地北部、塔额盆地和伊犁河流域的盐土面积较小，含盐量较少，至准噶尔盆地南部盐土面积开始增多，含盐量也相对增加，及至南疆平原地区，盐土分布则非常广泛，面积更大，含盐量也很高。盐土主要分布在洪积-冲积扇边缘、三角洲中下部、大河三角洲下部和边缘、现代冲积平原的河滩的低地-低阶地和河间低地以及湖滨平原等。新疆盐土面积为57.64万平方公里，盐土分布区的地下水位一般为1~3米，都是处在地下水毛管上升高度的作用范围内。地下水矿化度不一，最低的只有1~3克/升，一般为3~20克/升，个别最高可达100克/升。盐土可分为草甸土盐土、沼泽土盐土、洪积盐土、残积盐土、碱化盐土5个亚类。

5.4 水稻土

水稻土集中分布在新疆的乌鲁木齐市米东区、沙湾、阿克苏、库车、新和、沙雅、和田、墨玉、泽普等县(市、区)。主要分布在扇缘泉水地、沿河河滩地和低阶地以及部分干三角洲。水稻土的地下水位一般都较高，多在0.5~2米之间，水稻土的成土母质与区域性的沉积物质有关，但一般多为壤质。其腐殖质含量较高，一般含量为3.0%~4.5%，含矿物质养料也较丰富，适于种植水稻。

6　动植物资源概况

6.1　野生动物资源概况

新疆动物地理区系属于古北界中亚亚界，地跨阿尔泰—萨彦岭区、哈萨克斯坦区、蒙新区和青藏区4个动物地理区，繁育了种类繁多的野生动物资源。据初步统计，新疆共分布有脊椎动物750种，隶属于5纲41目118科。其中鱼纲9目19科87种、两栖类2目3科8种、爬行纲2目8科50种、鸟纲21目65科452种、哺乳纲7目23科153种。属于国家重点保护的野生动物有118种。其中国家Ⅰ级保护野生动物有29种，兽类有雪豹、普氏野马、藏羚羊、蒙新河狸等14种，鸟类有黑鹳、黑颈鹤、金雕等13种，爬行类仅有四爪陆龟1种，鱼类仅有新疆大头鱼1种；国家Ⅱ级保护野生动物91种，其中兽类有盘羊、马鹿、鹅喉羚等18种，鸟类有苍鹰、猎隼、高山雪鸡等73种。

6.2　野生植物资源概况

由于新疆植物区系位于欧亚森林亚区、欧亚草原亚区、中亚荒漠亚区、亚洲中部荒漠亚区和中国喜马拉雅植物亚区的交汇处，造成新疆植物区系多样性和物种的复杂性。据《新疆植物志》记载，新疆野生高等植物有161科877属3964种，包括159个亚(变)种及50个变型。其中蕨类植物16科23属55种，裸子植物3科10属51种，被子植物118科825属3858种。据统计，新疆有国家Ⅱ级保护野生植物盐桦、瓣鳞花、发菜等9种。自治区Ⅰ级保护野生植物有裸果木、灰胡杨、新疆沙冬青等63种，自治区Ⅱ级保护野生植物有银沙槐、天山樱桃、塔里木沙拐枣等46种。其中许多种类具有重要的经济价值，用途多样。

新疆地处中亚、蒙古、西伯利亚、中国—喜马拉雅几种植物区系的交汇处，植物区系性质复杂且带有浓厚的过渡性。由于干旱的生态环境及位于沙漠边缘的地理位置，使植物形态及植被类型均不同程度地具有沙漠化痕迹。植物群落中沙生、旱生种类在群落中占据优势，构成干旱区典型的荒漠植被景观。由于蒸发和植物蒸腾作用强烈，水生环境和陆地旱生环境之间缺乏一个由湿生到中生的交接过渡地带，水生植物群落往往直接与中生植物或旱生植物相邻分布，中生－旱生植物充分发育是新疆天然植被的最显著特点。

第二节
社会经济状况

1　人口、民族

截至2011年5月，新疆维吾尔自治区总人口为2181.33万人，其中少数民族人口约为60%左右。新疆生产建设兵团总人口257万人。新疆维吾尔自治区是一个多民族聚居的地区，共有47个民族。其中世居民族有维吾尔族、汉族、哈萨克族、回族、柯尔克孜族、蒙古族、塔吉克族、锡伯族、满族、乌孜别克族、俄罗斯族、塔塔尔族和达斡尔族13个民族。其中汉族人口874.6万人，占总人口的40.1%；各少数民族人口1306.72万人，占总人口的59.9%。

2 经济发展及工农业生产情况

据《新疆维吾尔自治区2010年国民经济和社会发展统计公报》统计数据，新疆维吾尔自治区2010年实现生产总值(GDP)5418.81亿元，比上年增加1141.76亿元，首次突破5000亿元大关。按可比价格计算，比上年增长10.6%。其中，第一产业产值1078.61亿元，增长4.5%；第二产业产值2533.69亿元，增长12.6%；第三产业产值1806.51亿元，增长10.9%。三次产业比例为19.9∶46.8∶33.3。人均生产总值24978元，按可比价格计算，增长9.4%，以当年平均汇率折算，人均3690美元，首次突破人均3000美元大关。

2.1 工 业

新疆维吾尔自治区2010年工业品出厂价格上涨25.3%，其中，轻工业上涨8.9%，重工业上涨28.7%，原材料、燃料、动力购进价格上涨23.9%，农产品生产价格上涨31.5%，农业生产资料价格上涨3.1%，固定资产投资价格上涨4.6%。

2.2 农 业

新疆维吾尔自治区2010年粮食产量1170.70万吨，增长1.6%。棉花产量247.90万吨，下降1.8%。油料产量66.62万吨，增长4.2%。甜菜产量486.97万吨，增长16.4%。蔬菜产量1734.40万吨，增长25.4%。水果(含果用瓜)产量1028.85万吨，下降2.6%，其中，园林水果593.85万吨，增长5.1%。农作物播种面积7137.96万亩，增长1.0%。其中，粮食播种面积3042.91万亩，增长1.8%；棉花播种面积2190.90万亩，增长3.6%；油料播种面积410.06万亩，增长1.2%；甜菜播种面积112.91万亩，增长18.1%；蔬菜播种面积455.39万亩，增长15.8%。农业产值1376.89亿元，增长4.7%。年末农业机械总动力1642.93万千瓦，增长9.3%。拥有大中型拖拉机25.38万台，增长16.5%。小型拖拉机36.12万台，下降2.7%。化肥施用量(折纯)167.57万吨，增长7.2%。农村用电量64.29亿千瓦时，增长9.0%。

2.3 林牧渔业

新疆维吾尔自治区2010年林牧渔业总产值1846.18亿元，其中林业产值35.27亿元，增长6.4%；畜牧业产值375.79亿元，增长5.1%；渔业产值12.66亿元，增长5.5%；农林牧渔服务业产值45.57亿元，增长6.1%。森林覆盖率已达4.02%，绿洲森林覆盖率达到23.5%。年末牲畜存栏3722.12万头(只)，下降3.2%；全年牲畜出栏3498.52万头(只)，增长6.6%。肉类总产量122.05万吨，增长5.8%。其中，羊肉产量46.95万吨，增长7.2%；牛肉产量35.47万吨，增长4.7%；猪肉产量23.05万吨，增长4.6%。牛奶产量128.60万吨，增长6.4%。绵羊毛产量6.85万吨，下降4.3%。水产品产量10万吨，增长3.1%。

第二章 湿地类型

本次湿地调查结果，新疆湿地总面积 394.82 万公顷，有湿地 4 类 17 型。其中河流湿地 121.64 万公顷，占湿地总面积 30.81%；湖泊湿地 77.45 万公顷，占湿地总面积 19.62%；沼泽湿地 168.74 万公顷，占湿地总面积 42.74%；人工湿地 26.99 万公顷，占湿地总面积的 6.84%。

此外，据自治区农业厅提供的数据，新疆还有水稻田 5.89 万公顷，加上水稻田新疆湿地面积为 400.71 万公顷。

第一节 湿地类型与面积

1 湿地概况

新疆的地理位置和地形地貌特征较为特殊，新疆湿地资源也呈现出多种类型，具有明显的西北内陆干旱区特点，在我国湿地自然生态系统中具有典型性和独特性。湿地分布较广，垂直分布从 -154 米至山地 4800 米，天山南北、盆地、高山区均有湿地分布。新疆典型的地貌格局表现为内陆盆地与高山相间分布，发源于高山地区的河流形成由高山向平原、盆地汇集的向心式水系。昆仑山、天山、阿尔泰山、阿尔金山等高大山体截获较多水汽形成干旱区的山区湿岛。山区降水蒸发强度相对较小，水资源较为丰富，是河流的主要径流形成区，河流众多。平原地区水系成线状，在沿河滩地及绿洲地下水露头处有零星分布的湖泊和沼泽湿地。内陆河流最终消失在荒漠中或潴成湖泊，形成内陆盐湖和盐沼湿地。内陆河流出山口后，进入平原绿洲区，水资源的天然配置被明显改变，自然湿地转变为人工湿地，一些河流进入绿洲区后，逐渐退变成季节性河流或消失于沙漠中。

新疆分布的各类湿地总面积为 394.82 万公顷，有 4 类 17 型，其中自然湿地占绝大多数，有河流湿地、湖泊湿地、沼泽湿地 3 类 13 型，面积 367.83 万公顷，占全疆湿地总面积的 93.16%。人工湿地有库塘、输水河、水产养殖场、盐田 4 型，面积 26.99 万公顷，占全疆湿地总面积的 6.84%。

1.1 各湿地类型的湿地面积

新疆湿地总面积为394.82万公顷，分为4类17型。其中河流湿地121.64万公顷，占湿地总面积30.81%；湖泊湿地77.45万公顷，占湿地总面积19.62%；沼泽湿地168.74万公顷，占湿地总面积42.74%；人工湿地26.99万公顷，占湿地总面积的6.84%。新疆各类湿地面积比例如图2-1，新疆各类湿地型和面积见表2-1。

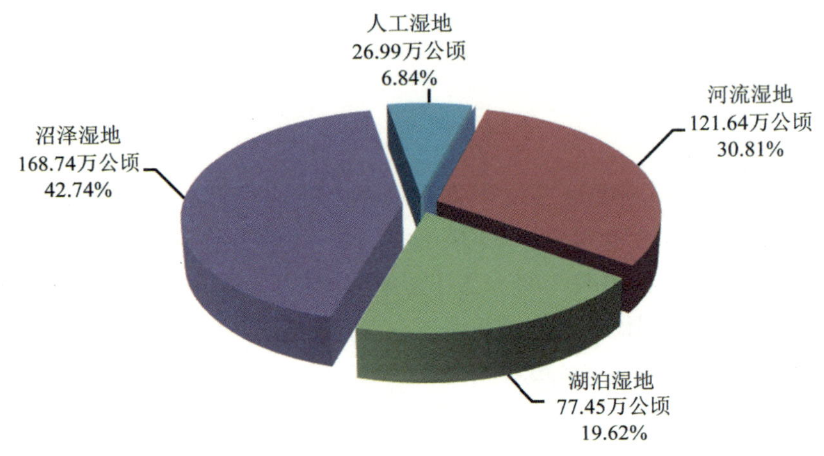

图2-1 新疆各类湿地面积比例

表2-1 新疆湿地类型面积统计表

湿地类	湿地型	面　积（公顷）	湿地型比例（%）	湿地类面积（公顷）	湿地类比例（%）
河流湿地	永久性河流	681695.59	17.27	1216379.64	30.81
	季节性或间歇性河流	145312.57	3.68		
	洪泛平原湿地	389371.48	9.86		
湖泊湿地	永久性淡水湖	306525.44	7.76	774548.09	19.62
	永久性咸水湖	339233.34	8.59		
	季节性淡水湖	98271.19	2.49		
	季节性咸水湖	30518.12	0.77		
沼泽湿地	草本沼泽	863708.70	21.88	1687361.61	42.74
	灌丛沼泽	178437.29	4.52		
	森林沼泽	68176.46	1.73		
	内陆盐沼	273723.89	6.93		
	季节性咸水沼泽	180084.92	4.56		
	沼泽化草甸	123230.35	3.12		
人工湿地	库　塘	184593.47	4.68	269869.73	6.84
	输水河	40632.74	1.03		
	水产养殖场	8890.02	0.23		
	盐　田	35753.50	0.91		
合　计		3948159.07	100.00	3948159.07	100

河流湿地面积121.64万公顷，其中永久性河流68.17万公顷，季节性或间歇性河流14.53万公顷，洪泛平原湿地38.94万公顷。

湖泊湿地面积77.45万公顷，其中永久性淡水湖30.65万公顷，永久性咸水湖33.92万公顷，季节性淡水湖9.83万公顷，季节性咸水湖3.05万公顷。

沼泽湿地面积168.74万公顷，其中草本沼泽86.37万公顷，灌丛沼泽17.84万公顷，森林沼泽6.82万公顷，内陆盐沼27.37万公顷，季节性咸水沼泽18.01万公顷，沼泽化草甸12.32万公顷。

人工湿地面积26.99万公顷，其中库塘18.46万公顷，输水河4.06万公顷，水产养殖场0.89万公顷，盐田3.58万公顷。

1.2 各湿地区的湿地类及面积

根据《全国湿地资源调查技术规程(试行)》要求，本次调查新疆共区划115个湿地区，其中单独区划湿地区23个，零星湿地区92个(表2-2)。新疆23个单独区划湿地区湿地类型和面积见表2-3，新疆92个零星湿地区湿地类型和面积见表2-4。

表2-2 新疆湿地区名录

类型	湿地区名称	湿地区编码	总面积(公顷)	湿地面积(公顷)	湿地类	湿地斑块数量	所属县市	所属二级流域
单独区划湿地区	阿尔金山国家级自然保护区单独区划湿地区	6520008	4500000.00	332227.32	2,3,4	136	若羌县、且末县	69,76,78
	阿尔泰山两河源头自然保护区单独区划湿地区	6520020	675900.00	15117.89	2,3,4	154	富蕴县、青河县	71
	阿克苏湿地单独区划湿地区	6520012	530000.00	78059.76	2,3,4,5	91	阿克苏市、阿瓦提县	75,77
	艾丁湖湿地单独区划湿地区	6530003	19500.00	19369.53	3,4,5	5	吐鲁番市、鄯善县	70
	白杨河湿地单独区划湿地区	6520018	330000.00	22980.1700	2,3,4,5	33	额敏县、托里县、和布克赛尔蒙古自治县、乌尔禾区	74
	额尔齐斯河与乌伦古湖平原湿地自然保护区单独区划湿地区	6530023	100000.00	8072.5600	3,4,5	38	阿勒泰市、布尔津县、哈巴河县、富蕴县、青河县、福海县	71
	博斯腾湖湿地单独区划湿地区	6530009	156800.00	150558.80	3,4,5	24	博湖县、和硕县、焉耆回族自治县	75
	额尔齐斯河湿地单独区划湿地区	6520021	460000.00	120544.77	2,3,4,5	55	阿勒泰市、布尔津县、哈巴河县、富蕴县、福海县	71
	额敏河湿地单独区划湿地区	6520017	110000.00	7420.7100	2,3,4,5	41	额敏县、塔城市、裕民县	72

（续）

类型	湿地区名称	湿地区编码	总面积（公顷）	湿地面积（公顷）	湿地类	湿地斑块数量	所属县市	所属二级流域
单独区划湿地区	甘家湖梭梭林国家级自然保护区单独区划湿地区	6520006	54667.00	3579.13	2,4	8	精河县、乌苏市	74
	哈密东天山生态功能自然保护区单独区划湿地区	6520004	990000.00	63619.03	2,3,4,5	137	哈密市、巴里坤县、伊吾县	70
	哈纳斯国家级自然保护区单独区划湿地区	6530019	220162.00	9418.77	2,3,4	40	布尔津县、哈巴河县	71
	卡拉麦里山有蹄类自然保护区单独区划湿地区	6520005	1346420.00	19062.17	2,3,4	66	富蕴县、青河县、福海县、吉木萨尔县、奇台县	73
	孔雀河湿地自然保护区单独区划湿地区	6520007	141300.00	7382.47	2,3,4,5	23	库尔勒市、尉犁县	75
	罗布泊野骆驼国家级自然保护区单独区划湿地区	6540010	14000000.00	97390.76	2,3,4,5	58	若羌县、吐鲁番市、鄯善县、哈密市、托克逊县	75,76,79
	玛依格勒自然保护区单独区划湿地区	6540002	60000.00	15968.23	4	2	克拉玛依区、白碱滩区	74
	塔城巴尔鲁克山自然保护区单独区划湿地区	6520016	115000.00	569.05	2,3,4	40	托里县、裕民县	72
	塔里木胡杨林国家级自然保护区单独区划湿地区	6540011	395420.00	57732.46	2,4,5	54	轮台县、尉犁县	77
	渭干河流域湿地单独区划湿地区	6550013	420000.00	11998.52	2,3,4,5	117	库车县、沙雅县、新和县	75,77
	乌鲁木齐河湿地单独区划湿地区	6520001	700000.00	19188.84	2,3,4,5	105	乌鲁木齐县、天山区、新市区、沙依巴克区、头屯河区	74
	乌伦古河湿地单独区划湿地区	6520022	150000.00	25611.50	2,3,4	23	富蕴县、青河县、福海县	71
	叶尔羌河流域湿地单独区划湿地区	6520014	900000.00	185059.40	2,3,4,5	145	麦盖提县、巴楚县、莎车县、泽普县	75
	伊犁河湿地区单独区划湿地区	6520015	310000.00	113043.26	2,4,5	58	伊宁市、尼勒克县、霍城县、特克斯县、昭苏县、巩留县、察布查尔锡伯自治县	72

（续）

类型		湿地区名称	湿地区编码	总面积（公顷）	湿地面积（公顷）	湿地类	湿地斑块数量	所属县市	所属二级流域
零星湿地区	乌鲁木齐市	乌鲁木齐市达坂城区零星湿地区	650107	518800.00	3063.03	2,3,4,5	36	乌鲁木齐市达坂城区	70,74
		乌鲁木齐市米东区零星湿地区	650108	338100.00	6433.65	2,4,5	31	乌鲁木齐市米东区	74
		乌鲁木齐县零星湿地区	650121	433200.00	64.54	2	1	乌鲁木齐县	74
	克拉玛依市	独山子区零星湿地区	650202	40000.00	694.91	2	2	独山子区	74
		克拉玛依区零星湿地区	650203	364000.00	2215.92	2,3,4,5	14	克拉玛依区	74
		白碱滩区零星湿地区	650204	127200.00	2112.57	2,3,4,5	13	白碱滩区	74
		乌尔禾区零星湿地区	650205	78180.00	827.50	2,3,4,5	13	乌尔禾区	74
	吐鲁番地区	吐鲁番市零星湿地区	652101	984200.00	8354.09	2,4,5	52	吐鲁番市	70
		鄯善县零星湿地区	652122	1545000.00	5368.09	2,4,5	60	鄯善县	70
		托克逊县零星湿地区	652123	1550000.00	14632.69	2,4,5	41	托克逊县	70,75,79
	哈密地区	哈密市零星湿地区	652201	5389000.00	24165.92	2,4,5	48	哈密市	70,79
		巴里坤哈萨克自治县零星湿地区	652222	3730400.00	13449.71	2,3,4,5	25	巴里坤哈萨克自治县	70
		伊吾县零星湿地区	652223	1746000.00	10232.29	2,3,4,5	19	伊吾县	70
	昌吉回族自治州	昌吉市零星湿地区	652301	798100.00	13776.35	2,4,5	70	昌吉市	73,74
		阜康市零星湿地区	652302	854500.00	2611.38	2,3,4,5	55	阜康市	74
		呼图壁县零星湿地区	652323	926000.00	10702.50	2,3,4,5	68	呼图壁县	74
		玛纳斯县零星湿地区	652324	972400.00	14907.34	2,3,4,5	57	玛纳斯县	74
		奇台县零星湿地区	652325	1554800.00	11553.63	2,3,4,5	83	奇台县	73,74,70
		吉木萨尔县零星湿地区	652327	659000.00	5081.06	2,3,4,5	73	吉木萨尔县	74
		木垒哈萨克自治县零星湿地区	652328	1369000.00	6073.19	2,4,5	101	木垒哈萨克自治县	74
	博尔塔拉蒙古自治州	博乐市零星湿地区	652701	799800.00	52330.55	2,3,4,5	78	博乐市	74
		精河县零星湿地区	652722	1109000.00	130779.30	2,3,4,5	62	精河县	74
		温泉县零星湿地区	652723	582500.00	6289.48	2,3,4,5	121	温泉县	74
	巴音郭勒蒙古自治州	库尔勒市零星湿地区	652801	670000.00	12168.72	2,3,4,5	50	库尔勒市	75
		轮台县零星湿地区	652822	1360000.00	37024.09	2,4,5	67	轮台县	75,77
		尉犁县零星湿地区	652823	4988000.00	123937.82	2,3,4,5	81	尉犁县	75,77,79
		若羌县零星湿地区	652824	7830000.00	190979.80	2,3,4,5	139	若羌县	69,76,77,79

（续）

类型		湿地区名称	湿地区编码	总面积（公顷）	湿地面积（公顷）	湿地类	湿地斑块数量	所属县市	所属二级流域
零星湿地区	巴音郭勒蒙古自治州	且末县零星湿地区	652825	13838000.00	156490.22	2,3,4,5	383	且末县	76,78,79
		焉耆回族自治县零星湿地区	652826	238200.00	3790.17	2,3,4,5	37	焉耆回族自治县	75
		和静县零星湿地区	652827	3498000.00	195232.35	2,3,4,5	481	和静县	74,72,70,75
		和硕县零星湿地区	652828	1293000.00	5090.67	2,3,4,5	32	和硕县	70,75
		博湖县零星湿地区	652829	357900.00	4469.92	2,3,4,5	24	博湖县	75
	阿克苏地区	阿克苏市零星湿地区	652901	1234000.00	10395.50	2,4,5	17	阿克苏市	75,77
		温宿县零星湿地区	652922	1490000.00	30075.44	2,4,5	46	温宿县	75
		库车县零星湿地区	652923	1452900.00	20637.52	2,3,4,5	102	库车县	75,77
		沙雅县零星湿地区	652924	3064600.00	89243.77	2,3,4,5	48	沙雅县	75,77,79
		新和县零星湿地区	652925	458400.00	14498.07	2,3,4,5	17	新和县	75
		拜城县零星湿地区	652926	1592000.00	28076.10	2,4,5	113	拜城县	75
		乌什县零星湿地区	652927	906500.00	18247.05	2,4,5	25	乌什县	75
		阿瓦提县零星湿地区	652928	1386700.00	39055.50	2,3,4,5	18	阿瓦提县	75
		柯坪县零星湿地区	652929	924000.00	5172.13	2,4,5	13	柯坪县	75
	克孜勒苏柯尔克孜自治州	阿图什市零星湿地区	653001	1569800.00	53360.99	2,3,4,5	78	阿图什市	75
		阿克陶县零星湿地区	653022	2535500.00	63252.13	2,3,4,5	143	阿克陶县	75
		阿合奇县零星湿地区	653023	1296000.00	17470.66	2,3	77	阿合奇县	75
		乌恰县零星湿地区	653024	1911800.00	19472.32	2,4,5	97	乌恰县	75
	喀什地区	喀什市零星湿地区	653101	55500.00	3172.62	2,3,4,5	22	喀什市	75
		疏附县零星湿地区	653121	348300.00	10305.34	2,3,4,5	41	疏附县	75
	喀什地区	疏勒县零星湿地区	653122	223600.00	8362.45	2,3,4,5	55	疏勒县	75
		英吉沙县零星湿地区	653123	342100.00	6940.92	2,4,5	29	英吉沙县	75
		泽普县零星湿地区	653124	85000.00	3522.45	2,3,4,5	19	泽普县	75
		莎车县零星湿地区	653125	626400.00	1763.62	2,3,4,5	32	莎车县	75
		叶城县零星湿地区	653126	2972900.00	34478.50	2,3,4,5	107	叶城县	75
		麦盖提县零星湿地区	653127	833000.00	1201.05	4,5	2	麦盖提县	75
		岳普湖县零星湿地区	653128	316600.00	3325.40	2,3,4,5	27	岳普湖县	75
		伽师县零星湿地区	653129	677800.00	12185.46	2,3,4,5	35	伽师县	75
		巴楚县零星湿地区	653130	1849100.00	26050.34	2,3,4,5	46	巴楚县	75
		塔什库尔干塔吉克自治县零星湿地区	653131	2408900.00	105965.66	2,3,4,5	133	塔什库尔干塔吉克自治县	75

（续）

类型		湿地区名称	湿地区编码	总面积（公顷）	湿地面积（公顷）	湿地类	湿地斑块数量	所属县市	所属二级流域
零星湿地区	和田地区	和田市零星湿地区	653201	47290.00	3643.31	2,4,5	18	和田市	75
		和田县零星湿地区	653221	4219000.00	141695.64	2,3,4,5	354	和田县	75,87,111
		墨玉县零星湿地区	653222	2578900.00	59015.91	2,4,5	34	墨玉县	75
		皮山县零星湿地区	653223	4074200.00	41570.49	2,3,4,5	186	皮山县	75
		洛浦县零星湿地区	653224	1431400.00	28825.57	2,3,4,5	52	洛浦县	75
		策勒县零星湿地区	653225	3168800.00	6083.86	2,3,4,5	123	策勒县	75,76
		于田县零星湿地区	653226	3943500.00	72742.34	2,3,4,5	109	于田县	76,78,79
		民丰县零星湿地区	653227	5786000.00	55129.76	2,3,4,5	205	民丰县	76,78,79
	伊犁哈萨克自治州	伊宁市零星湿地区	654002	62900.00	630.09	2,5	15	伊宁市	72
		奎屯市零星湿地区	654003	123800.00	2967.60	2,4,5	19	奎屯市	74
		伊宁县零星湿地区	654021	405800.00	3095.89	2,5	68	伊宁县	72
		察布查尔锡伯自治县零星湿地区	654022	448900.00	2252.04	2,4,5	52	察布查尔锡伯自治县	72
		霍城县零星湿地区	654023	546600.00	5968.34	2,3,4,5	140	霍城县	72
		巩留县零星湿地区	654024	412400.00	3566.17	2,4,5	39	巩留县	72
		新源县零星湿地区	654025	625300.00	5037.52	2,4,5	66	新源县	72
		昭苏县零星湿地区	654026	961800.00	7482.95	2,3,4,5	58	昭苏县	72
		特克斯县零星湿地区	654027	756000.00	5616.02	2,3,4,5	81	特克斯县	72
		尼勒克县零星湿地区	654028	1013000.00	5400.75	2,3,4,5	162	尼勒克县	72
	塔城地区	塔城市零星湿地区	654201	412200.00	7127.28	2,3,4,5	120	塔城市	72
		乌苏市零星湿地区	654202	1410000.00	33582.70	2,3,4,5	116	乌苏市	74
		额敏县零星湿地区	654221	774700.00	6161.06	2,3,4,5	138	额敏县	72,74
		沙湾县零星湿地区	654223	1288000.00	16987.45	2,3,4,5	105	沙湾县	74
		托里县零星湿地区	654224	199700.00	4653.86	2,3,4,5	145	托里县	72,74
		裕民县零星湿地区	654225	625000.00	4210.52	2,3,4,5	80	裕民县	72
		和布克赛尔蒙古自治县零星湿地区	654226	2878200.00	113706.81	2,3,4,5	83	和布克赛尔蒙古自治县	71,72,73,74
	阿勒泰地区	阿勒泰市零星湿地区	654301	1085200.00	17930.35	2,3,4,5	102	阿勒泰市	71
		布尔津县零星湿地区	654321	1036900.00	23663.45	2,3,4,5	105	布尔津县	71
		富蕴县零星湿地区	654322	1950000.00	5934.43	2,3,4,5	108	富蕴县	71,73
		福海县零星湿地区	654323	3331900.00	129934.65	2,3,4,5	106	福海县	71,72,73
		哈巴河县零星湿地区	654324	681800.00	20754.65	2,3,4,5	117	哈巴河县	71

（续）

类型		湿地区名称	湿地区编码	总面积（公顷）	湿地面积（公顷）	湿地类	湿地斑块数量	所属县市	所属二级流域
零星湿地区	阿勒泰地区	青河县零星湿地区	654325	1365000.00	7609.63	2,3,4,5	87	青河县	71,73
		吉木乃县零星湿地区	654326	714500.00	9479.18	2,3,4,5	69	吉木乃县	71
	自治区直辖县级行政单位	石河子市零星湿地区	659001	45190.00	201.19	5	2	石河子市	74
		五家渠市零星湿地区	659002	74222.00	4270.20	2,3,4,5	15	五家渠市	74
		阿拉尔市零星湿地区	659003	222692.00	6117.86	2,4,5	10	阿拉尔市	77,79

表 2-3 新疆单独区划湿地区湿地分布概况表

湿地类型 / 湿地区名称	合 计（公顷）	河流湿地（公顷）	湖泊湿地（公顷）	沼泽湿地（公顷）	人工湿地（公顷）
合 计	1384677.91	405290.38	335715.24	521586.82	122085.47
乌鲁木齐河湿地单独区划湿地区	19188.84	4012.46	7641.49	3471.50	4063.39
玛依格勒自然保护区单独区划湿地区	15968.23			15968.23	
艾丁湖湿地单独区划湿地区	19369.53		1355.15	17568.20	446.18
哈密东天山生态功能自然保护区单独区划湿地区	63619.03	8079.66	4028.68	46888.67	4622.02
卡拉麦里山有蹄类自然保护区单独区划湿地区	19062.17	1479.70	11227.90	6354.57	
甘家湖梭梭林国家级自然保护区单独区划湿地区	3579.13	90.96		3488.17	
孔雀河湿地自然保护区单独区划湿地区	7618.59	4537.60	397.31	1998.85	684.83
阿尔金山国家级自然保护区单独区划湿地区	332227.32	90458.20	177596.85	64172.27	
博斯腾湖湿地单独区划湿地区（含二十二团、二十四团、二十五团、二十七团）	150970.78		98846.36	51562.00	562.42
罗布泊野骆驼国家级自然保护区单独区划湿地区	97390.76	1194.75	2553.13	75083.01	18559.87
塔里木胡杨林国家级自然保护区单独区划湿地区	57808.83	9320.16		47301.94	1186.73
阿克苏湿地单独区划湿地区（含三团、四团、五团、七团、八团、十团、十二团、十三团、十四团、十六团、塔水处、阿拉尔农场、南口农场、幸福城农场）	78059.76	27788.13	4269.63	19306.11	26695.89

（续）

湿地类型 湿地区名称	合　计 （公顷）	河流湿地 （公顷）	湖泊湿地 （公顷）	沼泽湿地 （公顷）	人工湿地 （公顷）
渭干河流域湿地单独区划湿地区	11998.52	1581.37	435.31	3692.31	6289.53
叶尔羌河流域湿地单独区划湿地区（含四十四团、四十五团、四十八团、四十九团、五十团、五十一团、五十三团、小海子水管处、前进水管处）	185037.73	92737.54	3221.99	45570.66	43507.54
伊犁河湿地单独区划湿地区（含六十一团、六十二团、六十三团、六十四团、六十六团、六十七团、六十八团、六十九团、七十团、七十一团、七十二团、七十三团、七十四团、七十五团、七十六团、七十七团、七十八团、七十九团）	113043.27	67721.42		32894.52	12427.33
塔城巴尔鲁克山自然保护区单独区划湿地区	569.05	409.10	8.28	151.67	
额敏河湿地单独区划湿地区	7420.71	2990.95	107.95	3480.93	840.88
白杨河湿地单独区划湿地区	22980.17	7340.25	6567.92	8570.43	501.57
哈纳斯国家级自然保护区单独区划湿地区	9418.77	222.15	6478.41	2718.21	
阿尔泰山两河源头自然保护区单独区划湿地区	15117.89	4691.28	2602.75	7823.86	
额尔齐斯河湿地单独区划湿地区	120544.77	57409.65	4619.92	57177.70	1337.50
乌伦古河湿地单独区划湿地区（含一八二团）	25611.50	23225.05	1011.04	1375.41	
额尔齐斯河与乌伦古湖平原湿地自然保护区单独区划湿地区	8072.56		2745.17	4967.60	359.79

表 2-4　新疆以县域为单位零星湿地区湿地分布概况表

湿地类型 湿地区名称	合　计 （公顷）	河流湿地 （公顷）	湖泊湿地 （公顷）	沼泽湿地 （公顷）	人工湿地 （公顷）
合　计	2563481.16	811089.26	438832.85	1165774.79	147784.26
乌鲁木齐市达坂城区零星湿地区	3128.28	2462.12	49.53	565.57	51.06
乌鲁木齐市米东区零星湿地区	6433.65	136.86		4161.22	2135.57
乌鲁木齐县零星湿地区	64.54	64.54			

（续）

湿地类型 湿地区名称	合 计（公顷）	河流湿地（公顷）	湖泊湿地（公顷）	沼泽湿地（公顷）	人工湿地（公顷）
独山子区零星湿地区	694.91	694.91			
克拉玛依区零星湿地区（含一二九团、一三六团）	2215.92	546.38	586.77	424.23	658.54
白碱滩区零星湿地区	2112.57	185.31	59.55	1356.54	511.17
乌尔禾区零星湿地区（含一三七团）	827.50	210.68	131.38	326.99	158.45
吐鲁番市零星湿地区（含二二一团）	8354.08	5808.48		2077.21	468.39
鄯善县零星湿地区	5368.09	2824.17		1894.98	648.94
托克逊县零星湿地区	14567.44	2010.80		12157.56	399.08
哈密市零星湿地区（含红星一场、红星二场、红星四场、黄田农场、火箭农场、柳树泉农场）	24165.92	4433.89		18418.58	1313.45
巴里坤哈萨克自治县零星湿地区（含红山农场）	13449.71	401.27	40.70	12915.21	92.53
伊吾县零星湿地区（含淖毛湖农场）	10232.29	477.88	2480.93	5431.50	1841.98
昌吉市零星湿地区（含共青团农场、军户农场）	13776.35	8828.36		2754.14	2193.85
阜康市零星湿地区（含土墩子农场、六运湖农场、二二二团）	2611.38	625.21	298.07	89.96	1598.14
呼图壁县零星湿地区（含一〇五团、芳草湖农场、一〇六团）	10702.50	2318.09	377.73	5493.64	2513.04
玛纳斯县零星湿地区（含新湖农场、一四七团、一四八团、一四九团、一五〇团）	15067.65	6936.15	34.93	2105.18	5991.39
奇台县零星湿地区（含奇台农场、北塔山牧场）	11553.63	6794.17	3466.09	172.94	1120.43
吉木萨尔县零星湿地区（含红旗农场）	5105.19	1148.27	28.50	1981.33	1947.09
木垒哈萨克自治县零星湿地区	6049.06	2541.24		3240.27	267.55
博乐市零星湿地区（含八十一团、八十四团、八十六团、八十九团、九十团）	53443.92	2077.69	46463.85	3861.50	1040.88
精河县零星湿地区（含八十三团、九十一团）	130089.21	3734.25	49490.83	75583.77	1280.36
温泉县零星湿地区（含八十七团、八十八团）	6289.48	5094.97	62.09	1044.55	87.87
库尔勒市零星湿地区（含二十九团、三十团）	12168.72	1411.04	1177.09	8952.73	627.86

（续）

湿地类型 湿地区名称	合　计 （公顷）	河流湿地 （公顷）	湖泊湿地 （公顷）	沼泽湿地 （公顷）	人工湿地 （公顷）
轮台县零星湿地区	35065.51	4462.50		29868.15	734.86
尉犁县零星湿地区（含三十一团、三十三团、三十四团）	125583.91	27203.86	13608.16	67928.22	16843.67
若羌县零星湿地区（含三十六团）	190979.80	54081.92	61057.38	75115.88	724.62
且末县零星湿地区（含三十八团、且末支队）	156652.00	75463.37	53656.60	27269.28	262.75
焉耆回族自治县零星湿地区（含二十七团）	3790.17	1135.89	863.71	1293.59	496.98
和静县零星湿地区（含二十一团、二十二团、二二三团）	194893.29	30244.36	675.55	163373.69	599.69
和硕县零星湿地区（含二十四团）	5090.67	907.31	775.46	1722.36	1685.54
博湖县零星湿地区（含二十五团）	4057.94	544.73	2592.79	694.94	225.48
阿克苏市零星湿地区（含一团、二团）	12523.90	2845.91		8331.97	1346.02
温宿县零星湿地区（含五团、六团）	27947.04	25392.17		2094.81	460.06
库车县零星湿地区	20637.52	11426.88	1728.53	6252.36	1229.75
沙雅县零星湿地区	89243.77	20828.61	515.80	52063.26	15836.10
新和县零星湿地区	14498.07	4150.75	1293.64	9045.28	8.40
拜城县零星湿地区	28076.10	21982.85		1024.62	5068.63
乌什县零星湿地区（含四团）	18247.05	16144.35		770.70	1332.00
阿瓦提县零星湿地区（含三团、一师沙水处）	39055.50	28287.20	47.26	10399.23	321.81
柯坪县零星湿地区	5172.13	600.98		4529.77	41.38
阿图什市零星湿地区（含三师红旗农场）	53360.99	9093.03	5092.62	36854.34	2321.00
阿克陶县零星湿地区	63252.13	16078.93	1996.80	44584.82	591.58
阿合奇县零星湿地区	17470.66	17415.02	55.64		
乌恰县零星湿地区（含托云牧场）	19472.32	12698.67		6755.40	18.25
喀什市零星湿地区	3172.62	1894.01	133.38	773.73	371.50
疏附县零星湿地区	10305.34	8251.82	186.62	556.67	1310.23
疏勒县零星湿地区（含四十一团）	8364.55	3145.91	185.86	3044.27	1988.51
英吉沙县零星湿地区（含东风农场）	6940.92	3998.38		971.71	1970.83
泽普县零星湿地区	3522.45	146.45	56.23	1696.83	1622.94
莎车县零星湿地区	1755.90	1084.40	105.84	329.85	235.81

（续）

湿地类型 湿地区名称	合 计 （公顷）	河流湿地 （公顷）	湖泊湿地 （公顷）	沼泽湿地 （公顷）	人工湿地 （公顷）
叶城县零星湿地区（含叶城二牧场）	34335.01	27461.55	181.22	5300.22	1392.02
麦盖提县零星湿地区（含四十五团、四十六团）	1201.05			1151.50	49.55
岳普湖县零星湿地区（含四十二团）	3332.00	263.65	125.82	2096.53	846.00
伽师县零星湿地区（含伽师农场）	12183.36	2268.43	858.20	6117.70	2939.03
巴楚县零星湿地区（含四十八团）	25649.85	961.19	5453.14	16049.60	3185.92
塔什库尔干塔吉克自治县零星湿地区	106109.15	43858.46	7.89	62001.82	240.98
和田市零星湿地区	3643.31	2686.11		528.96	428.24
和田县零星湿地区	141695.64	71745.61	35903.08	32639.01	1407.94
墨玉县零星湿地区（含四十七团）	59015.91	44312.93		10741.59	3961.39
皮山县零星湿地区（含皮山农场、二二四团）	41570.49	28291.21	1761.36	9508.12	2009.80
洛浦县零星湿地区	28825.57	25230.15	143.63	1860.61	1591.18
策勒县零星湿地区（含一牧场）	6083.86	4950.37	118.72	24.49	990.28
于田县零星湿地区	72742.34	11518.36	4002.10	55933.92	1287.96
民丰县零星湿地区	54967.98	13116.47	13668.83	28075.66	107.02
伊宁市零星湿地区	630.09	326.64			303.45
奎屯市零星湿地区（含一三一团）	2967.60	1075.92		1116.60	775.08
伊宁县零星湿地区（含七十团）	3046.42	2188.31			858.11
察布查尔锡伯自治县零星湿地区（含六十七团、六十八团、六十九团）	2252.04	1920.57		155.46	176.01
霍城县零星湿地区（含六十一团、六十二团、六十三团、六十四团、六十六团）	5968.34	3836.53	11.97	340.97	1778.87
巩留县零星湿地区（含七十三团）	3952.81	1694.51		1704.47	553.83
新源县零星湿地区（含七十一团、七十二团）	4650.88	2205.48		2142.29	303.11
昭苏县零星湿地区（含七十四团、七十五团、七十六团、七十七团）	7482.95	3550.01	8.41	3901.18	23.35
特克斯县零星湿地区（含七十八团）	5616.02	3203.92	343.01	1817.30	251.79
尼勒克县零星湿地区（含七十九团）	5450.22	5270.98	8.92	39.11	131.21
塔城市零星湿地区（含一六三团、一六四团）	7140.75	1775.24	92.25	3940.35	1332.91

（续）

湿地类型 湿地区名称	合　计 （公顷）	河流湿地 （公顷）	湖泊湿地 （公顷）	沼泽湿地 （公顷）	人工湿地 （公顷）
乌苏市零星湿地区（含一二三团、一二四团、一二五团、一二六团、一二七团、一二八团、一三〇团）	33582.70	18551.72	174.90	9155.65	5700.43
额敏县零星湿地区（含一六五团、一六六团、一六七团、一六八团、团结农场）	6147.59	2230.76	100.81	3460.07	355.95
沙湾县零星湿地区（含一二一团、一三三团、一三四团、一四一团、一四二团、一四三团、一四四团）	17166.20	7113.87	273.03	952.04	8827.26
托里县零星湿地区（含一七〇团）	4653.87	3771.56	654.90	61.16	166.25
裕民县零星湿地区（含一六一团）	4210.52	1426.29	67.52	2239.75	476.96
和布克赛尔蒙古自治县零星湿地区（含一八四团）	113706.81	1834.55	38.92	106757.94	5075.40
阿勒泰市零星湿地区（含一八一团）	15911.43	1305.25	4258.86	9276.40	1070.92
布尔津县零星湿地区	22841.07	1010.09	2951.09	18448.88	431.01
富蕴县零星湿地区	5934.43	1351.39	2701.43	1475.42	406.19
福海县零星湿地区（含一八二团、一八三团、一八七团、一八八团）	132807.15	249.71	112644.71	10034.51	9878.22
哈巴河县零星湿地区（含一八五团）	20723.45	1244.83	563.75	18565.38	349.49
青河县零星湿地区	7609.63	4046.53	1224.07	1977.94	361.09
吉木乃县零星湿地区（含一八六团）	9479.18	1762.12	162.26	6922.91	631.89
石河子市零星湿地区（含石河子总场、一五二团）	201.19				201.19
五家渠市零星湿地区（含一〇一团、一〇二团、一〇三团）	4270.20	141.13	952.14	1294.75	1882.18
阿拉尔市零星湿地区（含七团、八团、十团、十一团、十二团、十三团、十四团、十六团、阿拉尔农场、南口农场、幸福城农场、一师塔水处、一师水工处）	6117.86	59.87		5609.20	448.79

1.3　各流域的湿地类及面积

根据水利部全国一、二、三级流域分类规定，新疆湿地资源调查统计涉及 2 个一级流域、12 个二级流域、26 个三级流域，新疆各流域湿地概况见表 2-5。

表 2-5 新疆一级、二级、三级流域湿地类面积表

流域级别			河流湿地（公顷）	湖泊湿地（公顷）	沼泽湿地（公顷）	人工湿地（公顷）	合 计（公顷）
一级	二级	三级					
西北诸河区	吐哈盆地小河	巴伊盆地	3606.35	6492.89	65235.38	6466.61	81801.23
		吐鲁番盆地	11354.07	1404.68	28335.36	2013.65	43107.76
		哈密盆地	8706.01	57.42	10029.53	1403.37	20196.33
		小 计	23666.43	7954.99	103600.27	9883.63	145105.32
	阿尔泰山南麓诸河	额尔齐斯河	65640.82	26689.88	121228.37	5251.68	218810.75
		吉木乃诸河	3440.35	597.66	8959.17	631.89	13629.07
		乌伦古河	27436.39	111447.58	7078.23	6912.05	152874.25
		小 计	96517.56	138735.12	137265.77	12795.62	385314.07
	中亚西亚内陆河区	额敏河	9860.13	943.94	13272.77	3557.80	27634.64
		伊犁河	93565.81	372.31	43936.23	16807.06	154681.41
		小 计	103425.94	1316.25	57209.00	20364.86	182316.05
	古尔班通古特荒漠区	古尔班通古特荒漠区	2898.60	17867.31	102657.46	6133.40	129556.77
	天山北麓诸河	中段诸河	42960.46	17049.70	63864.71	32236.82	156111.69
		艾比湖水系	31905.43	96191.67	94311.40	8884.62	231293.12
		东段诸河	10116.10	83.52	1981.33	2921.62	15102.57
		小 计	84981.99	113324.89	160157.44	44043.06	402507.38
	塔里木河源流	开孔河	38465.55	105399.50	227301.90	7992.88	379159.83
		渭干河	33348.11	1919.50	21542.70	11810.31	68620.62
		阿克苏河	77097.58	4193.30	26795.75	15397.98	123484.61
		喀什噶尔河	55679.26	8499.00	105796.86	13544.53	183519.65
		叶尔羌河	169301.28	9106.61	136411.26	58504.09	373323.24
		和田河	175940.80	4881.55	31938.27	9644.76	222405.38
		小 计	549832.58	133999.46	549786.74	116894.55	1350513.33
	昆仑山北麓小河	车尔臣河诸小河	102261.92	9468.79	44191.39	987.37	156909.47
		克里亚河诸小河	20889.79	8841.85	39251.31	2385.26	71368.21
		小 计	123151.71	18310.64	83442.70	3372.63	228277.68
	塔里木河干流	塔里木河干流	97869.86	48301.40	195299.17	37752.49	379222.92
	塔里木盆地荒漠区	库木塔格沙漠	3487.25	2447.71	84953.48	18559.87	109448.31
		塔克拉玛干沙漠	5445.76	61661.85	53487.21	69.62	120664.44
		小 计	8933.01	64109.56	138440.69	18629.49	230112.75
	柴达木盆地	柴达木盆地西部	26423.46		60922.39		87345.85
	羌塘高原内陆河	羌塘高原区	96409.78	230628.47	98579.98		425618.23

（续）

流域级别			河流湿地（公顷）	湖泊湿地（公顷）	沼泽湿地（公顷）	人工湿地（公顷）	合　计（公顷）
一级	二级	三级					
西南诸河区	藏西诸河	奇普恰普河	2268.72				2268.72
合　计			1216379.64	774548.09	1687361.61	269869.73	3948159.07

1.3.1　一级流域

新疆一级流域为西北诸河、西南诸河区 2 个区域。

西北诸河区分布有 11 个二级流域、25 个三级流域，涉及乌鲁木齐市、克拉玛依市、吐鲁番地区、哈密地区、昌吉回族自治州、博尔塔拉蒙古自治州、巴音郭楞蒙古自治州、阿克苏地区、克孜勒苏柯尔克孜自治州、喀什地区、和田地区、伊犁哈萨克自治州、塔城地区、阿勒泰地区 14 个市（自治州、地区）。新疆绝大多数的湿地属于西北诸河区，湿地总面积 394.59 万公顷，其中河流湿地 121.41 万公顷，湖泊湿地 77.45 万公顷，沼泽湿地 168.74 万公顷，人工湿地 26.99 万公顷。

西南诸河区分布有 1 个二级流域、1 个三级流域，涉及和田 1 个地州，湿地总面积 0.23 万公顷，其中河流湿地 0.23 万公顷。

新疆一级流域各类湿地面积如图 2-2。

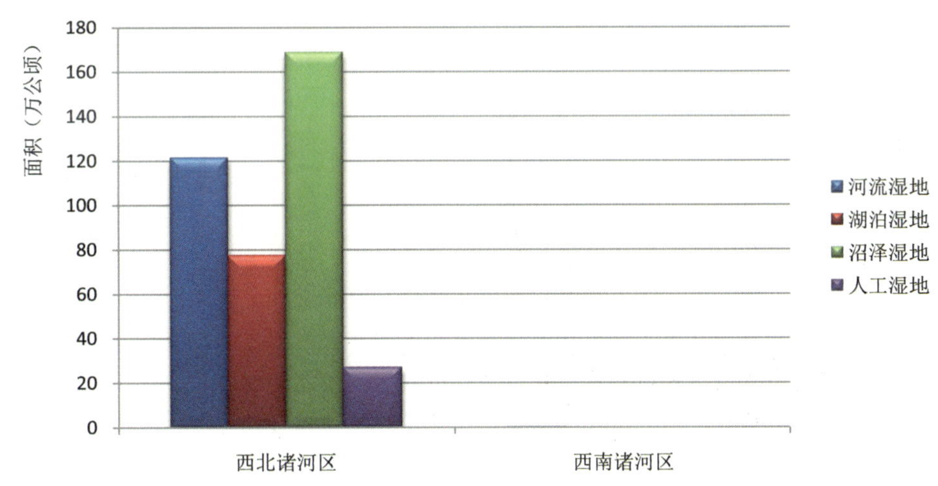

图 **2-2**　新疆一级流域湿地类面积构成图

1.3.2　二级流域

新疆二级流域有吐哈盆地小河、阿尔泰山南麓诸河、中亚西亚内陆河区、古尔班通古特荒漠区、天山北麓诸河、塔里木河源流、昆仑山北麓小河、塔里木河干流、塔里木盆地荒漠区、柴达木盆地、羌塘高原内陆河、藏西诸河 12 个二级流域。各二级流域中各类湿地面积见表 2-4。

新疆二级流域各类湿地面积如图 2-3。

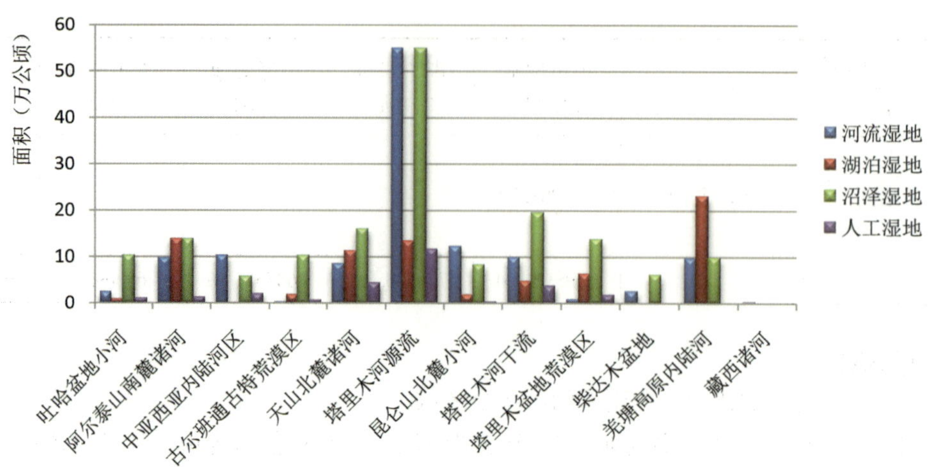

图 **2-3** 新疆二级流域湿地类面积构成图

1.3.3 三级流域

新疆三级流域有巴伊盆地、吐鲁番盆地、哈密盆地、额尔齐斯河、吉木乃诸河、乌伦古河、额敏河、伊犁河、古尔班通古特荒漠区、中段诸河、艾比湖水系、东段诸河、开孔河、渭干河、阿克苏河、喀什噶尔河、叶尔羌河、和田河、车尔臣河诸小河、克里亚河诸小河、塔里木河干流、库木塔格沙漠、塔克拉玛干沙漠、柴达木盆地西部、羌塘高原区、奇普恰普河 26 个三级流域。

新疆三级流域各类湿地面积如图 2-4。

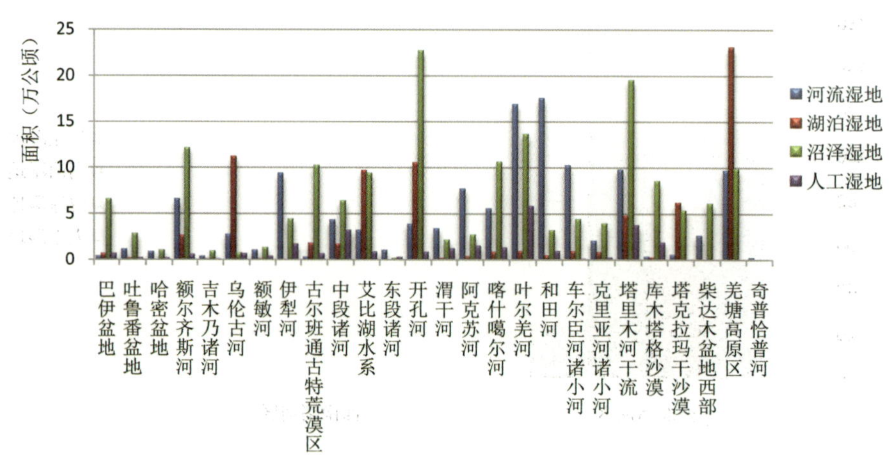

图 **2-4** 新疆三级流域湿地类面积构成图

1.4 各行政区的湿地类及面积

自治区各地级个行政区(市、州、地区、自治区直辖县级行政单位)各类湿地分布情况见表 2-6。

表 2-6 新疆各地级行政区(市、州、地区、自治区直辖县级行政单位)湿地型面积表

湿地类型 行政区	合 计 (公顷)	河流湿地 (公顷)	湖泊湿地 (公顷)	沼泽湿地 (公顷)	人工湿地 (公顷)
合 计	3948159.07	1216379.64	774548.09	1687361.61	269869.73
乌鲁木齐市(0.73%)	28815.31	6675.98	7691.02	8198.29	6250.02
克拉玛依市(0.55%)	21819.13	1637.28	777.70	18075.99	1328.16
吐鲁番地区(1.21%)	47659.14	10643.45	1355.15	33697.95	1962.59
哈密地区(2.82%)	111466.95	13392.70	6550.31	83653.96	7869.98
昌吉回族自治州(1.70%)	67384.38	29232.62	6682.81	15837.46	15631.49
博尔塔拉蒙古自治州(4.83%)	191285.01	10954.69	96016.77	81904.44	2409.11
巴音郭楞蒙古自治州(34.81%)	1374298.29	300965.69	413800.39	616336.91	43195.3
阿克苏地区(8.75%)	345459.36	161029.20	8290.17	117510.42	58629.57
克孜勒苏柯尔克孜自治州(3.89%)	153556.10	55285.65	7145.06	88194.56	2930.83
喀什地区(10.19%)	401909.93	186071.79	10516.19	145661.09	59660.86
和田地区(10.35%)	408545.10	201851.21	55597.72	139312.36	11783.81
伊犁哈萨克自治州(3.93%)	155060.64	92994.29	372.31	44111.90	17582.14
塔城地区(5.56%)	219695.10	47487.47	8086.48	140843.54	23277.61
阿勒泰地区(10.40%)	410615.38	97956.62	150713.87	147118.79	14826.10
自治区直辖县级行政单位(0.27%)	10589.25	201.00	952.14	6903.95	2532.16

注：表中所示比例为各市、州、地区、自治区直辖县级行政单位湿地面积与新疆湿地面积之比。

新疆各地级行政区(市、州、地区、自治区直辖县级行政单位)湿地类型和面积分别如图 2-5 至图 2-9。

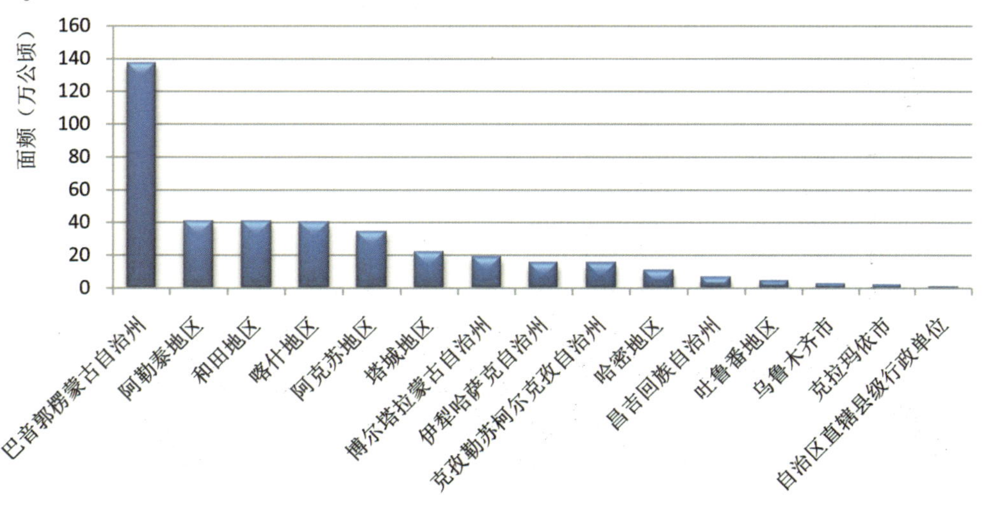

图 2-5 新疆各地级行政区湿地面积构成图

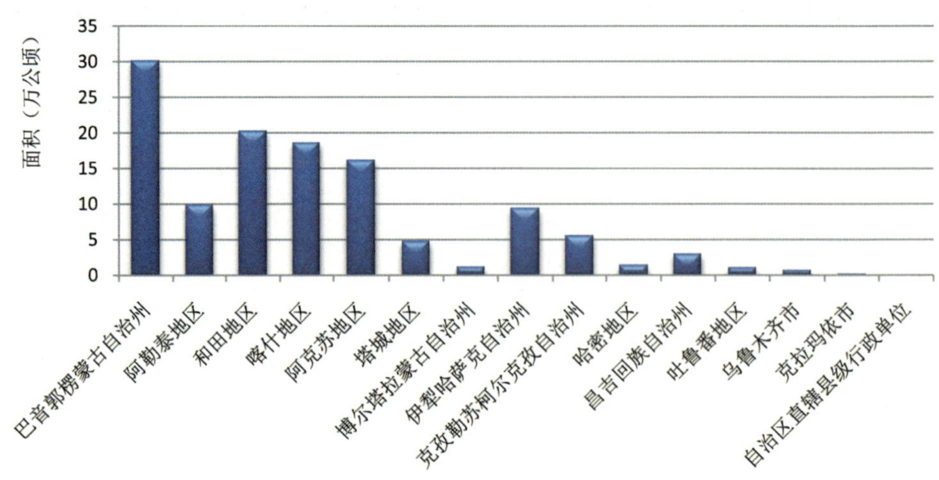

图 **2-6** 新疆各地级行政区河流湿地面积构成图

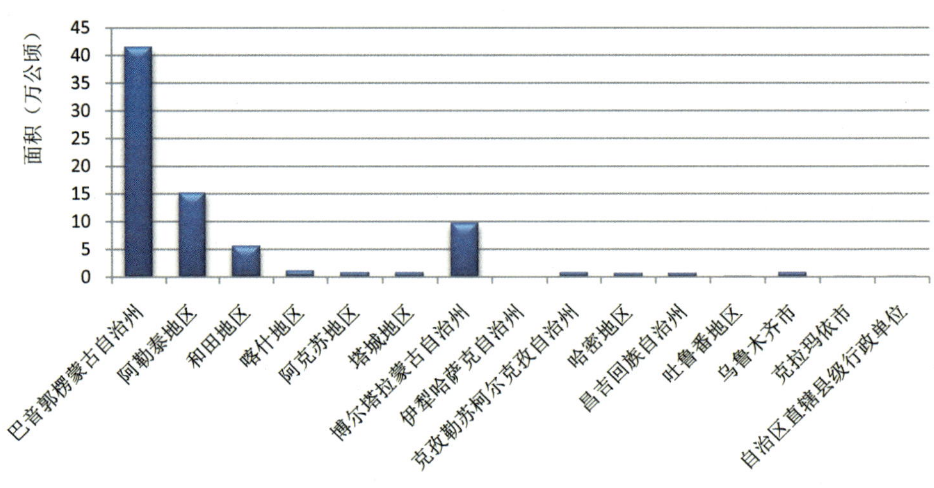

图 **2-7** 新疆各地级行政区湖泊湿地面积构成图

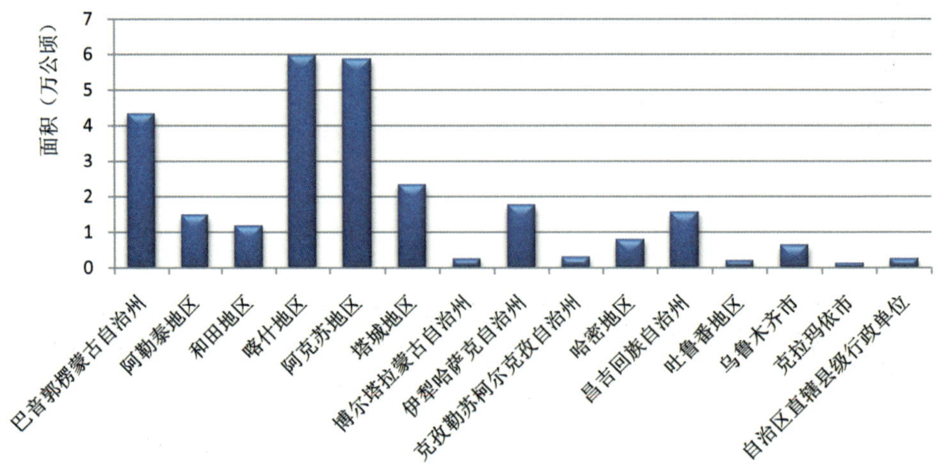

图 **2-8** 新疆各地级行政区沼泽湿地面积构成图

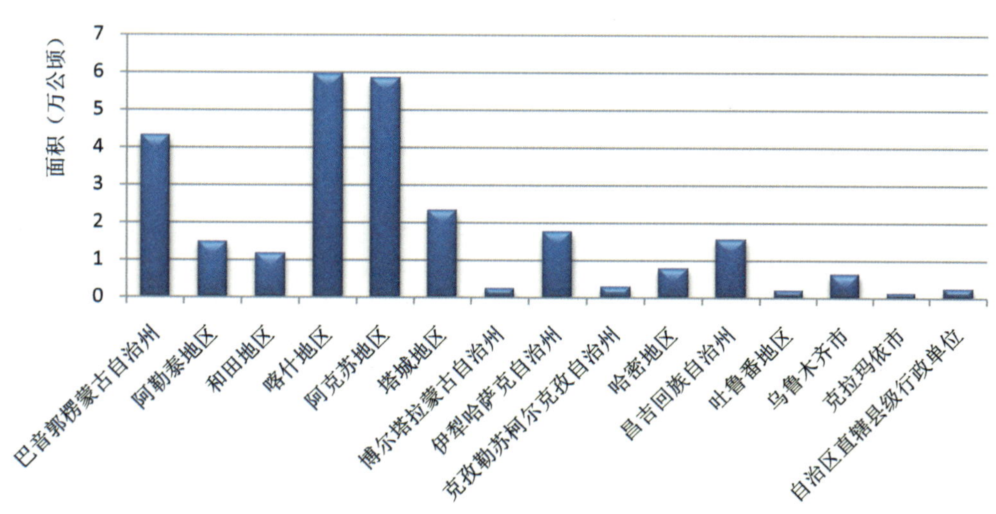

图 **2-9** 新疆各地级行政区人工湿地面积构成图

1.4.1 乌鲁木齐市

乌鲁木齐市(包括兵团)本次调查，单独区划湿地区 1 个，零星湿地区 3 个。重点调查湿地 2 个，其他为一般调查。调查结果显示，乌鲁木齐市各类湿地总面积为 2.88 万公顷，占新疆湿地总面积的 0.73%。其中河流湿地面积为 0.67 万公顷，占新疆同类型湿地总面积的 0.54%；湖泊湿地面积为 0.77 万公顷，占新疆同类型湿地总面积的 0.99%；沼泽湿地面积为 0.82 万公顷，占新疆同类型湿地总面积的 0.49%；人工湿地面积为 0.63 万公顷，占新疆同类型湿地总面积的 2.32%。

乌鲁木齐市湿地分布情况见表 2-7 和表 2-8。

表 2-7 乌鲁木齐市重点调查湿地分布概况表

湿地名称＼湿地类型		合 计(公顷)	河流湿地(公顷)	湖泊湿地(公顷)	沼泽湿地(公顷)	人工湿地(公顷)
重点调查湿地	柴窝堡湖国家湿地公园	3300.15		2912.80	387.35	
	乌鲁木齐河湿地	15888.69	4012.46	4728.69	3084.15	4063.39
合 计		19188.84	4012.46	7641.49	3471.50	4063.39

表 2-8 乌鲁木齐市湿地区分布概况表

湿地名称＼湿地类型		合 计(公顷)	河流湿地(公顷)	湖泊湿地(公顷)	沼泽湿地(公顷)	人工湿地(公顷)
单独区划湿地区	乌鲁木齐河湿地单独区划湿地区	19188.84	4012.46	7641.49	3471.50	4063.39

（续）

湿地名称 \ 湿地类型		合 计（公顷）	河流湿地（公顷）	湖泊湿地（公顷）	沼泽湿地（公顷）	人工湿地（公顷）
零星湿地区	乌鲁木齐市达坂城区零星湿地区	3128.28	2462.12	49.53	565.57	51.06
	乌鲁木齐市米东区零星湿地区	6433.65	136.86		4161.22	2135.57
	乌鲁木齐县零星湿地区	64.54	64.54			
合 计		28815.31	6675.98	7691.02	8198.29	6250.02

1.4.2 克拉玛依市

克拉玛依市(包括兵团)本次调查，单独区划湿地区 1 个，零星湿地区 4 个。重点调查湿地 2 个，其他为一般调查。调查结果显示，克拉玛依市各类湿地总面积为 2.18 万公顷，占新疆湿地总面积的 0.55%。其中河流湿地面积为 0.16 万公顷，占新疆同类型湿地总面积的 0.13%；湖泊湿地面积为 0.08 万公顷，占新疆同类型湿地总面积的 0.10%；沼泽湿地面积为 1.81 万公顷，占新疆同类型湿地总面积的 1.07%；人工湿地面积为 0.13 万公顷，占新疆同类型湿地总面积的 0.49%。

克拉玛依市湿地分布情况见表 2-9 和表 2-10。

表 2-9 克拉玛依市重点调查湿地分布概况表

湿地名称 \ 湿地类型		合 计（公顷）	河流湿地（公顷）	湖泊湿地（公顷）	沼泽湿地（公顷）	人工湿地（公顷）
重点调查湿地	克拉玛依湖湿地	215.24		59.55	155.69	
	玛依格勒自然保护区	15968.23			15968.23	
合 计		16183.47		59.55	16123.92	

表 2-10 克拉玛依市湿地区分布概况表

湿地名称 \ 湿地类型		合 计（公顷）	河流湿地（公顷）	湖泊湿地（公顷）	沼泽湿地（公顷）	人工湿地（公顷）
单独区划湿地区	玛依格勒自然保护区单独区划湿地区	15968.23			15968.23	
零星湿地区	独山子区零星湿地区	694.91	694.91			
	克拉玛依区零星湿地区（含一二九团、一三六团）	2215.92	546.38	586.77	424.23	658.54
	白碱滩区零星湿地区	2112.57	185.31	59.55	1356.54	511.17
	乌尔禾区零星湿地区(含一三七团)	827.50	210.68	131.38	326.99	158.45
合 计		21819.13	1637.28	777.70	18075.99	1328.16

1.4.3 吐鲁番地区

吐鲁番地区(包括兵团)本次调查，单独区划湿地区1个，零星湿地区3个。重点调查湿地1个，其他为一般调查。调查结果显示，吐鲁番地区各类湿地总面积为4.77万公顷，占新疆湿地总面积的1.21%。其中河流湿地面积为1.06万公顷，占新疆同类型湿地总面积的0.88%；湖泊湿地面积为0.14万公顷，占新疆同类型湿地总面积的0.17%；沼泽湿地面积为3.37万公顷，占新疆同类型湿地总面积的2.00%；人工湿地面积为0.20万公顷，占新疆同类型湿地总面积的0.73%。

吐鲁番地区湿地分布情况见表2-11和表2-12。

表2-11 吐鲁番地区重点调查湿地分布概况表

湿地名称 \ 湿地类型		合计（公顷）	河流湿地（公顷）	湖泊湿地（公顷）	沼泽湿地（公顷）	人工湿地（公顷）
重点调查湿地	艾丁湖湿地	19369.53		1355.15	17568.20	446.18
合计		19369.53		1355.15	17568.20	446.18

表2-12 吐鲁番地区湿地区分布概况表

湿地名称 \ 湿地类型		合计（公顷）	河流湿地（公顷）	湖泊湿地（公顷）	沼泽湿地（公顷）	人工湿地（公顷）
单独区划湿地区	艾丁湖湿地单独区划湿地区	19369.53		1355.15	17568.20	446.18
零星湿地区	吐鲁番市零星湿地区(含二二一团)	8354.08	5808.48		2077.21	468.39
	鄯善县零星湿地区	5368.09	2824.17		1894.98	648.94
	托克逊县零星湿地区	14567.44	2010.80		12157.56	399.08
合计		47659.14	10643.45	1355.15	33697.95	1962.59

1.4.4 哈密地区

哈密地区(包括兵团)本次调查，单独区划湿地区1个，零星湿地区3个。重点调查湿地2个，其他为一般调查。调查结果显示，哈密地区各类湿地总面积为11.15万公顷，占新疆湿地总面积的2.82%。其中河流湿地面积为1.34万公顷，占新疆同类型湿地总面积的1.10%；湖泊湿地面积为0.66万公顷，占新疆同类型湿地总面积的0.85%；沼泽湿地面积为8.37万公顷，占新疆同类型湿地总面积的4.96%；人工湿地面积为0.79万公顷，占新疆同类型湿地总面积的2.92%。

哈密地区湿地分布情况见表2-13和表2-14。

表 2-13 哈密地区重点调查湿地分布概况表

湿地名称 \ 湿地类型		合　计（公顷）	河流湿地（公顷）	湖泊湿地（公顷）	沼泽湿地（公顷）	人工湿地（公顷）
重点调查湿地	巴里坤湖湿地	54874. 15	129. 87	3957. 93	46414. 16	4372. 19
	哈密东天山生态功能自然保护区	8744. 88	7949. 79	70. 75	474. 51	249. 83
合　计		63619. 03	8079. 66	4028. 68	46888. 67	4622. 02

表 2-14 哈密地区湿地区分布概况表

湿地名称 \ 湿地类型		合　计（公顷）	河流湿地（公顷）	湖泊湿地（公顷）	沼泽湿地（公顷）	人工湿地（公顷）
单独区划湿地区	哈密东天山生态功能自然保护区单独区划湿地区	63619. 03	8079. 66	4028. 68	46888. 67	4622. 02
零星湿地区	哈密市零星湿地区(含红星一场、红星二场、红星四场、黄田农场、火箭农场、柳树泉农场)	24165. 92	4433. 89		18418. 58	1313. 45
	巴里坤哈萨克自治县零星湿地区(含红山农场)	13449. 71	401. 27	40. 70	12915. 21	92. 53
	伊吾县零星湿地区(含淖毛湖农场)	10232. 29	477. 88	2480. 93	5431. 50	1841. 98
合　计		111466. 95	13392. 70	6550. 31	83653. 96	7869. 98

1. 4. 5 昌吉回族自治州

昌吉回族自治州(包括兵团)本次调查，单独区划湿地区 1 个，零星湿地区 7 个。重点调查湿地 3 个，其他为一般调查。调查结果显示，昌吉回族自治州各类湿地总面积为 6. 74 万公顷，占新疆湿地总面积的 1. 70%。其中河流湿地面积为 2. 92 万公顷，占新疆同类型湿地总面积的 2. 39%；湖泊湿地面积为 0. 67 万公顷，占新疆同类型湿地总面积的 0. 86%；沼泽湿地面积为 1. 58 万公顷，占新疆同类型湿地总面积的 0. 94%；人工湿地面积为 1. 56 万公顷，占新疆同类型湿地总面积的 5. 79%。

昌吉回族自治州湿地分布情况见表 2-15 和表 2-16。

表 2-15　昌吉回族自治州重点调查湿地分布概况表

湿地名称＼湿地类型		合　计（公顷）	河流湿地（公顷）	湖泊湿地（公顷）	沼泽湿地（公顷）	人工湿地（公顷）
重点调查湿地	玛纳斯河国家湿地公园	5233.39	2504.48		1188.49	1540.42
	天池自然保护区	431.36	144.16	287.20		
	卡拉麦里山有蹄类自然保护区	2518.62	41.13	2477.49		
合　计		8183.37	2689.77	2764.69	1188.49	1540.42

表 2-16　昌吉回族自治州湿地区分布概况表

湿地名称＼湿地类型		合　计（公顷）	河流湿地（公顷）	湖泊湿地（公顷）	沼泽湿地（公顷）	人工湿地（公顷）
单独区划湿地区	卡拉麦里山有蹄类自然保护区单独区划湿地区	2518.62	41.13	2477.49		
零星湿地区	昌吉市零星湿地区（含共青团农场、军户农场）	13776.35	8828.36		2754.14	2193.85
	阜康市零星湿地区（含土墩子农场、六运湖农场、二二二团）	2611.38	625.21	298.07	89.96	1598.14
	呼图壁县零星湿地区（含一〇五团、芳草湖农场、一〇六团）	10702.50	2318.09	377.73	5493.64	2513.04
	玛纳斯县零星湿地区（含新湖农场、一四七团、一四八团、一四九团、一五〇团）	15067.65	6936.15	34.93	2105.18	5991.39
	奇台县零星湿地区（含奇台农场、北塔山牧场）	11553.63	6794.17	3466.09	172.94	1120.43
	吉木萨尔县零星湿地区（含红旗农场）	5105.19	1148.27	28.50	1981.33	1947.09
	木垒哈萨克自治县零星湿地区	6049.06	2541.24		3240.27	267.55
合　计		67384.38	29232.62	6682.81	15837.46	15631.49

1.4.6　博尔塔拉蒙古自治州

博尔塔拉蒙古自治州（包括兵团）本次调查，单独区划湿地区 1 个，零星湿地区 3 个。重点调查湿地 5 个，其他为一般调查。调查结果显示，博尔塔拉蒙古自治州各类湿地总面积为 19.13 万公顷，占新疆湿地总面积的 4.83%。其中河流湿地面积为 1.10 万公顷，占新疆同类型湿地总面积的 0.87%；湖泊湿地面积为 9.60 万公顷，占新疆同类型湿地总面积的 12.40%；沼泽湿地面积为

8.19 万公顷，占新疆同类型湿地总面积的 4.85%；人工湿地面积为 0.24 万公顷，占新疆同类型湿地总面积的 0.89%。

博尔塔拉蒙古自治州湿地分布情况见表 2-17 和表 2-18。

表 2-17 博尔塔拉蒙古自治州重点调查湿地分布概况表

湿地名称＼湿地类型		合 计（公顷）	河流湿地（公顷）	湖泊湿地（公顷）	沼泽湿地（公顷）	人工湿地（公顷）
重点调查湿地	夏尔希里自然保护区	105.47	105.47			
	温泉中亚北鲵自然保护区	113.02	68.24		44.78	
	艾比湖湿地国家级自然保护区	125005.99	523.19	49490.83	73988.92	1003.05
	赛里木湖国家湿地公园	47288.22	824.37	46463.85		
	甘家湖梭梭林国家级自然保护区	1462.40	47.78		1414.62	
合 计		173975.10	1569.05	95954.68	75448.32	1003.05

表 2-18 博尔塔拉蒙古自治州湿地区分布概况表

湿地名称＼湿地类型		合 计（公顷）	河流湿地（公顷）	湖泊湿地（公顷）	沼泽湿地（公顷）	人工湿地（公顷）
单独区划湿地区	甘家湖梭梭林国家级自然保护区单独区划湿地区	1462.40	47.78		1414.62	
零星湿地区	博乐市零星湿地区（含八十一团、八十四团、八十六团、八十九团、九十团）	53443.92	2077.69	46463.85	3861.50	1040.88
	精河县零星湿地区（含八十三团、九十一团）	130089.21	3734.25	49490.83	75583.77	1280.36
	温泉县零星湿地区（含八十七团、八十八团）	6289.48	5094.97	62.09	1044.55	87.87
合 计		191285.01	10954.69	96016.77	81904.44	2409.11

1.4.7 巴音郭楞蒙古自治州

巴音郭楞蒙古自治州（包括兵团）本次调查涉及面较广，单独区划湿地区 5 个，零星湿地区 9 个。重点调查湿地 15 个，其他为一般调查。调查结果显示，巴音郭楞蒙古自治州各类湿地总面积为 137.43 万公顷，占新疆湿地总面积的 34.81%。其中河流湿地面积为 30.10 万公顷，占新疆同类型湿地总面积的 24.76%；湖泊湿地面积为 41.38 万公顷，占新疆同类型湿地总面积的 53.42%；沼泽湿地面积为 61.63 万公顷，占新疆同类型湿地总面积的 36.53%；人工湿地面积为 4.32 万公顷，占新疆同类型湿地总面积的 16.01%。

巴音郭楞蒙古自治州湿地分布情况见表 2-19 和表 2-20。

表 2-19 巴音郭楞蒙古自治州重点调查湿地分布概况表

湿地名称＼湿地类型		合 计（公顷）	河流湿地（公顷）	湖泊湿地（公顷）	沼泽湿地（公顷）	人工湿地（公顷）
重点调查湿地	台特玛湖湿地	26937.47		26937.47		
	乌尊硝湿地	13894.12			13894.12	
	中昆仑自然保护区	57654.50	24297.90	19340.78	14015.82	
	巴音布鲁克国家级自然保护区	133008.67	4831.92		128176.75	
	鲸鱼湖湿地	30518.16		30518.16		
	罗布泊湿地	65947.09			50335.41	15611.68
	塔里木河下游尉犁湿地	86971.90	26780.52	368.51	45819.86	14003.01
	阿其克库木湖湿地	59279.47		44304.39	14975.08	
	阿牙克库木湖湿地	114731.78		87429.91	27301.87	
	米兰河湿地	385.76	385.76			
	孔雀河湿地自然保护区	7618.59	4537.60	397.31	1998.85	684.83
	阿尔金山国家级自然保护区	127697.91	90458.20	15344.39	21895.32	
	博斯腾湖湿地	150970.78		98846.36	51562.00	562.42
	罗布泊野骆驼国家级自然保护区	31443.67	1194.75	2553.13	24747.60	2948.19
	塔里木胡杨林国家级自然保护区	57808.83	9320.16		47301.94	1186.73
合 计		964868.70	161806.81	326040.41	442024.62	34996.86

表 2-20 巴音郭楞蒙古自治州湿地区分布概况表

湿地名称＼湿地类型		合 计（公顷）	河流湿地（公顷）	湖泊湿地（公顷）	沼泽湿地（公顷）	人工湿地（公顷）
单独区划湿地区	孔雀河湿地自然保护区单独区划湿地区	7618.59	4537.60	397.31	1998.85	684.83
	阿尔金山国家级自然保护区单独区划湿地区	332227.32	90458.20	177596.85	64172.27	

（续）

湿地名称 \ 湿地类型		合 计（公顷）	河流湿地（公顷）	湖泊湿地（公顷）	沼泽湿地（公顷）	人工湿地（公顷）
单独区划湿地区	博斯腾湖湿地单独区划湿地区(含二十二团、二十四团、二十五团、二十七团)	150970.78		98846.36	51562.00	562.42
	罗布泊野骆驼国家级自然保护区单独区划湿地区	97390.76	1194.75	2553.13	75083.01	18559.87
	塔里木胡杨林国家级自然保护区单独区划湿地区	57808.83	9320.16		47301.94	1186.73
零星湿地区	库尔勒市零星湿地区	12168.72	1411.04	1177.09	8952.73	627.86
	轮台县零星湿地区	35065.51	4462.50		29868.15	734.86
	尉犁县零星湿地区	125583.91	27203.86	13608.16	67928.22	16843.67
	若羌县零星湿地区	190979.80	54081.92	61057.38	75115.88	724.62
	且末县零星湿地区	156652.00	75463.37	53656.60	27269.28	262.75
	焉耆回族自治县零星湿地区	3790.17	1135.89	863.71	1293.59	496.98
	和静县零星湿地区	194893.29	30244.36	675.55	163373.69	599.69
	和硕县零星湿地区	5090.67	907.31	775.46	1722.36	1685.54
	博湖县零星湿地区	4057.94	544.73	2592.79	694.94	225.48
合 计		1374298.29	300965.69	413800.39	616336.91	43195.30

1.4.8 阿克苏地区

阿克苏地区(包括兵团)本次调查涉及面较广，单独区划湿地区 2 个，零星湿地区 9 个。重点调查湿地 14 个，其他为一般调查。调查结果显示，阿克苏地区各类湿地总面积为 34.55 万公顷，占新疆湿地总面积的 8.75%。其中河流湿地面积为 16.10 万公顷，占新疆同类型湿地总面积的 13.24%；湖泊湿地面积为 0.83 万公顷，占新疆同类型湿地总面积的 1.07%；沼泽湿地面积为 11.75 公顷，占新疆同类型湿地总面积的 6.96%；人工湿地面积为 5.86 万公顷，占新疆同类型湿地总面积的 21.73%。

阿克苏地区湿地分布情况见表 2-21 和表 2-22。

表 2-21 阿克苏地区重点调查湿地分布概况表

湿地名称 \ 湿地类型		合 计（公顷）	河流湿地（公顷）	湖泊湿地（公顷）	沼泽湿地（公顷）	人工湿地（公顷）
重点调查湿地	托木尔峰国家级自然保护区	310.58	310.58			
	沙雅县塔里木河上游湿地自然保护区	86715.65	20244.14	202.44	52036.65	14232.42

（续）

湿地类型 湿地名称		合 计 （公顷）	河流湿地 （公顷）	湖泊湿地 （公顷）	沼泽湿地 （公顷）	人工湿地 （公顷）
重点调查湿地	阿瓦提县胡杨林野生动物自然保护区	24045.22	13547.92		10399.23	98.07
	温宿库玛里克河湿地保护区	8790.17	8790.17			
	新和县依干库勒湿地自然保护区	9295.28	128.39	1154.22	8012.67	
	库车河上游大小龙池湿地自然保护区	1344.69	1146.89	157.59	25.15	15.06
	库车县塔里木河中游湿地自然保护区	17137.77	8549.44	1570.94	6227.21	790.18
	拜城县木札尔特河湿地自然保护区	17575.83	13494.28		195.98	3885.57
	乌什县托什干河湿地自然保护区	11123.52	10352.82		770.70	
	阿克苏市阿克苏河湿地自然保护区	10925.77	8724.63	1762.39	306.63	132.12
	多浪河国家湿地公园	224.44		14.21		210.23
	新井子水库	4995.29			3297.56	1697.73
	阿克苏湿地	29210.39	5355.88	2313.80	15352.64	6188.07
	渭干河流域湿地	11998.52	1581.37	435.31	3692.31	6289.53
合 计		233693.12	92226.51	7610.90	100316.73	33538.98

表 2-22 阿克苏地区湿地区分布概况表

湿地类型 湿地名称		合 计 （公顷）	河流湿地 （公顷）	湖泊湿地 （公顷）	沼泽湿地 （公顷）	人工湿地 （公顷）
单独区划湿地区	阿克苏湿地单独区划湿地区（含三团、四团、五团、七团、八团、十团、十二团、十三团、十四团、十六团、塔水处、阿拉尔农场、南口农场、幸福城农场）	78059.76	27788.13	4269.63	19306.11	26695.89
	渭干河流域湿地单独区划湿地区	11998.52	1581.37	435.31	3692.31	6289.53

（续）

湿地名称 \ 湿地类型		合 计（公顷）	河流湿地（公顷）	湖泊湿地（公顷）	沼泽湿地（公顷）	人工湿地（公顷）
零星湿地区	阿克苏市零星湿地区（含一团、二团）	12523.90	2845.91		8331.97	1346.02
	温宿县零星湿地区（含五团、六团）	27947.04	25392.17		2094.81	460.06
	库车县零星湿地区	20637.52	11426.88	1728.53	6252.36	1229.75
	沙雅县零星湿地区	89243.77	20828.61	515.80	52063.26	15836.10
	新和县零星湿地区	14498.07	4150.75	1293.64	9045.28	8.40
	拜城县零星湿地区	28076.10	21982.85		1024.62	5068.63
	乌什县零星湿地区（含四团）	18247.05	16144.35		770.70	1332.00
	阿瓦提县零星湿地区（含三团、一师沙水处）	39055.50	28287.20	47.26	10399.23	321.81
	柯坪县零星湿地区	5172.13	600.98		4529.77	41.38
合 计		345459.36	161029.20	8290.17	117510.42	58629.57

1.4.9 克孜勒苏柯尔克孜自治州

克孜勒苏柯尔克孜自治州（包括兵团）本次调查，无单独区划湿地区，零星湿地区 4 个。重点调查湿地 2 个，其他为一般调查。调查结果显示，克孜勒苏柯尔克孜自治州各类湿地总面积为 15.36 万公顷，占新疆湿地总面积的 3.89%。其中河流湿地面积为 5.53 万公顷，占新疆同类型湿地总面积的 4.55%；湖泊湿地面积为 0.71 万公顷，占新疆同类型湿地总面积的 0.92%；沼泽湿地面积为 8.82 万公顷，占新疆同类型湿地总面积的 5.23%；人工湿地面积为 0.29 万公顷，占新疆同类型湿地总面积的 1.09%。

克孜勒苏柯尔克孜自治州湿地分布情况见表 2-23 和表 2-24。

表 2-23 克孜勒苏柯尔克孜自治州重点调查湿地分布概况表

湿地名称 \ 湿地类型		合 计（公顷）	河流湿地（公顷）	湖泊湿地（公顷）	沼泽湿地（公顷）	人工湿地（公顷）
重点调查湿地	帕米尔高原湿地自然保护区	31671.14	1909.30	700.31	29061.53	
	布伦口湖群湿地	4869.97		762.16	4107.81	
合 计		36541.11	1909.30	1462.47	33169.34	

表 2-24　克孜勒苏柯尔克孜自治州湿地分布概况表

湿地名称＼湿地类型		合　计（公顷）	河流湿地（公顷）	湖泊湿地（公顷）	沼泽湿地（公顷）	人工湿地（公顷）
零星湿地区	阿图什市零星湿地区(含三师红旗农场)	53360.99	9093.03	5092.62	36854.34	2321.00
	阿克陶县零星湿地区	63252.13	16078.93	1996.80	44584.82	591.58
	阿合奇县零星湿地区	17470.66	17415.02	55.64		
	乌恰县零星湿地区(含托云牧场)	19472.32	12698.67		6755.40	18.25
合　计		153556.10	55285.65	7145.06	88194.56	2930.83

1.4.10　喀什地区

喀什地区(包括兵团)本次调查，单独区划湿地区 1 个，零星湿地区 13 个。重点调查湿地 2 个，其他为一般调查。调查结果显示，喀什地区各类湿地总面积为 40.19 万公顷，占新疆湿地总面积的 10.19%。其中河流湿地面积为 18.61 公顷，占新疆同类型湿地总面积的 15.33%；湖泊湿地面积为 1.05 万公顷，占新疆同类型湿地总面积的 1.36%；沼泽湿地面积为 14.57 万公顷，占新疆同类型湿地总面积的 8.63%；人工湿地面积为 5.97 万公顷，占新疆同类型湿地总面积的 22.11%。

喀什地区湿地分布情况见表 2-25 和表 2-26。

表 2-25　喀什地区重点调查湿地分布概况表

湿地名称＼湿地类型		合　计（公顷）	河流湿地（公顷）	湖泊湿地（公顷）	沼泽湿地（公顷）	人工湿地（公顷）
重点调查湿地	塔什库尔干自然保护区	78898.76	37601.39	7.89	41289.48	
	叶尔羌河流域湿地	137383.56	81664.15	3221.99	33360.35	19137.07
合　计		216282.32	119265.54	3229.88	74649.83	19137.07

表 2-26　喀什地区湿地区分布概况表

湿地名称＼湿地类型		合　计（公顷）	河流湿地（公顷）	湖泊湿地（公顷）	沼泽湿地（公顷）	人工湿地（公顷）
单独区划湿地区	叶尔羌河流域湿地单独区划湿地区(含四十四团、四十五团、四十八团、四十九团、五十团、五十一团、五十三团、小海子水管处、前进水管处)	185037.73	92737.54	3221.99	45570.66	43507.54

（续）

湿地名称 \ 湿地类型		合 计（公顷）	河流湿地（公顷）	湖泊湿地（公顷）	沼泽湿地（公顷）	人工湿地（公顷）
零星湿地区	喀什市零星湿地区	3172.62	1894.01	133.38	773.73	371.50
	疏附县零星湿地区	10305.34	8251.82	186.62	556.67	1310.23
	疏勒县零星湿地区（含四十一团）	8364.55	3145.91	185.86	3044.27	1988.51
	英吉沙县零星湿地区（含东风农场）	6940.92	3998.38		971.71	1970.83
	泽普县零星湿地区	3522.45	146.45	56.23	1696.83	1622.94
	莎车县零星湿地区	1755.90	1084.40	105.84	329.85	235.81
	叶城县零星湿地区（含叶城二牧场）	34335.01	27461.55	181.22	5300.22	1392.02
	麦盖提县零星湿地区（含四十五团、四十六团）	1201.05			1151.50	49.55
	岳普湖县零星湿地区（含四十二团）	3332.00	263.65	125.82	2096.53	846.00
	伽师县零星湿地区（含伽师农场）	12183.36	2268.43	858.20	6117.70	2939.03
	巴楚县零星湿地区（含四十八团）	25649.85	961.19	5453.14	16049.60	3185.92
	塔什库尔干塔吉克自治县零星湿地区	106109.15	43858.46	7.89	62001.82	240.98
合 计		401909.93	186071.79	10516.19	145661.09	59660.86

1.4.11 和田地区

和田地区（包括兵团）本次调查，无单独区划湿地区，零星湿地区 8 个。重点调查湿地 2 个，其他为一般调查。调查结果显示，和田地区各类湿地总面积为 40.85 万公顷，占新疆湿地总面积的 10.35%。其中河流湿地面积为 20.19 万公顷，占新疆同类型湿地总面积的 16.61%；湖泊湿地面积为 5.56 万公顷，占新疆同类型湿地总面积的 7.18%；沼泽湿地面积为 13.93 万公顷，占新疆同类型湿地总面积的 8.26%；人工湿地面积为 1.18 万公顷，占新疆同类型湿地总面积的 4.37%。

和田地区湿地分布情况见表 2-27 和表 2-28。

表 2-27 和田地区重点调查湿地分布概况表

湿地名称 \ 湿地类型		合 计（公顷）	河流湿地（公顷）	湖泊湿地（公顷）	沼泽湿地（公顷）	人工湿地（公顷）
重点调查湿地	西昆仑藏羚羊自然保护区	23711.02	3475.06	13372.38	6863.58	
	阿克萨伊湖湿地	23013.47	1849.60	21163.87		
合 计		46724.49	5324.66	34536.25	6863.58	

表 2-28 和田地区湿地区分布概况表

湿地名称＼湿地类型		合 计（公顷）	河流湿地（公顷）	湖泊湿地（公顷）	沼泽湿地（公顷）	人工湿地（公顷）
零星湿地区	和田市零星湿地区	3643.31	2686.11		528.96	428.24
	和田县零星湿地区	141695.64	71745.61	35903.08	32639.01	1407.94
	墨玉县零星湿地区（含四十七团）	59015.91	44312.93		10741.59	3961.39
	皮山县零星湿地区（含皮山农场、二二四团）	41570.49	28291.21	1761.36	9508.12	2009.80
	洛浦县零星湿地区	28825.57	25230.15	143.63	1860.61	1591.18
	策勒县零星湿地区（含一牧场）	6083.86	4950.37	118.72	24.49	990.28
	于田县零星湿地区	72742.34	11518.36	4002.10	55933.92	1287.96
	民丰县零星湿地区	54967.98	13116.47	13668.83	28075.66	107.02
合 计		408545.10	201851.21	55597.72	139312.36	11783.81

1.4.12 伊犁哈萨克自治州

伊犁哈萨克自治州（包括兵团）本次调查，单独区划湿地区 1 个，零星湿地区 10 个。重点调查湿地 5 个，其他为一般调查。调查结果显示，伊犁哈萨克自治州各类湿地总面积为 15.51 万公顷，占新疆湿地总面积的 3.93%。其中河流湿地面积为 9.30 万公顷，占新疆同类型湿地总面积的 7.65%；湖泊湿地面积为 0.04 万公顷，占新疆同类型湿地总面积的 0.05%；沼泽湿地面积为 4.41 万公顷，占新疆同类型湿地总面积的 2.61%；人工湿地面积为 1.76 万公顷，占新疆同类型湿地总面积的 6.52%。

伊犁哈萨克自治州湿地分布情况见表 2-29 和表 2-30。

表 2-29 伊犁哈萨克自治州重点调查湿地分布概况表

湿地名称＼湿地类型		合 计（公顷）	河流湿地（公顷）	湖泊湿地（公顷）	沼泽湿地（公顷）	人工湿地（公顷）
重点调查湿地	伊犁小叶白腊自然保护区	1755.70	1755.70			
	西天山国家级自然保护区	131.29	131.29			
	木扎尔特河湿地自然保护区	9397.76	348.95		9048.81	
	伊犁河湿地	102159.02	65885.98		23845.71	12427.33
合 计		113443.77	68121.92		32894.52	12427.33

表 2-30 伊犁哈萨克自治州湿地区分布概况表

湿地名称 \ 湿地类型		合 计（公顷）	河流湿地（公顷）	湖泊湿地（公顷）	沼泽湿地（公顷）	人工湿地（公顷）
单独区划湿地区	伊犁河湿地单独区划湿地区（含六十一团、六十二团、六十三团、六十四团、六十六团、六十七团、六十八团、六十九团、七十团、七十一团、七十二团、七十三团、七十四团、七十五团、七十六团、七十七团、七十八团、七十九团）	113043.27	67721.42		32894.52	12427.33
零星湿地区	伊宁市零星湿地区	630.09	326.64			303.45
	奎屯市零星湿地区（含一三一团）	2967.60	1075.92		1116.60	775.08
	伊宁县零星湿地区（含七十团）	3046.42	2188.31			858.11
	察布查尔锡伯自治县零星湿地区（含六十七团、六十八团、六十九团）	2252.04	1920.57		155.46	176.01
	霍城县零星湿地区（含六十一团、六十二团、六十三团、六十四团、六十六团）	5968.34	3836.53	11.97	340.97	1778.87
	巩留县零星湿地区（含七十三团）	3952.81	1694.51		1704.47	553.83
	新源县零星湿地区（含七十一团、七十二团）	4650.88	2205.48		2142.29	303.11
	昭苏县零星湿地区（含七十四团、七十五团、七十六团、七十七团）	7482.95	3550.01	8.41	3901.18	23.35
	特克斯县零星湿地区（含七十八团）	5616.02	3203.92	343.01	1817.30	251.79
	尼勒克县零星湿地区（含七十九团）	5450.22	5270.98	8.92	39.11	131.21
合 计		155060.64	92994.29	372.31	44111.90	17582.14

1.4.13 塔城地区

塔城地区（包括兵团）本次调查，单独区划湿地区 4 个，零星湿地区 7 个。重点调查湿地 12 个，其他为一般调查。调查结果显示，塔城地区各类湿地总面积为 21.97 万公顷，占新疆湿地总面积的 5.56%。其中河流湿地面积为 4.75 万公顷，占新疆同类型湿地总面积的 3.89%；湖泊湿地面积为0.81万公顷，占新疆同类型湿地总面积的1.04%；沼泽湿地面积为14.08万公顷，占新疆同类型湿地总面积的8.35%；人工湿地面积为2.33万公顷，占新疆同类型湿地总面积的8.63%。

塔城地区湿地分布情况见表2-31和表2-32。

表2-31　塔城地区重点调查湿地分布概况表

湿地名称＼湿地类型		合　计（公顷）	河流湿地（公顷）	湖泊湿地（公顷）	沼泽湿地（公顷）	人工湿地（公顷）
重点调查湿地	和布克河湿地	19229.81	1092.14		17677.24	460.43
	塔城北山湿地	1805.29			1805.29	
	奎屯河流域湿地自然保护区	13618.23	6668.48		1898.32	5051.43
	巴音沟河湿地自然保护区	2484.66	762.85		571.77	1150.04
	乌拉斯台水库	60.63				60.63
	乌什水水库	604.18	147.27		239.27	217.64
	于什盖水库	790.34			431.17	359.17
	塔城巴尔鲁克山自然保护区	569.05	409.10	8.28	151.67	
	额敏河湿地	7420.71	2990.95	107.95	3480.93	840.88
	白杨河湿地	22980.17	7340.25	6567.92	8570.43	501.57
	甘家湖梭梭林国家级自然保护区	2116.73	43.18		2073.55	
	玛纳斯湖湿地	83107.53			80251.87	2855.66
合　计		154787.33	19454.22	6684.15	117151.5	11497.45

表2-32　塔城地区湿地区分布概况表

湿地名称＼湿地类型		合　计（公顷）	河流湿地（公顷）	湖泊湿地（公顷）	沼泽湿地（公顷）	人工湿地（公顷）
单独区划湿地区	塔城巴尔鲁克山自然保护区单独区划湿地区	569.05	409.10	8.28	151.67	
	额敏河湿地单独区划湿地区	7420.71	2990.95	107.95	3480.93	840.88
	白杨河湿地单独区划湿地区	22980.17	7340.25	6567.92	8570.43	501.57
	甘家湖梭梭林国家级自然保护区单独区划湿地区	2116.73	43.18		2073.55	

（续）

湿地名称 \ 湿地类型		合　计（公顷）	河流湿地（公顷）	湖泊湿地（公顷）	沼泽湿地（公顷）	人工湿地（公顷）
零星湿地区	塔城市零星湿地区（含一六三团、一六四团）	7140.75	1775.24	92.25	3940.35	1332.91
	乌苏市零星湿地区（含一二三团、一二四团、一二五团、一二六团、一二七团、一二八团、一三〇团）	33582.70	18551.72	174.90	9155.65	5700.43
	额敏县零星湿地区（含一六五团、一六六团、一六七团、一六八团、团结农场）	6147.59	2230.76	100.81	3460.07	355.95
	沙湾县零星湿地区（含一二一团、一三三团、一三四团、一四一团、一四二团、一四三团、一四四团）	17166.20	7113.87	273.03	952.04	8827.26
	托里县零星湿地区（含一七〇团）	4653.87	3771.56	654.90	61.16	166.25
	裕民县零星湿地区（含一六一团）	4210.52	1426.29	67.52	2239.75	476.96
	和布克赛尔蒙古自治县零星湿地区（含一八四团）	113706.81	1834.55	38.92	106757.94	5075.40
合　计		219695.10	47487.47	8086.48	140843.54	23277.61

1.4.14　阿勒泰地区

阿勒泰地区（包括兵团）本次调查涉及面较广，单独区划湿地区6个，零星湿地区7个。重点调查湿地18个，其他为一般调查。调查结果显示，阿勒泰地区各类湿地总面积为41.06万公顷，占新疆湿地总面积的10.40%。其中河流湿地面积为9.80万公顷，占新疆同类型湿地总面积的8.05%；湖泊湿地面积为15.07万公顷，占新疆同类型湿地总面积的19.46%；沼泽湿地面积为14.71万公顷，占新疆同类型湿地总面积的8.72%；人工湿地面积为1.48万公顷，占新疆同类型湿地总面积的5.49%。

阿勒泰地区湿地分布情况见表2-33和表2-34。

表2-33　阿勒泰地区重点调查湿地分布概况表

湿地名称 \ 湿地类型		合　计（公顷）	河流湿地（公顷）	湖泊湿地（公顷）	沼泽湿地（公顷）	人工湿地（公顷）
重点调查湿地	阿勒泰科克苏湿地自然保护区	40047.88			40047.88	
	额尔齐斯河科克托海湿地自然保护区	20215.01	9419.36	972.41	9823.24	

（续）

湿地类型 / 湿地名称		合 计（公顷）	河流湿地（公顷）	湖泊湿地（公顷）	沼泽湿地（公顷）	人工湿地（公顷）
重点调查湿地	布尔根河狸自然保护区	2099.68	2099.68			
	乌奇里克河源国家湿地公园	2516.95	306.06	491.18	1719.71	
	克兰河国家湿地公园	2027.93	317.81	1710.12		
	阿尔泰山东南部湿地	2471.66		435.40	2036.26	
	喀纳斯湖湿地	4498.61		4498.61		
	乌伦古湖和吉力湖湿地	105934.55		103899.55	1745.31	289.69
	阿苇滩水库	717.68				717.68
	东方红水库	372.28				372.28
	顶山水库	1899.91				1899.91
	克孜勒海英沼泽湿地	1078.28			1078.28	
	卡拉麦里山有蹄类自然保护区	16543.55	1438.57	8750.41	6354.57	
	哈纳斯国家级自然保护区	4920.16	222.15	1979.80	2718.21	
	阿尔泰山两河源头自然保护区	12646.23	4691.28	2167.35	5787.60	
	额尔齐斯河湿地	57175.67	47672.48	1937.39	6228.30	1337.50
	乌伦古河湿地	25611.5	23225.05	1011.04	1375.41	
	额尔齐斯河与乌伦古湖平原湿地自然保护区	8072.56		2745.17	4967.60	359.79
合 计		308850.09	89392.44	130598.43	83882.37	4976.85

表 2-34 阿勒泰地区湿地区分布概况表

湿地类型 / 湿地名称		合 计（公顷）	河流湿地（公顷）	湖泊湿地（公顷）	沼泽湿地（公顷）	人工湿地（公顷）
单独区划湿地区	卡拉麦里山有蹄类自然保护区单独区划湿地区	16543.55	1438.57	8750.41	6354.57	
	哈纳斯国家级自然保护区单独区划湿地区	9418.77	222.15	6478.41	2718.21	
	阿尔泰山两河源头自然保护区单独区划湿地区	15117.89	4691.28	2602.75	7823.86	
	额尔齐斯河湿地单独区划湿地区	120544.77	57409.65	4619.92	57177.70	1337.50
	乌伦古河湿地单独区划湿地区（含一八二团）	25611.50	23225.05	1011.04	1375.41	
	额尔齐斯河与乌伦古湖平原湿地自然保护区单独区划湿地区	8072.56		2745.17	4967.60	359.79

（续）

湿地类型 / 湿地名称		合　计（公顷）	河流湿地（公顷）	湖泊湿地（公顷）	沼泽湿地（公顷）	人工湿地（公顷）
零星湿地区	阿勒泰市零星湿地区（含一八一团）	15911.43	1305.25	4258.86	9276.40	1070.92
	布尔津县零星湿地区	22841.07	1010.09	2951.09	18448.88	431.01
	富蕴县零星湿地区	5934.43	1351.39	2701.43	1475.42	406.19
	福海县零星湿地区（含一八二团、一八三团、一八七团、一八八团）	132807.15	249.71	112644.71	10034.51	9878.22
	哈巴河县零星湿地区（含一八五团）	20723.45	1244.83	563.75	18565.38	349.49
	青河县零星湿地区	7609.63	4046.53	1224.07	1977.94	361.09
	吉木乃县零星湿地区（含一八六团）	9479.18	1762.12	162.26	6922.91	631.89
合　计		410615.38	97956.62	150713.87	147118.79	14826.10

1.4.15 自治区直辖县级行政单位

自治区直辖县级行政单位本次调查，无单独区划湿地区，零星湿地区 3 个。重点调查湿地 4 个，其他为一般调查。调查结果显示，自治区直辖县级行政单位各类湿地总面积为 1.06 万公顷，占新疆湿地总面积的 0.27%。其中河流湿地面积为 0.02 万公顷，占新疆同类型湿地总面积的 0.02%；湖泊湿地面积为 0.10 万公顷，占新疆同类型湿地总面积的 0.12%；沼泽湿地面积为 0.69 万公顷，占新疆同类型湿地总面积的 0.41%；人工湿地面积为 0.25 万公顷，占新疆同类型湿地总面积的 0.94%。

自治区直辖县级市湿地分布情况见表 2-35 和表 2-36。

表 2-35　自治区直辖县级市重点调查湿地分布概况表

湿地类型 / 湿地名称		合　计（公顷）	河流湿地（公顷）	湖泊湿地（公顷）	沼泽湿地（公顷）	人工湿地（公顷）
重点调查湿地	塔里木河上游三河汇流处湿地自然保护区	32703.87	13707.62	179.23	349.28	18467.74
	叶尔羌河中下游湿地自然保护区	47654.17	11073.19		12210.31	24370.47
	青格达湖鸟类湿地自然保护区	4073.55	141.13	952.14	1294.75	1685.53
	玛纳斯河流域中上游鸟类湿地自然	8971.08	1047.82			7923.26
合　计		93402.67	25969.76	1131.37	13854.34	52447

表 2-36 自治区直辖县级市湿地区分布概况表

湿地名称 \ 湿地类型		合 计（公顷）	河流湿地（公顷）	湖泊湿地（公顷）	沼泽湿地（公顷）	人工湿地（公顷）
零星湿地区	石河子市零星湿地区（含石河子总场、一五二团）	201.19				201.19
	五家渠市零星湿地区（含一〇一团、一〇二团、一〇三团）	4270.20	141.13	952.14	1294.75	1882.18
	阿拉尔市零星湿地区（含七团、八团、十团、十一团、十二团、十三团、十四团、十六团、阿拉尔农场、南口农场、幸福城农场、一师塔水处、一师水工处）	6117.86	59.87		5609.20	448.79
合 计		10589.25	201.00	952.14	6903.95	2532.16

2 河流湿地

2.1 河流各湿地型及面积

新疆河流湿地包括永久性河流、季节性或间歇性河流和洪泛平原湿地 3 个湿地型。河流湿地总面积 121.64 万公顷。其中，永久性河流湿地总面积 68.17 万公顷，占河流湿地总面积的 56.04%；季节性或间歇性河流湿地总面积 14.53 万公顷，占河流湿地总面积的 11.95%；洪泛平原湿地总面积 38.94 万公顷，占河流湿地总面积的 32.01%。

新疆河流湿地各湿地型面积比例构成如图 2-10。

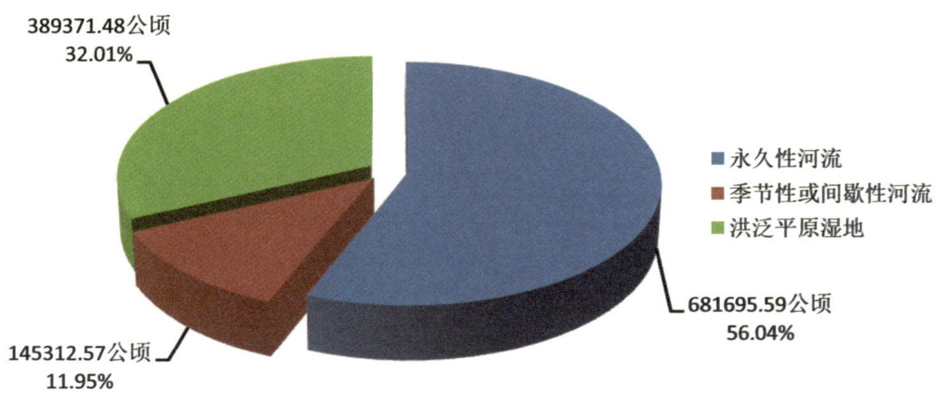

图 2-10 新疆河流湿地各湿地类型面积比例构成图

2.2　各流域的河流湿地型及面积

新疆河流湿地主要分布在塔里木河源流、中亚西亚内陆河区、阿尔泰山南麓诸河、昆仑山北麓小河等二级流域内。

各流域湿地类型和面积见表2-37。

表2-37　新疆各流域河流湿地分布概况表

流域级别			永久性河流（公顷）	季节性或间歇性河流（公顷）	洪泛平原湿地（公顷）	合　计（公顷）
一级流域	二级流域	三级流域				
西北诸河区	吐哈盆地小河	巴伊盆地	1856.59	1267.15	482.61	3606.35
		吐鲁番盆地	8631.55	1587.51	1135.01	11354.07
		哈密盆地	2676.35	221.48	5808.18	8706.01
		小　计	13164.49	3076.14	7425.80	23666.43
	阿尔泰山南麓诸河	额尔齐斯河	32776.25	216.78	32647.79	65640.82
		吉木乃诸河	1729.29	63.46	1647.60	3440.35
		乌伦古河	10969.03	512.76	15954.60	27436.39
		小　计	45474.57	793.00	50249.99	96517.56
	中亚西亚内陆河区	额敏河	8956.27	841.84	62.02	9860.13
		伊犁河	52613.93	84.35	40867.53	93565.81
		小　计	61570.20	926.19	40929.55	103425.94
	古尔班通古特荒漠区	古尔班通古特荒漠区	336.12	2562.48		2898.60
	天山北麓诸河	中段诸河	26663.27	11422.91	4874.28	42960.46
		艾比湖水系	27441.10	2886.93	1577.40	31905.43
		东段诸河	5631.90	1234.24	3249.96	10116.10
		小　计	59736.27	15544.08	9701.64	84981.99
	塔里木河源流	开孔河	31946.29	3009.61	3509.65	38465.55
		渭干河	22853.47	4459.98	6034.66	33348.11
		阿克苏河	47828.86	5188.62	24080.10	77097.58
		喀什噶尔河	30917.50	9091.35	15670.41	55679.26
		叶尔羌河	82224.41	6630.94	80445.93	169301.28
		和田河	130485.82	5782.98	39672.00	175940.80
		小　计	346256.35	34163.48	169412.75	549832.58

（续）

流域级别			永久性河流（公顷）	季节性或间歇性河流（公顷）	洪泛平原湿地（公顷）	合　计（公顷）
一级流域	二级流域	三级流域				
西北诸河区	昆仑山北麓小河	车尔臣河诸小河	26701.93	34214.65	41345.34	102261.92
		克里亚河诸小河	10802.32	4084.34	6003.13	20889.79
		小　计	37504.25	38298.99	47348.47	123151.71
	塔里木河干流	塔里木河干流	48390.29	3405.54	46074.03	97869.86
	塔里木盆地荒漠区	库木塔格沙漠	16.51	2972.15	498.59	3487.25
		塔克拉玛干沙漠	5123.03	322.73		5445.76
		小　计	5139.54	3294.88	498.59	8933.01
	柴达木盆地	柴达木盆地西部	19990.20	1349.02	5084.24	26423.46
	羌塘高原内陆河	羌塘高原区	42483.26	41280.10	12646.42	96409.78
西南诸河区	藏西诸河	奇普恰普河	1650.05	618.67		2268.72
合　计			681695.59	145312.57	389371.48	1216379.64

2.3　各湿地区的河流湿地型及面积

河流湿地面积较大的湿地区主要有叶尔羌河流域湿地单独区划湿地区、阿尔金山国家级自然保护区单独区划湿地区、且末县零星湿地区、和田县零星湿地区、伊犁河湿地单独区划湿地区、若羌县零星湿地区和额尔齐斯河湿地单独区划湿地区。各个流域中，永久性河流湿地面积最大的是若羌县零星湿地区；季节性或间歇性河流湿地面积最大的是且末县零星湿地区；洪泛平原湿地面积最大的是若羌县零星湿地区。各湿地区河流湿地类型及面积详见表2-38。

表2-38　新疆各湿地区河流湿地概况表

湿地类型 湿地名称	合　计（公顷）	永久性河流（公顷）	季节性河流（公顷）	洪泛平原（公顷）
合　计	1216379.64	681695.59	145312.57	389371.48
乌鲁木齐河湿地单独区划湿地区	4012.46	4012.46		
玛依格勒自然保护区单独区划湿地区				
艾丁湖湿地单独区划湿地区				
哈密东天山生态功能自然保护区单独区划湿地区	8079.66	3529.96	668.83	3880.87
卡拉麦里山有蹄类自然保护区单独区划湿地区	1479.7	257.02	1222.68	
甘家湖梭梭林国家级自然保护区单独区划湿地区	90.96	8.34	82.62	
孔雀河湿地自然保护区单独区划湿地区	4537.6	4135.74	173.13	228.73

（续）

湿地类型 湿地名称	合 计 （公顷）	永久性河流 （公顷）	季节性河流 （公顷）	洪泛平原 （公顷）
阿尔金山国家级自然保护区单独区划湿地区	90458.20	40073.89	42570.16	7814.15
博斯腾湖湿地单独区划湿地区（含二十二团、二十四团、二十五团、二十七团）				
罗布泊野骆驼国家级自然保护区单独区划湿地区	1194.75	237.17	957.58	
塔里木胡杨林国家级自然保护区单独区划湿地区	9320.16	5477.30	187.99	3654.87
阿克苏湿地单独区划湿地区（含三团、四团、五团、七团、八团、十团、十二团、十三团、十四团、十六团、塔水处、阿拉尔农场、南口农场、幸福城农场）	27788.13	23228.22	1343.75	3216.16
渭干河流域湿地单独区划湿地区	1581.37	1432.05	149.32	
叶尔羌河流域湿地单独区划湿地区（含四十四团、四十五团、四十八团、四十九团、五十团、五十一团、五十三团、小海子水管处、前进水管处）	92737.54	52292.17	1478.40	38966.97
伊犁河湿地单独区划湿地区（含六十一团、六十二团、六十三团、六十四团、六十六团、六十七团、六十八团、六十九团、七十团、七十一团、七十二团、七十三团、七十四团、七十五团、七十六团、七十七团、七十八团、七十九团）	67721.42	26983.80		40737.62
塔城巴尔鲁克山自然保护区单独区划湿地区	409.10	389.25	19.85	
额敏河湿地单独区划湿地区	2990.95	2924.06	66.89	
白杨河湿地单独区划湿地区	7340.25	5300.45	2039.80	
哈纳斯国家级自然保护区单独区划湿地区	222.15	222.15		
阿尔泰山两河源头自然保护区单独区划湿地区	4691.28	4596.30	94.98	
额尔齐斯河湿地单独区划湿地区	57409.65	24779.76		32629.89
乌伦古河湿地单独区划湿地区（含一八二团）	23225.05	8145.22	156.34	14923.49
额尔齐斯河与乌伦古湖平原湿地自然保护区单独区划湿地区				
乌鲁木齐市达坂城区零星湿地区	2462.12	1530.69	931.43	
乌鲁木齐市米东区零星湿地区	136.86	136.86		
乌鲁木齐县零星湿地区	64.54	64.54		
独山子区零星湿地区	694.91	694.91		
克拉玛依区零星湿地区（含一二九团、一三六团）	546.38		546.38	
白碱滩区零星湿地区	185.31		185.31	
乌尔禾区零星湿地区（含一三七团）	210.68		210.68	
吐鲁番市零星湿地区（含二二一团）	5808.48	3363.19	146.11	2299.18

（续）

湿地类型 湿地名称	合　计 （公顷）	永久性河流 （公顷）	季节性河流 （公顷）	洪泛平原 （公顷）
鄯善县零星湿地区	2824.17	2193.82	133.12	497.23
托克逊县零星湿地区	2010.80	1124.45	248.57	637.78
哈密市零星湿地区（含红星一场、红星二场、红星四场、黄田农场、火箭农场、柳树泉农场）	4433.89	733.56	3091.00	609.33
巴里坤哈萨克自治县零星湿地区（含红山农场）	401.27	269.42	131.85	
伊吾县零星湿地区（含淖毛湖农场）	477.88		477.88	
昌吉市零星湿地区（含共青团农场、军户农场）	8828.36	2292.17	6222.94	313.25
阜康市零星湿地区（含土墩子农场、六运湖农场、二二二团）	625.21	430.59	92.20	102.42
呼图壁县零星湿地区（含一〇五团、芳草湖农场、一〇六团）	2318.09	2190.98	127.11	
玛纳斯县零星湿地区（含新湖农场、一四七团、一四八团、一四九团、一五〇团）	6936.15	2858.40	671.48	3406.27
奇台县零星湿地区（含奇台农场、北塔山牧场）	6794.17	3028.39	662.27	3103.51
吉木萨尔县零星湿地区（含红旗农场）	1148.27	629.53	372.29	146.45
木垒哈萨克自治县零星湿地区	2541.24	2064.72	476.52	
博乐市零星湿地区（含八十一团、八十四团、八十六团、八十九团、九十团）	2077.69	1964.93	112.76	
精河县零星湿地区（含八十三团、九十一团）	3734.25	3680.64		53.61
温泉县零星湿地区（含八十七团、八十八团）	5094.97	4423.23	25.54	646.20
库尔勒市零星湿地区（含二十九团、三十团）	1411.04	629.11	781.93	
轮台县零星湿地区	4462.5	2675.82	1777.61	9.07
尉犁县零星湿地区（含三十一团、三十三团、三十四团）	27203.86	3929.08	459.48	22815.30
若羌县零星湿地区（含三十六团）	54081.92	34100.25	4023.41	15958.26
且末县零星湿地区（含三十八团、且末支队）	75463.37	17829.47	23768.22	33865.68
焉耆回族自治县零星湿地区（含二十七团）	1135.89	980.58	76.16	79.15
和静县零星湿地区（含二十一团、二十二团、二二三团）	30244.36	25549.45	1198.90	3496.01
和硕县零星湿地区（含二十四团）	907.31	298.09	292.53	316.69
博湖县零星湿地区（含二十五团）	544.73	471.87	72.86	
阿克苏市零星湿地区（含一团、二团）	2845.91	533.43	184.08	2128.40
温宿县零星湿地区（含五团、六团）	25392.17	12434.70	1722.28	11235.19
库车县零星湿地区	11426.88	3683.22	1769.00	5974.66

（续）

湿地类型 湿地名称	合　计（公顷）	永久性河流（公顷）	季节性河流（公顷）	洪泛平原（公顷）
沙雅县零星湿地区	20828.61	19117.64	783.96	927.01
新和县零星湿地区	4150.75	115.98	211.25	3823.52
拜城县零星湿地区	21982.85	19047.81	1409.19	1525.85
乌什县零星湿地区（含四团）	16144.35	15953.89	190.46	
阿瓦提县零星湿地区（含三团、一师沙水处）	28287.20	25746.86	2540.34	
柯坪县零星湿地区	600.98		600.98	
阿图什市零星湿地区（含三师红旗农场）	9093.03	2054.33	3376.48	3662.22
阿克陶县零星湿地区	16078.93	8777.90	1582.17	5718.86
阿合奇县零星湿地区	17415.02	7868.14	1361.24	8185.64
乌恰县零星湿地区（含托云牧场）	12698.67	6304.57	1271.58	5122.52
喀什市零星湿地区	1894.01	1433.36		460.65
疏附县零星湿地区	8251.82	7692.07	157.26	402.49
疏勒县零星湿地区（含四十一团）	3145.91	3003.97	14.61	127.33
英吉沙县零星湿地区（含东风农场）	3998.38	1318.69	2503.35	176.34
泽普县零星湿地区	146.45	111.88	34.57	
莎车县零星湿地区	1084.40	680.83	403.57	
叶城县零星湿地区（含叶城二牧场）	27461.55	19510.83	2343.09	5607.63
麦盖提县零星湿地区（含四十五团、四十六团）				
岳普湖县零星湿地区（含四十二团）	263.65	104.02	159.63	
伽师县零星湿地区（含伽师农场）	2268.43	1754.58	513.85	
巴楚县零星湿地区（含四十八团）	961.19	359.61	398.59	202.99
塔什库尔干塔吉克自治县零星湿地区	43858.46	7943.77	246.35	35668.34
和田市零星湿地区	2686.11	2686.11		
和田县零星湿地区	71745.61	45983.91	9156.19	16605.51
墨玉县零星湿地区（含四十七团）	44312.93	29003.49		15309.44
皮山县零星湿地区（含皮山农场、二二四团）	28291.21	14015.00	1531.21	12745.00
洛浦县零星湿地区	25230.15	15897.52	211.24	9121.39
策勒县零星湿地区（含一牧场）	4950.37	4030.56	781.33	138.48
于田县零星湿地区	11518.36	9883.89	1634.47	
民丰县零星湿地区	13116.47	3874.87	3346.19	5895.41
伊宁市零星湿地区	326.64	326.64		

（续）

湿地类型 湿地名称	合 计 （公顷）	永久性河流 （公顷）	季节性河流 （公顷）	洪泛平原 （公顷）
奎屯市零星湿地区（含一三一团）	1075.92	21.48	798.11	256.33
伊宁县零星湿地区（含七十团）	2188.31	2188.31		
察布查尔锡伯自治县零星湿地区（含六十七团、六十八团、六十九团）	1920.57	1920.57		
霍城县零星湿地区（含六十一团、六十二团、六十三团、六十四团、六十六团）	3836.53	3770.34	66.19	
巩留县零星湿地区（含七十三团）	1694.51	1643.55		50.96
新源县零星湿地区（含七十一团、七十二团）	2205.48	2205.48		
昭苏县零星湿地区（含七十四团、七十五团、七十六团、七十七团）	3550.01	3550.01		
特克斯县零星湿地区（含七十八团）	3203.92	3203.92		
尼勒克县零星湿地区（含七十九团）	5270.98	5252.82	18.16	
塔城市零星湿地区（含一六三团、一六四团）	1775.24	1775.24		
乌苏市零星湿地区（含一二三团、一二四团、一二五团、一二六团、一二七团、一二八团、一三〇团）	18551.72	16480.93	1449.53	621.26
额敏县零星湿地区（含一六五团、一六六团、一六七团、一六八团、团结农场）	2230.76	1859.90	370.86	
沙湾县零星湿地区（含一二一团、一三三团、一三四团、一四一团、一四二团、一四三团、一四四团）	7113.87	4230.25	2372.33	511.29
托里县零星湿地区（含一七〇团）	3771.56	3441.37	268.17	62.02
裕民县零星湿地区（含一六一团）	1426.29	1140.42	285.87	
和布克赛尔蒙古自治县零星湿地区（含一八四团）	1834.55	1728.12	106.43	
阿勒泰市零星湿地区（含一八一团）	1305.25	1297.56	7.69	
布尔津县零星湿地区	1010.09	1010.09		
富蕴县零星湿地区	1351.39	1188.67	162.72	
福海县零星湿地区（含一八二团、一八三团、一八七团、一八八团）	249.71	130.76	84.31	34.64
哈巴河县零星湿地区（含一八五团）	1244.83	1211.56	15.37	17.90
青河县零星湿地区	4046.53	1186.33	216.13	2644.07
吉木乃县零星湿地区（含一八六团）	1762.12	1698.66	63.46	
石河子市零星湿地区（含石河子总场、一五二团）				
五家渠市零星湿地区（含一〇一团、一〇二团、一〇三团）	141.13	141.13		
阿拉尔市零星湿地区（含七团、八团、十团、十一团、十二团、十三团、十四团、十六团、阿拉尔农场、南口农场、幸福城农场、一师塔水处、一师水工处）	59.87		59.87	

2.4 各行政区的河流湿地型及面积

新疆河流湿地面积最大的是巴音郭楞蒙古自治州，其次是和田地区，第三位是喀什地区。分别占新疆河流总面积的24.76%、16.61%和15.33%。其中巴音郭楞蒙古自治州的河流湿地中，永久性河流、季节性河流和洪泛平原面积均最大，分别为13.64万公顷、7.63万公顷和8.82万公顷，分别占全疆永久性河流、季节性河流和洪泛平原面积的19.98%、52.55%和22.75%（表2-39）。

表2-39 新疆各行政区河流湿地统计表

湿地类型 行政区	合 计 （公顷）	永久性河流 （公顷）	季节性河流 （公顷）	洪泛平原 （公顷）
合 计	1216379.64	681695.59	145312.57	389371.48
乌鲁木齐市	6675.98	5744.55	931.43	
克拉玛依市	1637.28	694.91	942.37	
吐鲁番地区	10643.45	6681.46	527.80	3434.19
哈密地区	13392.70	4532.94	4369.56	4490.20
昌吉回族自治州	29232.62	13494.78	8665.94	7071.90
博尔塔拉蒙古自治州	10954.69	10077.14	177.74	699.81
巴音郭楞蒙古自治州	300965.69	136387.82	76339.96	88237.91
阿克苏地区	161029.20	121293.80	10904.61	28830.79
克孜勒苏柯尔克孜自治州	55285.65	25004.94	7591.47	22689.24
喀什地区	186071.79	96205.78	8253.27	81612.74
和田地区	201851.21	125375.35	16660.63	59815.23
伊犁哈萨克自治州	92994.29	51066.92	882.46	41044.91
塔城地区	47487.47	39269.99	7022.91	1194.57
阿勒泰地区	97956.62	45724.08	1982.55	50249.99
自治区直辖县级行政单位	201.00	141.13	59.87	

3 湖泊湿地

湖泊是湖盆、湖水、水中所含物质（矿物质、溶解质、有机质以及水生生物等）组成的自然综合体。

3.1 湖泊各湿地型及面积

本次调查新疆符合调查规程要求的湖泊湿地总面积77.45万公顷，占湿地总面积19.62%。其中，永久性淡水湖30.65万公顷，占湖泊湿地总面积39.57%；永久性咸水湖33.92万公顷，占湖泊湿地总面积43.80%；季节性淡水湖9.83万公顷，占湖泊湿地总面积12.69%；季节性咸水湖3.05万公顷，占湖泊湿地总面积3.94%。

新疆湖泊湿地各类型面积比例构成如图2-11。

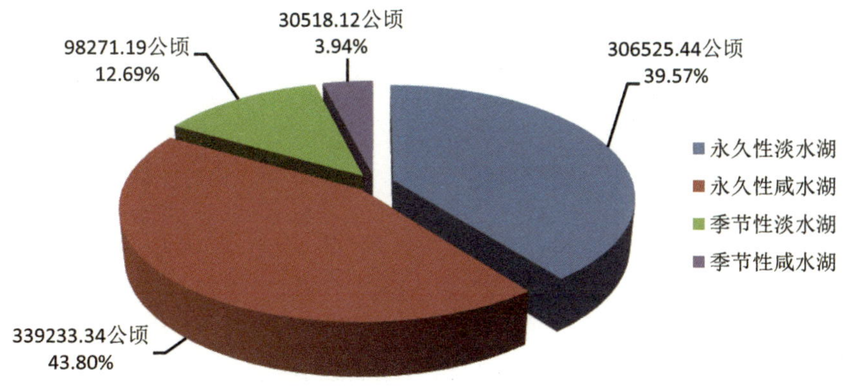

图 **2-11**　新疆湖泊湿地各湿地类型面积比例构成图

3.2　各流域的湖泊湿地型及面积

新疆湖泊湿地主要分布在羌塘高原区、乌伦古河、开孔河、艾比湖水系等三级流域内。新疆一级、二级、三级流域湖泊湿地分布情况见表2-40。

表 2-40　新疆各流域湖泊湿地分布概况表

流域级别			永久性淡水湖（公顷）	永久性咸水湖（公顷）	季节性淡水湖（公顷）	季节性咸水湖（公顷）	合　计（公顷）
一级流域	二级流域	三级流域					
西北诸河区	吐哈盆地小河	巴伊盆地	54.03	6438.86			6492.89
		吐鲁番盆地	49.53	1355.15			1404.68
		哈密盆地	57.42				57.42
		小　计	160.98	7794.01			7954.99
	阿尔泰山南麓诸河	额尔齐斯河	22712.40	1782.43	2195.05		26689.88
		吉木乃诸河	515.91	57.74	24.01		597.66
		乌伦古河	103580.88	920.10	3724.08	3222.52	111447.58
		小　计	126809.19	2760.27	5943.14	3222.52	138735.12
	中亚西亚内陆河区	额敏河	872.23	61.55	10.16		943.94
		伊犁河	372.31				372.31
		小　计	1244.54	61.55	10.16		1316.25
	古尔班通古特荒漠区	古尔班通古特荒漠区		19.38		17847.93	17867.31
	天山北麓诸河	中段诸河	1492.34	12729.41	1020.13	1807.82	17049.70
		艾比湖水系	112.08	95954.68	65.24	59.67	96191.67
		东段诸河	28.50		55.02		83.52
		小　计	1632.92	108684.09	1140.39	1867.49	113324.89

（续）

流域级别			永久性淡水湖（公顷）	永久性咸水湖（公顷）	季节性淡水湖（公顷）	季节性咸水湖（公顷）	合 计（公顷）
一级流域	二级流域	三级流域					
西北诸河区	塔里木河源流	开孔河	100641.97	263.47	1147.27	3346.79	105399.50
		渭干河	545.52	1242.46		131.52	1919.50
		阿克苏河	2936.99	1256.31			4193.30
		喀什噶尔河	1321.33	6100.92	383.64	693.11	8499.00
		叶尔羌河	5101.50	3735.54	269.57		9106.61
		和田河	718.35	1419.54	2743.66		4881.55
		小 计	111265.66	14018.24	4544.14	4171.42	133999.46
	昆仑山北麓小河	车尔臣河诸小河	4888.12	3501.86	287.69	791.12	9468.79
		克里亚河诸小河	1923.73	4926.64	1570.50	420.98	8841.85
		小 计	6811.85	8428.50	1858.19	1212.10	18310.64
	塔里木河干流	塔里木河干流	28981.95	3226.70	16076.66	16.09	48301.40
	塔里木盆地荒漠区	库木塔格沙漠			2447.71		2447.71
		塔克拉玛干沙漠		1457.43	60204.42		61661.85
		小 计		1457.43	62652.13		64109.56
	柴达木盆地	柴达木盆地西部					
	羌塘高原内陆河	羌塘高原区	29618.35	192783.17	6046.38	2180.57	230628.47
西南诸河区	藏西诸河	奇普恰普河					
合 计			306525.44	339233.34	98271.19	30518.12	774548.09

3.3 各湿地区的湖泊湿地型及面积

湖泊湿地面积较大的湿地区主要有阿尔金山国家级自然保护区单独区划湿地区、福海县零星湿地区、博斯腾湖湿地单独区划湿地区、若羌县零星湿地区、且末县零星湿地区、精河县零星湿地区、博乐市零星湿地区、和田县零星湿地区、民丰县零星湿地区。其中：永久性咸水湖面积较大的有阿尔金山国家级自然保护区单独区划湿地区、精河县零星湿地区、博乐市零星湿地区；季节性淡水湖面积较大的有民丰县零星湿地区、福海县零星湿地区、和田县零星湿地区；季节性咸水湖面积较大的有新疆卡拉麦里山有蹄类自然保护区单独区划湿地区、奇台县零星湿地区、博湖县零星湿地区。新疆各湿地区的湖泊湿地的类型和面积见表2-41。

表 2-41　新疆各湿地区湖泊湿地概况表

湿地类型 湿地名称	合　计 （公顷）	永久性淡水湖（公顷）	永久性咸水湖（公顷）	季节性淡水湖（公顷）	季节性咸水湖（公顷）
合　计	774548.09	306525.44	339233.34	98271.19	30518.12
乌鲁木齐河湿地单独区划湿地区	7641.49	201.76	7372.09		67.64
玛依格勒自然保护区单独区划湿地区					
艾丁湖湿地单独区划湿地区	1355.15		1355.15		
哈密东天山生态功能自然保护区单独区划湿地区	4028.68	70.75	3957.93		
卡拉麦里山有蹄类自然保护区单独区划湿地区	11227.90				11227.9
甘家湖梭梭林国家级自然保护区单独区划湿地区					
孔雀河湿地自然保护区单独区划湿地区	397.31	247.50	149.81		
阿尔金山国家级自然保护区单独区划湿地区	177596.85	18666.77	158930.08		
博斯腾湖湿地单独区划湿地区（含二十二团、二十四团、二十五团、二十七团）	98846.36	98846.36			
罗布泊野骆驼国家级自然保护区单独区划湿地区	2553.13			2447.71	105.42
塔里木胡杨林国家级自然保护区单独区划湿地区					
阿克苏湿地单独区划湿地区（含三团、四团、五团、七团、八团、十团、十二团、十三团、十四团、十六团、塔水处、阿拉尔农场、南口农场、幸福城农场）	4269.63	3013.32	1256.31		
渭干河流域湿地单独区划湿地区	435.31	201.52	135.23		98.56
叶尔羌河流域湿地单独区划湿地区（含四十四团、四十五团、四十八团、四十九团、五十团、五十一团、五十三团、小海子水管处、前进水管处）	3221.99	101.98	2946.86	173.15	
伊犁河湿地单独区划湿地区（含六十一团、六十二团、六十三团、六十四团、六十六团、六十七团、六十八团、六十九团、七十团、七十一团、七十二团、七十三团、七十四团、七十五团、七十六团、七十七团、七十八团、七十九团）					
塔城巴尔鲁克山自然保护区单独区划湿地区	8.28	8.28			

（续）

湿地类型 湿地名称	合 计 （公顷）	永久性淡 水湖（公顷）	永久性咸 水湖（公顷）	季节性淡 水湖（公顷）	季节性咸 水湖（公顷）
额敏河湿地单独区划湿地区	107.95	107.95			
白杨河湿地单独区划湿地区	6567.92		5166.39	32.92	1368.61
哈纳斯国家级自然保护区单独区划湿地区	6478.41	6478.41			
阿尔泰山两河源头自然保护区单独区划湿地区	2602.75	2602.75			
额尔齐斯河湿地单独区划湿地区	4619.92	4319.15		300.77	
乌伦古河湿地单独区划湿地区（含一八二团）	1011.04				1011.04
额尔齐斯河与乌伦古湖平原湿地自然保护区单独区划湿地区	2745.17	797.34	1128.93	818.90	
乌鲁木齐市达坂城区零星湿地区	49.53	49.53			
乌鲁木齐市米东区零星湿地区					
乌鲁木齐县零星湿地区					
独山子区零星湿地区					
克拉玛依区零星湿地区（含一二九团、一三六团）	586.77			586.77	
白碱滩区零星湿地区	59.55		59.55		
乌尔禾区零星湿地区（含一三七团）	131.38		131.38		
吐鲁番市零星湿地区（含二二一团）					
鄯善县零星湿地区					
托克逊县零星湿地区					
哈密市零星湿地区（含红星一场、红星二场、红星四场、黄田农场、火箭农场、柳树泉农场）					
巴里坤哈萨克自治县零星湿地区（含红山农场）	40.70	40.70			
伊吾县零星湿地区（含淖毛湖农场）	2480.93		2480.93		
昌吉市零星湿地区（含共青团农场、军户农场）					
阜康市零星湿地区（含土墩子农场、六运湖农场、二二二团）	298.07	287.20		10.87	
呼图壁县零星湿地区（含一〇五团、芳草湖农场、一〇六团）	377.73	51.24			326.49
玛纳斯县零星湿地区（含新湖农场、一四七团、一四八团、一四九团、一五〇团）	34.93				34.93

（续）

湿地类型 湿地名称	合 计 （公顷）	永久性淡 水湖（公顷）	永久性咸 水湖（公顷）	季节性淡 水湖（公顷）	季节性咸 水湖（公顷）
奇台县零星湿地区（含奇台农场、北塔山牧场）	3466.09			55.02	3411.07
吉木萨尔县零星湿地区（含红旗农场）	28.50	28.50			
木垒哈萨克自治县零星湿地区					
博乐市零星湿地区（含八十一团、八十四团、八十六团、八十九团、九十团）	46463.85		46463.85		
精河县零星湿地区（含八十三团、九十一团）	49490.83		49490.83		
温泉县零星湿地区（含八十七团、八十八团）	62.09	62.09			
库尔勒市零星湿地区（含二十九团、三十团）	1177.09	29.82		1147.27	
轮台县零星湿地区					
尉犁县零星湿地区（含三十一团、三十三团、三十四团）	13608.16	24.53	92.20	13491.43	
若羌县零星湿地区（含三十六团）	61057.38	26937.47	4757.07	28931.14	431.70
且末县零星湿地区（含三十八团、且末支队）	53656.60	13562.57	4980.05	34727.27	386.71
焉耆回族自治县零星湿地区（含二十七团）	863.71	863.71			
和静县零星湿地区（含二十一团、二十二团、二二三团）	675.55	675.55			
和硕县零星湿地区（含二十四团）	775.46				775.46
博湖县零星湿地区（含二十五团）	2592.79		21.46		2571.33
阿克苏市零星湿地区（含一团、二团）					
温宿县零星湿地区（含五团、六团）					
库车县零星湿地区	1728.53	1728.53			
沙雅县零星湿地区	515.80	248.81	186.35	31.59	49.05
新和县零星湿地区	1293.64	186.41	1107.23		
拜城县零星湿地区					
乌什县零星湿地区（含四团）					
阿瓦提县零星湿地区（含三团、一师沙水处）	47.26	47.26			
柯坪县零星湿地区					
阿图什市零星湿地区（含三师红旗农场）	5092.62		4880.86		211.76

（续）

湿地类型 湿地名称	合 计 （公顷）	永久性淡 水湖（公顷）	永久性咸 水湖（公顷）	季节性淡 水湖（公顷）	季节性咸 水湖（公顷）
阿克陶县零星湿地区	1996.80	1097.44	771.32	128.04	
阿合奇县零星湿地区	55.64	55.64			
乌恰县零星湿地区（含托云牧场）					
喀什市零星湿地区	133.38	133.38			
疏附县零星湿地区	186.62			186.62	
疏勒县零星湿地区（含四十一团）	185.86	129.11		56.75	
英吉沙县零星湿地区（含东风农场）					
泽普县零星湿地区	56.23	56.23			
莎车县零星湿地区	105.84	105.84			
叶城县零星湿地区（含叶城二牧场）	181.22	84.80		96.42	
麦盖提县零星湿地区（含四十五团、四十六团）					
岳普湖县零星湿地区（含四十二团）	125.82		113.59	12.23	
伽师县零星湿地区（含伽师农场）	858.20	41.70	335.15		481.35
巴楚县零星湿地区（含四十八团）	5453.14	4664.46	788.68		
塔什库尔干塔吉克自治县零星湿地区	7.89	7.89			
和田市零星湿地区					
和田县零星湿地区	35903.08	688.30	31899.59	3122.93	192.26
墨玉县零星湿地区（含四十七团）					
皮山县零星湿地区（含皮山农场、二二四团）	1761.36	445.25	1151.77	164.34	
洛浦县零星湿地区	143.63	40.59		103.04	
策勒县零星湿地区（含一牧场）	118.72	32.79	63.99	21.94	
于田县零星湿地区	4002.10		3501.07	80.05	420.98
民丰县零星湿地区	13668.83	3712.28	1845.37	6255.58	1855.60
伊宁市零星湿地区					
奎屯市零星湿地区（含一三一团）					
伊宁县零星湿地区（含七十团）					
察布查尔锡伯自治县零星湿地区（含六十七团、六十八团、六十九团）					
霍城县零星湿地区（含六十一团、六十二团、六十三团、六十四团、六十六团）	11.97	11.97			

（续）

湿地类型 湿地名称	合　计 （公顷）	永久性淡水湖（公顷）	永久性咸水湖（公顷）	季节性淡水湖（公顷）	季节性咸水湖（公顷）
巩留县零星湿地区（含七十三团）					
新源县零星湿地区（含七十一团、七十二团）					
昭苏县零星湿地区（含七十四团、七十五团、七十六团、七十七团）	8.41	8.41			
特克斯县零星湿地区（含七十八团）	343.01	343.01			
尼勒克县零星湿地区（含七十九团）	8.92	8.92			
塔城市零星湿地区（含一六三团、一六四团）	92.25	92.25			
乌苏市零星湿地区（含一二三团、一二四团、一二五团、一二六团、一二七团、一二八团、一三〇团）	174.90	49.99		65.24	59.67
额敏县零星湿地区（含一六五团、一六六团、一六七团、一六八团、团结农场）	100.81		13.04	87.77	
沙湾县零星湿地区（含一二一团、一三三团、一三四团、一四一团、一四二团、一四三团、一四四团）	273.03			273.03	
托里县零星湿地区（含一七〇团）	654.90	606.39	48.51		
裕民县零星湿地区（含一六一团）	67.52	57.36		10.16	
和布克赛尔蒙古自治县零星湿地区（含一八四团）	38.92			28.77	10.15
阿勒泰市零星湿地区（含一八一团）	4258.86	3507.21	653.52	98.13	
布尔津县零星湿地区	2951.09	2755.96	195.13		
富蕴县零星湿地区	2701.43			697.16	2004.27
福海县零星湿地区（含一八二团、一八三团、一八七团、一八八团）	112644.71	106171.51	724.95	3536.77	2211.48
哈巴河县零星湿地区（含一八五团）	563.75	96.35		467.40	
青河县零星湿地区	1224.07		19.38		1204.69
吉木乃县零星湿地区（含一八六团）	162.26	80.51	57.74	24.01	
石河子市零星湿地区（含石河子总场、一五二团）					
五家渠市零星湿地区（含一〇一团、一〇二团、一〇三团）	952.14	952.14			
阿拉尔市零星湿地区（含七团、八团、十团、十一团、十二团、十三团、十四团、十六团、阿拉尔农场、南口农场、幸福城农场、一师塔水处、一师水工处）					

3.4　各行政区的湖泊湿地型及面积

新疆湖泊湿地主要集中分布于巴音郭楞蒙古自治州、阿勒泰地区和博尔塔拉蒙古自治州等。新疆15个市(州、地区、自治区直辖县级行政单位)湖泊湿地分布情况见表2-42。

表2-42　新疆各行政区湖泊湿地型及面积统计表

湿地类型 / 行政区	合计(公顷)	永久性淡水湖(公顷)	永久性咸水湖(公顷)	季节性淡水湖(公顷)	季节性咸水湖(公顷)
合　计	774548.09	306525.44	339233.34	98271.19	30518.12
乌鲁木齐市	7691.02	251.29	7372.09		67.64
克拉玛依市	777.70		190.93	586.77	
吐鲁番地区	1355.15		1355.15		
哈密地区	6550.31	111.45	6438.86		
昌吉回族自治州	6682.81	366.94		65.89	6249.98
博尔塔拉蒙古自治州	96016.77	62.09	95954.68		
巴音郭楞蒙古自治州	413800.39	159854.28	168930.67	80744.82	4270.62
阿克苏地区	8290.17	5425.85	2685.12	31.59	147.61
克孜勒苏柯尔克孜自治州	7145.06	1153.08	5652.18	128.04	211.76
喀什地区	10516.19	5325.39	4184.28	525.17	481.35
和田地区	55597.72	4919.21	38461.79	9747.88	2468.84
伊犁哈萨克自治州	372.31	372.31			
塔城地区	8086.48	922.22	5227.94	497.89	1438.43
阿勒泰地区	150713.87	126809.19	2779.65	5943.14	15181.89
自治区直辖县级行政单位	952.14	952.14			

4　沼泽湿地

4.1　沼泽各湿地型及面积

本次调查新疆符合调查规程要求的沼泽湿地总面积168.74万公顷，占湿地总面积42.74%。其中草本沼泽86.37万公顷，占沼泽湿地总面积的51.19%；灌丛沼泽17.84万公顷，占沼泽湿地总面积的10.57%；森林沼泽6.82万公顷，占沼泽湿地总面积的4.04%；内陆盐沼27.37万公顷，占沼泽湿地总面积的16.22%；季节性咸水沼泽18.01万公顷，占沼泽湿地总面积的10.67%；沼泽化草甸12.32万公顷，占沼泽湿地总面积的7.30%。

新疆沼泽湿地各湿地型面积比例构成如图2-12。

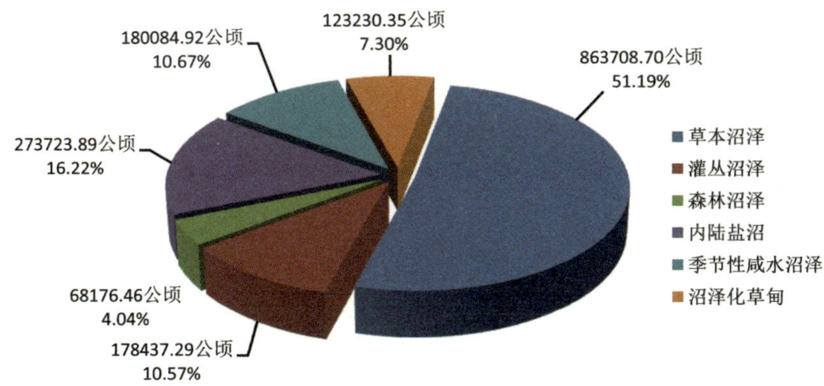

图 **2-12**　新疆沼泽湿地各湿地型面积比例构成图

4.2　各流域的沼泽湿地型及面积

新疆沼泽湿地主要分布在塔里木河源流、塔里木河干流、古尔班通古特荒漠区等二级流域。按三级流域不同，新疆沼泽湿地主要分布在开孔河、塔里木河干流、柴达木盆地西部、叶尔羌河、额尔齐斯河、喀什噶尔河等三级流域。草本沼泽面积较大的三级流域有开孔河、柴达木盆地西部、塔里木河干流；灌木沼泽面积较大的三级流域有塔里木河干流、塔克拉玛干沙漠、古尔班通古特荒漠中段诸河；森林沼泽面积较大的三级流域有塔里木河干流、叶尔羌河、和田河；内陆盐沼面积较大的三级流域有古尔班通古特荒漠区、库木塔格沙漠、艾比湖水系；季节性咸水沼泽面积较大的三级流域有羌塘高原区、艾比湖水系、古尔班通古特荒漠中段诸河；沼泽化草甸面积较大的三级流域有叶尔羌河、喀什噶尔河、塔里木河干流。

新疆一级、二级、三级流域沼泽湿地分布情况见表2-43。

表 2-43　新疆各流域沼泽湿地分布概况表

流域级别			草本沼泽（公顷）	灌丛沼泽（公顷）	森林沼泽（公顷）	内陆盐沼（公顷）	季节盐沼（公顷）	沼泽化草甸（公顷）	合　计（公顷）
一级流域	二级流域	三级流域							
西北诸河区	吐哈盆地小河	巴伊盆地	39995.51			6015.12	19224.75		65235.38
		吐鲁番盆地	4030.27	1662.04		266.93	20748.47	1627.65	28335.36
		哈密盆地	2669.60			7359.93			10029.53
		小　计	46695.38	1662.04		13641.98	39973.22	1627.66	103600.28
	阿尔泰山南麓诸河	额尔齐斯河	102530.73	5310.47	1259.81	247.07	11880.29		121228.37
		吉木乃诸河	6637.66	1087.94		47.11	1186.46		8959.17
		乌伦古河	4669.25	22.39			2386.59		7078.23
		小　计	113837.64	6420.80	1259.81	294.18	15453.34		137265.77
	中亚西亚内陆河区	额敏河	5893.98	1236.24		16.09	1169.30	4957.16	13272.77
		伊犁河	30595.39	8249.34			3327.98	1763.52	43936.23
		小　计	36489.37	9485.58		16.09	4497.28	6720.68	57209.00
	古尔班通古特荒漠区	古尔班通古特荒漠区	2184.29	92.79		90209.26	10171.12		102657.46

（续）

流域级别			草本沼泽（公顷）	灌丛沼泽（公顷）	森林沼泽（公顷）	内陆盐沼（公顷）	季节盐沼（公顷）	沼泽化草甸（公顷）	合 计（公顷）
一级流域	二级流域	三级流域							
西北诸河区	天山北麓诸河	中段诸河	19340.85	25852.41			17921.39	750.06	63864.71
		艾比湖水系	10695.92			70343.62	7305.21	5966.65	94311.40
		东段诸河	1169.15	812.18					1981.33
		小 计	31205.92	26664.59		70343.62	25226.60	6716.71	160157.44
	塔里木河源流	开孔河	204638.67	2361.89		365.14	5865.43	14070.77	227301.90
		渭干河	13464.29	2411.65			5666.76		21542.70
		阿克苏河	11773.74	2535.53		197.20	12289.28		26795.75
		喀什噶尔河	77409.36	459.63		5556.46	3121.81	19249.60	105796.86
		叶尔羌河	59139.32	5607.66	8547.45		8073.36	55043.47	136411.26
		和田河	24020.98	4219.26	2073.50	752.53	872.00		31938.27
		小 计	390446.36	17595.62	10620.95	6871.33	35888.64	88363.84	549786.74
	昆仑山北麓小河	车尔臣河诸小河	24388.52			18353.53	600.61	848.73	44191.39
		克里亚河诸小河	28227.30	10747.81			276.20		39251.31
		小 计	52615.82	10747.81		18353.53	876.81	848.73	83442.70
	塔里木河干流	塔里木河干流	62473.30	52280.85	56295.70	5296.58		18952.74	195299.17
	塔里木盆地荒漠区	库木塔格沙漠	716.75			68586.06	15650.67		84953.48
		塔克拉玛干沙漠		53487.21					53487.21
		小 计	716.75	53487.21		68586.06	15650.67		138440.69
	柴达木盆地	柴达木盆地西部	60922.39						60922.39
	羌塘高原内陆河	羌塘高原区	66121.48			111.26	32347.24		98579.98
西南诸河区	藏西诸河	奇普恰普河							
合 计			863708.70	178437.29	68176.46	273723.89	180084.92	123230.35	1687361.61

4.3 各湿地区的沼泽湿地型及面积

沼泽湿地面积较大的湿地区主要有和静县零星湿地区、和布克赛尔蒙古自治县零星湿地区、精河县零星湿地区、若羌县零星湿地区、罗布泊野骆驼国家级自然保护区单独区划湿地区、尉犁县零星湿地区、阿尔金山国家级自然保护区单独区划湿地区、塔什库尔干塔吉克自治县零星湿地区、额尔齐斯河湿地单独区划湿地区、于田县零星湿地区、沙雅县零星湿地区和博斯腾湖湿地单独区划湿地区。草本沼泽面积较大的有和静县零星湿地区、若羌县零星湿地区、博斯腾湖湿地单独区划湿地区；灌丛沼泽面积较大的有于田县零星湿地区、轮台县零星湿地区、尉犁县零星湿地区；森林沼泽面积较大的有沙雅县零星湿地区、阿瓦提县零星湿地区、轮台县零星湿地区；内陆盐沼面积较大的有和布克赛尔蒙古自治县零星湿地区、罗布泊野骆驼国家级自然保护区单独区划湿地区、精河县零星湿地区、若羌县零星湿地区；季节盐沼面积较大的有和田县零星湿地区、精河县零星湿地区、托克逊县零星湿地区；沼泽化草甸面积较大的有塔什库尔干塔吉克自治县零星湿地区、阿克陶县零星湿地区、轮台县零星湿地区、和静县零星湿地区。

新疆各湿地区沼泽湿地分布情况见表2-44。

表2-44 新疆各湿地区沼泽湿地概况表

湿地类型 湿地区	合 计（公顷）	草本沼泽（公顷）	灌丛沼泽（公顷）	森林沼泽（公顷）	内陆盐沼（公顷）	季节盐沼（公顷）	沼泽化草甸(公顷)
合 计	1687361.61	863708.70	178437.29	68176.46	273723.89	180084.92	123230.35
乌鲁木齐河湿地单独区划湿地区	3471.50	585.49				2135.95	750.06
玛依格勒自然保护区单独区划湿地区	15968.23		15968.23				
艾丁湖湿地单独区划湿地区	17568.20					17568.20	
哈密东天山生态功能自然保护区单独区划湿地区	46888.67	28788.90			5990.02	12109.75	
卡拉麦里山有蹄类自然保护区单独区划湿地区	6354.57	114.21				6240.36	
甘家湖梭梭林国家级自然保护区单独区划湿地区	3488.17				2369.99	588.68	529.50
孔雀河湿地自然保护区单独区划湿地区	1998.85	1998.85					
阿尔金山国家级自然保护区单独区划湿地区	64172.27	54650.83			142.16	8959.77	419.51
博斯腾湖湿地单独区划湿地区(含二十二团、二十四团、二十五团、二十七团)	51562.00	47750.32	1228.49			2583.19	
罗布泊野骆驼国家级自然保护区单独区划湿地区	75083.01	1528.24			71997.33	1557.44	
塔里木胡杨林国家级自然保护区单独区划湿地区	47301.94	24656.39	14995.96	5333.57			2316.02
阿克苏湿地单独区划湿地区(含三团、四团、五团、七团、八团、十团、十二团、十三团、十四团、十六团、塔水处、阿拉尔农场、南口农场、幸福城农场)	19306.11	11077.58	271.82			7956.71	
渭干河流域湿地单独区划湿地区	3692.31	3692.31					
叶尔羌河流域湿地单独区划湿地区(含四十四团、四十五团、四十八团、四十九团、五十团、五十一团、五十三团、小海子水管处、前进水管处)	45570.66	39922.59	822.11	221.72		4604.24	
伊犁河湿地单独区划湿地区(含六十一团、六十二团、六十三团、六十四团、六十六团、六十七团、六十八团、六十九团、七十团、七十一团、七十二团、七十三团、七十四团、七十五团、七十六团、七十七团、七十八团、七十九团)	32894.52	24645.18	8249.34				
塔城巴尔鲁克山自然保护区单独区划湿地区	151.67	151.67					
额敏河湿地单独区划湿地区	3480.93	1633.60	1236.24		16.09	595.00	
白杨河湿地单独区划湿地区	8570.43	1969.87				6600.56	

（续）

湿地类型 湿地区	合 计（公顷）	草本沼泽（公顷）	灌丛沼泽（公顷）	森林沼泽（公顷）	内陆盐沼（公顷）	季节盐沼（公顷）	沼泽化草甸（公顷）
哈纳斯国家级自然保护区单独区划湿地区	2718.21	2718.21					
阿尔泰山两河源头自然保护区单独区划湿地区	7823.86	7823.86					
额尔齐斯河湿地单独区划湿地区	57177.70	53207.96		1259.81	247.07	2462.86	
乌伦古河湿地单独区划湿地区（含一八二团）	1375.41	1375.41					
额尔齐斯河与乌伦古湖平原湿地自然保护区单独区划湿地区	4967.60	4022.95	750.61			194.04	
乌鲁木齐市达坂城区零星湿地区	565.57	565.57					
乌鲁木齐市米东区零星湿地区	4161.22	1502.77				2658.45	
乌鲁木齐县零星湿地区							
独山子区零星湿地区							
克拉玛依区零星湿地区（含一二九团、一三六团）	424.23	56.87				367.36	
白碱滩区零星湿地区	1356.54	1164.24				192.30	
乌尔禾区零星湿地区（含一三七团）	326.99	209.07				117.92	
吐鲁番市零星湿地区（含二二一团）	2077.21	711.66	33.99				1331.56
鄯善县零星湿地区	1894.98		1628.05		266.93		
托克逊县零星湿地区	12157.56	2282.19			55.60	9819.77	
哈密市零星湿地区（含红星一场、红星二场、红星四场、黄田农场、火箭农场、柳树泉农场）	18418.58	2669.60			8217.00	7531.98	
巴里坤哈萨克自治县零星湿地区（含红山农场）	12915.21	10752.80				2162.41	
伊吾县零星湿地区（含淖毛湖农场）	5431.50	453.81			25.10	4952.59	
昌吉市零星湿地区（含共青团农场、军户农场）	2754.14	1466.14				1288.00	
阜康市零星湿地区（含土墩子农场、六运湖农场、二二二团）	89.96					89.96	
呼图壁县零星湿地区（含一〇五团、芳草湖农场、一〇六团）	5493.64	4600.56	893.08				
玛纳斯县零星湿地区（含新湖农场、一四七团、一四八团、一四九团、一五〇团）	2105.18	864.42				1240.76	
奇台县零星湿地区（含奇台农场、北塔山牧场）	172.94	172.94					
吉木萨尔县零星湿地区（含红旗农场）	1981.33	1169.15	812.18				
木垒哈萨克自治县零星湿地区	3240.27	325.98			1632.99	1281.30	
博乐市零星湿地区（含八十一团、八十四团、八十六团、八十九团、九十团）	2748.13	1050.92			1697.21		
精河县零星湿地区（含八十三团、九十一团）	76697.14	7342.64			61767.89	2821.12	4765.49
温泉县零星湿地区（含八十七团、八十八团）	1044.55	434.05					610.50
库尔勒市零星湿地区（含二十九团、三十团）	8952.73	4103.95	4747.25		101.53		

（续）

湿地类型 湿地区	合 计（公顷）	草本沼泽（公顷）	灌丛沼泽（公顷）	森林沼泽（公顷）	内陆盐沼（公顷）	季节盐沼（公顷）	沼泽化草甸（公顷）
轮台县零星湿地区	31750.36	4161.52	10821.93			2757.40	14009.51
尉犁县零星湿地区（含三十一团、三十三团、三十四团）	66046.01	24976.76	35856.75		5212.50		
若羌县零星湿地区（含三十六团）	75115.88	61221.76			13894.12		
且末县零星湿地区（含三十八团、且末支队）	27269.28	23586.36			104.57	3149.13	429.22
焉耆回族自治县零星湿地区（含二十七团）	1293.59	1293.59					
和静县零星湿地区（含二十一团、二十二团、二二三团）	163373.69	149555.99					13817.70
和硕县零星湿地区（含二十四团）	1722.36		527.23		199.38	446.59	549.16
博湖县零星湿地区（含二十五团）	694.94	24.54	606.17		64.23		
阿克苏市零星湿地区（含一团、二团）	8331.97	5033.61	918.07			2380.29	
温宿县零星湿地区（含五团、六团）	2094.81		2094.81				
库车县零星湿地区	6252.36	2338.11	1150.79		84.08	52.17	2627.21
沙雅县零星湿地区	52063.26	1101.13		50962.13			
新和县零星湿地区	9045.28	4393.48	1417.50			3234.30	
拜城县零星湿地区	1024.62	1024.62					
乌什县零星湿地区（含四团）	770.70	525.72	244.98				
阿瓦提县零星湿地区（含三团、一师沙水处）	10399.23			10399.23			
柯坪县零星湿地区	4529.77				197.20	4332.57	
阿图什市零星湿地区（含三师红旗农场）	36854.34	31297.88			5556.46		
阿克陶县零星湿地区	44584.82	30308.87	85.10				14190.85
阿合奇县零星湿地区							
乌恰县零星湿地区（含托云牧场）	6755.40	999.00					5756.40
喀什市零星湿地区	773.73	744.31	29.42				
疏附县零星湿地区	556.67	430.45	126.22				
疏勒县零星湿地区（含四十一团）	3044.27	3044.27					
英吉沙县零星湿地区（含东风农场）	971.71	971.71					
泽普县零星湿地区	1696.83	748.01	948.82				
莎车县零星湿地区	329.85	329.85					
叶城县零星湿地区（含叶城二牧场）	5300.22	2619.16					2681.06
麦盖提县零星湿地区（含四十五团、四十六团）	1151.50	1151.50					
岳普湖县零星湿地区（含四十二团）	2096.53	2096.53					
伽师县零星湿地区（含伽师农场）	6117.70	5898.81	218.89				
巴楚县零星湿地区（含四十八团）	16049.60	5761.91	3836.73			6450.96	
塔什库尔干塔吉克自治县零星湿地区	62001.82	10197.09				139.97	51664.76
和田市零星湿地区	528.96	528.96					
和田县零星湿地区	32639.01	17564.98				15074.03	
墨玉县零星湿地区（含四十七团）	10741.59	10741.59					

（续）

湿地类型 湿地区	合计（公顷）	草本沼泽（公顷）	灌丛沼泽（公顷）	森林沼泽（公顷）	内陆盐沼（公顷）	季节盐沼（公顷）	沼泽化草甸（公顷）
皮山县零星湿地区（含皮山农场、二二四团）	9508.12	4536.33	4219.26		752.53		
洛浦县零星湿地区	1860.61	1811.07				49.54	
策勒县零星湿地区（含一牧场）	24.49	24.49					
于田县零星湿地区	55933.92	17738.54	38195.38				
民丰县零星湿地区	28075.66	10464.27	10747.81			6863.58	
伊宁市零星湿地区							
奎屯市零星湿地区（含一三一团）	1116.60	861.90				254.70	
伊宁县零星湿地区（含七十团）							
察布查尔锡伯自治县零星湿地区（含六十七团、六十八团、六十九团）	155.46					155.46	
霍城县零星湿地区（含六十一团、六十二团、六十三团、六十四团、六十六团）	340.97	340.97					
巩留县零星湿地区（含七十三团）	1704.47	1704.47					
新源县零星湿地区（含七十一团、七十二团）	2142.29	2142.29					
昭苏县零星湿地区（含七十四团、七十五团、七十六团、七十七团）	3901.18	395.67				3172.52	332.99
特克斯县零星湿地区（含七十八团）	1817.30	425.88					1391.42
尼勒克县零星湿地区（含七十九团）	39.11						39.11
塔城市零星湿地区（含一六三团、一六四团）	3940.35						3940.35
乌苏市零星湿地区（含一二三团、一二四团、一二五团、一二六团、一二七团、一二八团、一三〇团）	9155.65	1006.41			4508.53	3640.71	
额敏县零星湿地区（含一六五团、一六六团、一六七团、一六八团、团结农场）	3460.07	1883.09				574.30	1002.68
沙湾县零星湿地区（含一二一团、一三三团、一三四团、一四一团、一四二团、一四三团、一四四团）	952.04	228.51				723.53	
托里县零星湿地区（含一七〇团）	61.16						61.16
裕民县零星湿地区（含一六一团）	2239.75	2225.62					14.13
和布克赛尔蒙古自治县零星湿地区（含一八四团）	106757.94	7505.59	8991.10		88179.72	2081.53	
阿勒泰市零星湿地区（含一八一团）	9276.40	9027.36				249.04	
布尔津县零星湿地区	18448.88	16511.83				1937.05	
富蕴县零星湿地区	1475.42	1279.43				195.99	
福海县零星湿地区（含一八二团、一八三团、一八七团、一八八团）	10034.51	6003.82	22.39			4008.30	
哈巴河县零星湿地区（含一八五团）	18565.38	6849.16	4559.86			7156.36	
青河县零星湿地区	1977.94	775.90	92.79		396.55	712.70	
吉木乃县零星湿地区（含一八六团）	6922.91	4601.40	1087.94		47.11	1186.46	
石河子市零星湿地区（含石河子总场、一五二团）							

（续）

湿地区＼湿地类型	合　计（公顷）	草本沼泽（公顷）	灌丛沼泽（公顷）	森林沼泽（公顷）	内陆盐沼（公顷）	季节盐沼（公顷）	沼泽化草甸（公顷）
五家渠市零星湿地区（含一〇一团、一〇二团、一〇三团）	1294.75	869.68				425.07	
阿拉尔市零星湿地区（含七团、八团、十团、十一团、十二团、十三团、十四团、十六团、阿拉尔农场、南口农场、幸福城农场、一师塔水处、一师水工处）	5609.20	5609.20					

4.4　各行政区的沼泽湿地型及面积

新疆沼泽湿地主要集中分布巴音郭楞蒙古自治州，各地州中沼泽湿地面积最大的依次是巴音郭楞蒙古自治州、阿勒泰地区、和田地区和喀什地区，见表2-45。

表2-45　新疆各行政区沼泽湿地型及面积统计表

行政区＼湿地类型	合　计（公顷）	草本沼泽（公顷）	灌丛沼泽（公顷）	森林沼泽（公顷）	内陆盐沼（公顷）	季节盐沼（公顷）	沼泽化草甸（公顷）
合　计	1687361.61	863708.70	178437.29	68176.46	273723.89	180084.92	123230.35
乌鲁木齐市	8198.29	2653.83				4794.40	750.06
克拉玛依市	18075.99	1430.18	15968.23			677.58	
吐鲁番地区	33697.95	2993.85	1662.04		322.53	27387.97	1331.56
哈密地区	83653.96	42665.11			14232.12	26756.73	
昌吉回族自治州	15837.46	8599.19	1705.26		1632.99	3900.02	
博尔塔拉蒙古自治州	81904.44	8827.61			64291.04	3409.80	5375.99
巴音郭楞蒙古自治州	616336.91	399509.10	68783.78	5333.57	91715.82	19453.52	31541.12
阿克苏地区	117510.42	29186.56	6097.97	61361.36	281.28	17956.04	2627.21
克孜勒苏柯尔克孜自治州	88194.56	62605.75	85.10		5556.46		19947.25
喀什地区	145661.09	73916.19	5982.19	221.72		11195.17	54345.82
和田地区	139312.36	63410.23	53162.45		752.53	21987.15	
伊犁哈萨克自治州	44111.90	30516.36	8249.34			3582.68	1763.52
塔城地区	140843.54	16604.36	10227.34		94248.39	14215.63	5547.82
阿勒泰地区	147118.79	114311.50	6513.59	1259.81	690.73	24343.16	
自治区直辖县级行政单位	6903.95	6478.88				425.07	

5　人工湿地

5.1　人工各湿地型及面积

本次调查新疆符合调查规程要求的人工湿地总面积为26.99万公顷，占新疆湿地总面积的6.84%。其中库塘18.46万公顷，占人工湿地总面积的68.40%；输水河4.06万公顷，占人工湿地总面积的15.06%；水产养殖场0.89万公顷，占人工湿地总面积的3.29%；盐田3.58万公顷，占人工湿地总面积的13.25%。

新疆人工湿地各湿地型面积比例构成如图2-13。

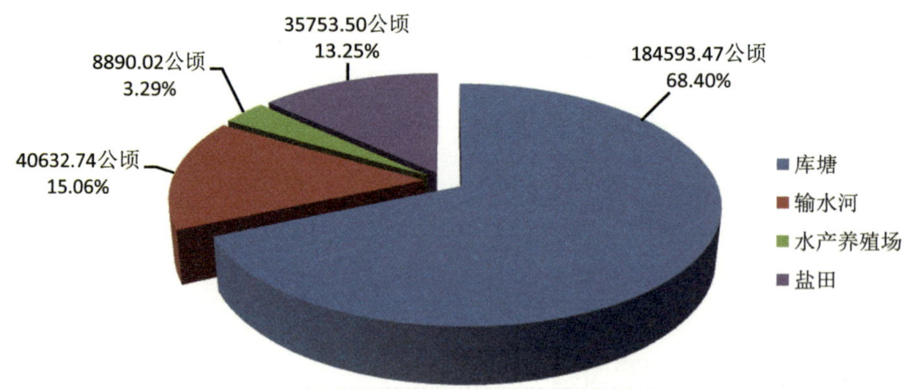

图 **2-13** 新疆人工湿地各湿地型面积比例

5.2 各流域的人工湿地型及面积

按三级流域划分，新疆人工湿地主要分布在叶尔羌河(占人工湿地总面积的21.68%)、塔里木河干流(占人工湿地总面积的13.99%)和中段诸河(占人工湿地总面积的11.93%)。其中库塘湿地面积较大的三级流域有叶尔羌河、塔里木河干流、中段诸河；输水河湿地面积较大的三级流域有伊犁河、叶尔羌河、和田河；水产养殖场湿地面积较大的三级流域有中段诸河、叶尔羌河、开孔河；盐田湿地面积较大的三级流域有库木塔格沙漠、古尔班通古特沙漠、开孔河；新疆各流域人工湿地分布情况见表2-46。

表 2-46 新疆各流域人工湿地型及面积统计表

流域级别			库 塘 (公顷)	输水河 (公顷)	水产养殖场 (公顷)	盐 田 (公顷)	合 计 (公顷)
一级流域	二级流域	三级流域					
西北诸河区	吐哈盆地小河	巴伊盆地	1612.15	106.39		4748.07	6466.61
		吐鲁番盆地	558.76	891.78		563.11	2013.65
		哈密盆地	343.48	198.32		861.57	1403.37
		小 计	2514.39	1196.49		6172.75	9883.63
	阿尔泰山南麓诸河	额尔齐斯河	4190.47	1061.21			5251.68
		吉木乃诸河	631.89				631.89
		乌伦古河	5419.21	1203.15		289.69	6912.05
		小 计	10241.57	2264.36		289.69	12795.62
	中亚西亚内陆河区	额敏河	2265.77	1292.03			3557.8
		伊犁河	7348.42	8657.37	801.27		16807.06
		小 计	9614.19	9949.40	801.27		20364.86
	古尔班通古特荒漠区	古尔班通古特荒漠区	413.45			5719.95	6133.40

（续）

流域级别			库　塘（公顷）	输水河（公顷）	水产养殖场（公顷）	盐　田（公顷）	合　计（公顷）
一级流域	二级流域	三级流域					
西北诸河区	天山北麓诸河	中段诸河	24890.22	4085.34	2112.80	1148.46	32236.82
		艾比湖水系	5993.91	1368.48	294.92	1227.31	8884.62
		东段诸河	2296.42	557.34	67.86		2921.62
		小　计	33180.55	6011.16	2475.58	2375.77	44043.06
	塔里木河源流	开孔河	2082.98	2452.65	1464.02	1993.23	7992.88
		渭干河	8449.54	3137.09	223.68		11810.31
		阿克苏河	10487.33	3345.77	1564.88		15397.98
		喀什噶尔河	10093.18	3334.92	116.43		13544.53
		叶尔羌河	53250.60	3640.70	1612.79		58504.09
		和田河	6563.77	2449.62	631.37		9644.76
		小　计	90927.40	18360.75	5613.17	1993.23	116894.55
	昆仑山北麓小河	车尔臣河诸小河		302.71		684.66	987.37
		克里亚河诸小河	1335.35	1049.91			2385.26
		小　计	1335.35	1352.62		684.66	3372.63
	塔里木河干流	塔里木河干流	36366.57	1385.92			37752.49
	塔里木盆地荒漠区	库木塔格沙漠		42.42		18517.45	18559.87
		塔克拉玛干沙漠		69.62			69.62
		小　计		112.04		18517.45	18629.49
	柴达木盆地	柴达木盆地西部					
	羌塘高原内陆河	羌塘高原区					
西南诸河区	藏西诸河	奇普恰普河					
合　计			184593.47	40632.74	8890.02	35753.50	269869.73

5.3　各湿地区的人工湿地型及面积

新疆人工湿地在大部分湿地区均有分布，其中面积较大的有叶尔羌河流域湿地单独区划湿地区、阿克苏湿地单独区划湿地区、罗布泊野骆驼国家级自然保护区单独区划湿地区、尉犁县零星湿地区、沙雅县零星湿地区和伊犁河湿地单独区划湿地区。其中：库塘湿地的面积较大的有叶尔羌河流域单独区划湿地区、沙雅县零星湿地区、尉犁县零星湿地区；输水河面积最大的是伊犁河流域单独区划湿地区、渭干河流域单独区划湿地区、福海县零星湿地区；水产养殖场面积最大的是阿克苏地区单独区划湿地区、乌鲁木齐市新市区零星湿地区、伊宁县零星湿地区；盐田面积最大的是若羌县零星湿地区、玛纳斯县零星湿地区、吐鲁番市零星湿地区。

新疆各湿地区人工湿地分布情况见表2-47。

表2-47 新疆各湿地区人工湿地型分布概况表

湿地类型 湿地区	合 计 （公顷）	库 塘 （公顷）	输水河 （公顷）	水产养殖场 （公顷）	盐 田 （公顷）
合 计	269869.73	184593.47	40632.74	8890.02	35753.50
乌鲁木齐河湿地单独区划湿地区	4063.39	1334.19	231.09	1349.65	1148.46
玛依格勒自然保护区单独区划湿地区					
艾丁湖湿地单独区划湿地区	446.18				446.18
哈密东天山生态功能自然保护区单独区划湿地区	4622.02	447.00	56.64		4118.38
卡拉麦里山有蹄类自然保护区单独区划湿地区					
甘家湖梭梭林国家级自然保护区单独区划湿地区					
孔雀河湿地自然保护区单独区划湿地区	684.83	405.03	27.36	252.44	
阿尔金山国家级自然保护区单独区划湿地区					
博斯腾湖湿地单独区划湿地区（含二十二团、二十四团、二十五团、二十七团）	562.42				562.42
罗布泊野骆驼国家级自然保护区单独区划湿地区	18559.87		42.42		18517.45
塔里木胡杨林国家级自然保护区单独区划湿地区	1186.73	1176.40	10.33		
阿克苏湿地单独区划湿地区（含三团、四团、五团、七团、八团、十团、十二团、十三团、十四团、十六团、塔水处、阿拉尔农场、南口农场、幸福城农场）	26695.89	24155.33	1570.22	970.34	
渭干河流域湿地单独区划湿地区	6289.53	4537.28	1548.38	203.87	
叶尔羌河流域湿地单独区划湿地区（含四十四团、四十五团、四十八团、四十九团、五十团、五十一团、五十三团、小海子水管处、前进水管处）	43507.54	41770.66	1406.48	330.40	
伊犁河湿地单独区划湿地区（含六十一团、六十二团、六十三团、六十四团、六十六团、六十七团、六十八团、六十九团、七十团、七十一团、七十二团、七十三团、七十四团、七十五团、七十六团、七十七团、七十八团、七十九团）	12427.33	5374.84	7052.49		

（续）

湿地类型 湿地区	合　计 （公顷）	库　塘 （公顷）	输水河 （公顷）	水产养殖场 （公顷）	盐　田 （公顷）
塔城巴尔鲁克山自然保护区单独区划湿地区					
额敏河湿地单独区划湿地区	840.88	840.88			
白杨河湿地单独区划湿地区	501.57	373.19	128.38		
哈纳斯国家级自然保护区单独区划湿地区					
阿尔泰山两河源头自然保护区单独区划湿地区					
额尔齐斯河湿地单独区划湿地区	1337.50	1337.50			
乌伦古河湿地单独区划湿地区（含一八二团）					
额尔齐斯河与乌伦古湖平原湿地自然保护区单独区划湿地区	359.79	359.79			
乌鲁木齐市达坂城区零星湿地区	51.06	34.25	16.81		
乌鲁木齐市米东区零星湿地区	2135.57	1421.95	199.30	514.32	
乌鲁木齐县零星湿地区					
独山子区零星湿地区					
克拉玛依区零星湿地区（含一二九团、一三六团）	658.54	560.97	97.57		
白碱滩区零星湿地区	511.17	424.43	86.74		
乌尔禾区零星湿地区（含一三七团）	158.45		158.45		
吐鲁番市零星湿地区（含二二一团）	468.39	147.06	321.33		
鄯善县零星湿地区	648.94	103.77	428.24		116.93
托克逊县零星湿地区	399.08	273.68	125.40		
哈密市零星湿地区（含红星一场、红星二场、红星四场、黄田农场、火箭农场、柳树泉农场）	1313.45	260.61	191.27		861.57
巴里坤哈萨克自治县零星湿地区（含红山农场）	92.53	82.18	10.35		
伊吾县零星湿地区（含淖毛湖农场）	1841.98	1165.84	46.45		629.69
昌吉市零星湿地区（含共青团农场、军户农场）	2193.85	1922.03	130.61	141.21	
阜康市零星湿地区（含土墩子农场、六运湖农场、二二二团）	1598.14	1309.09	289.05		
呼图壁县零星湿地区（含一〇五团、芳草湖农场、一〇六团）	2513.04	2144.33	368.71		

（续）

湿地区＼湿地类型	合 计（公顷）	库 塘（公顷）	输水河（公顷）	水产养殖场（公顷）	盐 田（公顷）
玛纳斯县零星湿地区（含新湖农场、一四七团、一四八团、一四九团、一五〇团）	5991.39	5100.17	891.22		
奇台县零星湿地区（含奇台农场、北塔山牧场）	1120.43	761.72	290.85	67.86	
吉木萨尔县零星湿地区（含红旗农场）	1947.09	1799.31	147.78		
木垒哈萨克自治县零星湿地区	267.55	148.84	118.71		
博乐市零星湿地区（含八十一团、八十四团、八十六团、八十九团、九十团）	1040.88	372.84	312.00	165.49	190.55
精河县零星湿地区（含八十三团、九十一团）	1280.36		243.60		1036.76
温泉县零星湿地区（含八十七团、八十八团）	87.87	41.51	46.36		
库尔勒市零星湿地区（含二十九团、三十团）	627.86	102.26	422.98	82.90	19.72
轮台县零星湿地区	734.86	585.49	98.33	51.04	
尉犁县零星湿地区（含三十一团、三十三团、三十四团）	16843.67	15078.85	1258.13	506.69	
若羌县零星湿地区（含三十六团）	724.62		39.96		684.66
且末县零星湿地区（含三十八团、且末支队）	262.75		262.75		
焉耆回族自治县零星湿地区（含二十七团）	496.98		321.16	175.82	
和静县零星湿地区（含二十一团、二十二团、二二三团）	599.69	51.74	152.82	395.13	
和硕县零星湿地区（含二十四团）	1685.54	145.84	213.34		1326.36
博湖县零星湿地区（含二十五团）	225.48		140.75		84.73
阿克苏市零星湿地区（含一团、二团）	1346.02		68.60	1277.42	
温宿县零星湿地区（含五团、六团）	460.06	34.99	407.75	17.32	
库车县零星湿地区	1229.75	825.81	403.94		
沙雅县零星湿地区	15836.10	15061.39	774.71		
新和县零星湿地区	8.40		8.40		
拜城县零星湿地区	5068.63	3865.76	1183.06	19.81	
乌什县零星湿地区（含四团）	1332.00		1332.00		
阿瓦提县零星湿地区（含三团、一师沙水处）	321.81	29.27	292.54		
柯坪县零星湿地区	41.38	41.38			

（续）

湿地类型 湿地区	合　计 （公顷）	库　塘 （公顷）	输水河 （公顷）	水产养殖场 （公顷）	盐　田 （公顷）
阿图什市零星湿地区（含三师红旗农场）	2321.00	1860.56	460.44		
阿克陶县零星湿地区	591.58	50.03	541.55		
阿合奇县零星湿地区					
乌恰县零星湿地区（含托云牧场）	18.25		18.25		
喀什市零星湿地区	371.50	309.76	61.74		
疏附县零星湿地区	1310.23	704.29	489.51	116.43	
疏勒县零星湿地区（含四十一团）	1988.51	1595.89	392.62		
英吉沙县零星湿地区（含东风农场）	1970.83	1392.79	578.04		
泽普县零星湿地区	1622.94	479.15	679.48	464.31	
莎车县零星湿地区	235.81		235.81		
叶城县零星湿地区（含叶城二牧场）	1392.02	640.77	633.37	117.88	
麦盖提县零星湿地区（含四十五团、四十六团）	49.55		49.55		
岳普湖县零星湿地区（含四十二团）	846.00	559.38	286.62		
伽师县零星湿地区（含伽师农场）	2939.03	2432.88	506.15		
巴楚县零星湿地区（含四十八团）	3185.92	2807.13	378.79		
塔什库尔干塔吉克自治县零星湿地区	240.98	228.37	12.61		
和田市零星湿地区	428.24	208.36	110.22	109.66	
和田县零星湿地区	1407.94	1131.88	184.38	91.68	
墨玉县零星湿地区（含四十七团）	3961.39	2484.77	1293.86	182.76	
皮山县零星湿地区（含皮山农场、二二四团）	2009.80	1623.79	386.01		
洛浦县零星湿地区	1591.18	916.69	427.22	247.27	
策勒县零星湿地区（含一牧场）	990.28	683.17	307.11		
于田县零星湿地区	1287.96	608.22	679.74		
民丰县零星湿地区	107.02	43.96	63.06		
伊宁市零星湿地区	303.45		77.49	225.96	
奎屯市零星湿地区（含一三一团）	775.08	693.14	81.94		
伊宁县零星湿地区（含七十团）	858.11	8.24	274.56	575.31	
察布查尔锡伯自治县零星湿地区（含六十七团、六十八团、六十九团）	176.01		176.01		
霍城县零星湿地区（含六十一团、六十二团、六十三团、六十四团、六十六团）	1778.87	1474.18	304.69		

（续）

湿地区＼湿地类型	合 计（公顷）	库 塘（公顷）	输水河（公顷）	水产养殖场（公顷）	盐 田（公顷）
巩留县零星湿地区（含七十三团）	553.83	463.80	90.03		
新源县零星湿地区（含七十一团、七十二团）	303.11		303.11		
昭苏县零星湿地区（含七十四团、七十五团、七十六团、七十七团）	23.35		23.35		
特克斯县零星湿地区（含七十八团）	251.79	27.36	224.43		
尼勒克县零星湿地区（含七十九团）	131.21		131.21		
塔城市零星湿地区（含一六三团、一六四团）	1332.91	1102.65	230.26		
乌苏市零星湿地区（含一二三团、一二四团、一二五团、一二六团、一二七团、一二八团、一三〇团）	5700.43	4886.42	684.58	129.43	
额敏县零星湿地区（含一六五团、一六六团、一六七团、一六八团、团结农场）	355.95	243.82	112.13		
沙湾县零星湿地区（含一二一团、一三三团、一三四团、一四一团、一四二团、一四三团、一四四团）	8827.26	7746.10	1002.62	78.54	
托里县零星湿地区（含一七〇团）	166.25	50.50	115.75		
裕民县零星湿地区（含一六一团）	476.96	27.92	449.04		
和布克赛尔蒙古自治县零星湿地区（含一八四团）	5075.40	819.60	204.13		4051.67
阿勒泰市零星湿地区（含一八一团）	1070.92	875.08	195.84		
布尔津县零星湿地区	431.01	97.62	333.39		
富蕴县零星湿地区	406.19	105.06	301.13		
福海县零星湿地区（含一八二团、一八三团、一八七团、一八八团）	9878.22	6589.92	1330.33		1957.97
哈巴河县零星湿地区（含一八五团）	349.49		349.49		
青河县零星湿地区	361.09	244.71	116.38		
吉木乃县零星湿地区（含一八六团）	631.89	631.89			
石河子市零星湿地区（含石河子总场、一五二团）	201.19	77.72	123.47		
五家渠市零星湿地区（含一〇一团、一〇二团、一〇三团）	1882.18	1656.45	196.65	29.08	
阿拉尔市零星湿地区（含七团、八团、十团、十一团、十二团、十三团、十四团、十六团、阿拉尔农场、南口农场、幸福城农场、一师塔水处、一师水工处）	448.79		448.79		

5.4　各行政区的人工湿地型及面积

新疆人工湿地主要集中分布在喀什地区、阿克苏地区和巴音郭楞蒙古自治州等地州(表2-48)。

表2-48　新疆各行政区人工湿地型面积统计表

行政区＼湿地类型	合　计（公顷）	库　塘（公顷）	输水河（公顷）	水产养殖场（公顷）	盐　田（公顷）
合　计	269869.73	184593.47	40632.74	8890.02	35753.50
乌鲁木齐市	6250.02	2790.39	447.20	1863.97	1148.46
克拉玛依市	1328.16	985.40	342.76		
吐鲁番地区	1962.59	524.51	874.97		563.11
哈密地区	7869.98	1955.63	304.71		5609.64
昌吉回族自治州	15631.49	13185.49	2236.93	209.07	
博尔塔拉蒙古自治州	2409.11	414.35	601.96	165.49	1227.31
巴音郭楞蒙古自治州	43195.30	17545.61	2990.33	1464.02	21195.34
阿克苏地区	58629.57	48551.21	7589.60	2488.76	
克孜勒苏柯尔克孜自治州	2930.83	1910.59	1020.24		
喀什地区	59660.86	52921.07	5710.77	1029.02	
和田地区	11783.81	7700.84	3451.60	631.37	
伊犁哈萨克自治州	17582.14	8041.56	8739.31	801.27	
塔城地区	23277.61	16091.08	2926.89	207.97	4051.67
阿勒泰地区	14826.10	10241.57	2626.56		1957.97
自治区直辖县级行政单位	2532.16	1734.17	768.91	29.08	

6　重点调查湿地

6.1　重点调查湿地数量和面积

本次调查共确立86个重点调查湿地。其中列入国家重要湿地名录的湿地18个，自然保护区43个，湿地公园6个，其他湿地19个。86个重点调查湿地名录见表2-49。

重点调查湿地斑块2382块，重点调查湿地总面积246.91万公顷，占新疆湿地总面积的62.54%。在重点调查湿地中，自然湿地面积228.84万公顷，占重点调查湿地总面积的92.68%，人工湿地面积18.07万公顷，占重点调查湿地总面积的7.32%。

重点调查湿地总面积246.91万公顷，其中河流湿地面积59.98万公顷，占新疆重点调查湿地总面积的24.29%，湖泊湿地面积62.31万公顷，占新疆重点调查湿地总面积的25.24%，沼泽湿地面积106.55万公顷，占新疆重点调查湿地总面积的43.15%，人工湿地面积18.07万公顷，占新疆重点调查湿地总面积的7.32%(表2-50)。

表 2-49 新疆重点调查湿地名录

序号	重点调查湿地名称	湿地区编码	总面积（公顷）	湿地总面积（公顷）	主要湿地类	列入重点理由	分布县、市、师部	保护区类型、主要保护对象	建立时间	级别	主管部门	备注
1	阿克苏湿地	6520012	530000	78059. 76	2	国家重要湿地	阿克苏地区					包括阿克苏市湿地自然保护区、多浪河国家湿地公园、塔里木河上游三河汇流处湿地自然保护区、新井子水库
2	阿尔泰山东南部湿地	6520020	3690	2471. 66	4	国家重要湿地	青河县					
3	阿其克库木湖湿地	6520008	59800	59279. 47	3	国家重要湿地	若羌县					
4	阿牙克库木湖湿地	6520008	117000	114731. 78	3	国家重要湿地	若羌县					
5	艾丁湖湿地	6530003	19420	19369. 53	4	国家重要湿地	吐鲁番市					
6	巴里坤湖湿地	6520004	79000	54874. 15	4	国家重要湿地	巴里坤县					
7	博斯腾湖湿地	6530009	156800	150970. 78	3	国家重要湿地	博湖县					
8	布伦口湖群湿地	653022	5004	4869. 97	4	国家重要湿地	阿克陶县					
9	鲸鱼湖湿地	6520008	31000	30518. 16	3	国家重要湿地	若羌县					
10	喀纳斯湖湿地	6530019	4499	4498. 61	3	国家重要湿地	布尔津县					
11	克拉玛依湖湿地	650204	420	215. 24	4	国家重要湿地	和布克赛尔蒙古自治县					
12	玛纳斯湖湿地	654226	83800	83107. 53	4	国家重要湿地	克拉玛依市					
13	塔里木河下游尉犁湿地	652823	640000	86971. 9	4	国家重要湿地	尉犁县					
14	渭干河流域湿地	6550013	420000	11998. 52	2	国家重要湿地	阿克苏地区					
15	乌鲁木齐河湿地	6520001	700000	19188. 84	3	国家重要湿地	乌鲁木齐市					包括柴窝堡湖国家湿地公园
16	乌伦古湖和吉力湖湿地	654323	140000	105934. 55	3	国家重要湿地	福海县					
17	叶尔羌河流域湿地	6520014	900000	185037. 73	2	国家重要湿地	喀什地区					包括叶尔羌河中下游湿地自然保护区

（续）

序号	重点调查湿地名称	湿地区编码	总面积（公顷）	湿地总面积（公顷）	主要湿地类	列入重点理由	分布县、市、师部	保护区类型、主要保护对象	建立时间	级别	主管部门	备注
18	伊犁河湿地	6520015	310000	113312.48	2	国家重要湿地	伊犁哈萨克自治州					包括木扎尔特河湿地自然保护区、伊犁小叶白腊自然保护区
19	哈纳斯国家级自然保护区	6530019	220162	9418.77	3	自然保护区	布尔津县/哈巴河县	森林生态系统/珍稀濒危野生动植物	1980	国家级	布尔津县人民政府	包括喀纳斯湖湿地
20	巴音布鲁克国家级自然保护区	652827	148689	133008.67	4	自然保护区/国家重要湿地	和静县	野生动物/天鹅等珍稀水禽、栖息繁殖地	1980	国家级	巴音郭楞蒙古自治州林业局	
21	托木尔峰国家级自然保护区	652922	237638	310.58	2	自然保护区	温宿县	森林生态系统/雪豹等珍稀濒危野生动物	1980	国家级	阿克苏地区林业局	
22	甘家湖梭梭林国家级自然保护区	6520006	54667	3579.13	4	自然保护区	塔城地区乌苏市/博州精河县	荒漠生态系统/白梭梭等珍稀濒危野生动植物	1983	国家级	博州林业局/塔城地区林业局	
23	塔里木胡杨林国家级自然保护区	6540011	395420	57808.83	4	自然保护区	轮台县	森林生态系统/胡杨及其生态环境、珍稀动物	1983	国家级	巴音郭楞蒙古自治州林业局	
24	艾比湖湿地国家级自然保护区	652722	267085	125005.99	3	自然保护区/国家重要湿地	精河县	湿地生态系统/湿地野生动植物	2000	国家级	博州林业局	
25	西天山国家级自然保护区	654024	31217	131.29	2	自然保护区	巩留县	森林生态系统/珍稀濒危野生动植物	1983	国家级	天山西部国有林管理局	
26	罗布泊野骆驼国家级自然保护区	6540010	14000000	97390.76	4	自然保护区	鄯善县/若羌县/哈密市	野生动物/野骆驼及其生存的荒漠景观和其他珍稀动植物	2003	国家级	自治区环保厅	包括罗布泊湿地
27	阿尔金山国家级自然保护区	6520008	4500000	332227.32	3	自然保护区	若羌县/且末县	野生动物/野牦牛等珍贵高原蹄类野生动物	1983	国家级	自治区环保厅	包括鲸鱼湖湿地、阿其克库木湖湿地、阿牙克库木湖湿地
28	天池自然保护区	652302	38069	431.36	3	自然保护区	阜康市	森林生态系统/珍稀濒危野生动植物	1980	自治区级	阜康市人民政府	

（续）

序号	重点调查湿地名称	湿地区编码	总面积（公顷）	湿地总面积（公顷）	主要湿地类	列入重点理由	分布县、市、师部	保护区类型、主要保护对象	建立时间	级别	主管部门	备注
29	卡拉麦里山有蹄类自然保护区	6520005	1346420	19062.17	3	自然保护区	阿勒泰地区富蕴县/青河县/昌吉回族自治州奇台县/吉木萨尔县	野生动物/野马、蒙古野驴等珍稀濒危野生动物	1982	自治区级	阿勒泰地区林业局/昌吉回族自治州林业局	
30	塔什库尔干自然保护区	653131	1500000	78898.76	4	自然保护区	塔什库尔干塔吉克自治县	野生动物/盘羊、北山羊等珍稀濒危野生动物	1984	自治区级	喀什地区林业局	
31	夏尔希里自然保护区	652701	31400	105.47	2	自然保护区	博乐市	森林生态系统/珍稀濒危野生动植物	2000	自治区级	博州林业局	
32	阿尔泰山两河源头自然保护区	6520020	1130000	15117.89	4	自然保护区	青河县、富蕴县	森林生态系统/珍稀濒危野生动植物	2001	自治区级	阿尔泰山国有林管理局	包括阿尔泰山东南部湿地
33	中昆仑自然保护区	652825	3200000	57654.5	2	自然保护区	且末县	野生动物/藏羚羊、藏野驴、野牦牛等珍贵高原有蹄类野生动物	2001	自治区级	且末县人民政府	
34	阿勒泰科克苏湿地自然保护区	6520021	46000	40047.88	4	自然保护区	阿勒泰市	湿地生态系统/珍稀濒危野生动植物	2001	自治区级	阿勒泰地区林业局	
35	温泉中亚北鲵自然保护区	652723	15000	113.02	2	自然保护区	温泉县	野生动物/中亚北鲵及其他野生动物	1997	自治区级	温泉县人民政府	
36	塔城巴尔鲁克山自然保护区	6520016	115000	569.05	2	自然保护区	裕民县/托里县	森林生态系统/野巴旦等野生植物	1980	自治区级	塔城地区林业局	
37	帕米尔高原湿地自然保护区	653022	125600	36541.11	4	自然保护区	阿克陶县	湿地生态系统/珍稀濒危野生动植物	2005	自治区级	克州林业局	包括布伦古湖群湿地
38	额尔齐斯河科克托海湿地自然保护区	6520021	99040	21293.29	4	自然保护区	哈巴河县	湿地生态系统/珍稀濒危野生动植物	2005	自治区级	阿勒泰地区林业局	包括克孜勒海英沼泽湿地
39	哈密东天山生态功能自然保护区	6520004	990000	63619.03	3	自然保护区	哈密市/巴里坤哈萨克自治县/伊吾县	森林生态系统/森林、湿地生态系统、野生动植物	2005	自治区级	哈密地区林业局	包括巴里坤湖湿地
40	布尔根河狸自然保护区	654325	5000	2099.68	2	自然保护区	青河县	野生动物/河狸等珍稀濒危野生动物	1980	自治区级	阿勒泰地区林业局	
41	伊犁小叶白腊自然保护区	6520015	120000	1755.7	2	自然保护区	伊宁县	野生植物/小叶白腊等植物	1983	自治区级	伊宁县林业局	

（续）

序号	重点调查湿地名称	湿地区编码	总面积（公顷）	湿地总面积（公顷）	主要湿地类	列入重点理由	分布县、市、师部	保护区类型、主要保护对象	建立时间	级别	主管部门	备　注
42	塔里木河上游三河汇流处湿地自然保护区	6520012	140000	32703.87	5	自然保护区	阿拉尔市	湿地生态系统/		自治区级	农一师林业局	
43	叶尔羌河中下游湿地自然保护区	6520014	44000	47654.17	5	自然保护区	图木舒克市/麦盖提县/巴楚县	湿地生态系统/珍稀濒危野生动植物		自治区级	农三师林业局	
44	木扎尔特河湿地自然保护区	6520015	31000	9397.76	4	自然保护区	昭苏县	湿地生态系统/珍稀濒危野生动植物		自治区级	农四师林业局	
45	青格达湖鸟类湿地自然保护区	659002	6095	4073.55	5	自然保护区	农六师五家渠市	湿地生态系统/珍稀濒危野生动植物	2002	自治区级	农六师林业局	
46	奎屯河流域湿地自然保护区	654202	24667	13618.23	2	自然保护区	奎屯市	湿地生态系统/珍稀濒危野生动植物		自治区级	农七师林业局	
47	玛纳斯河流域中上游鸟类湿地自然保护区	652324	28800	8971.08	5	自然保护区	玛纳斯县	湿地生态系统/珍稀濒危野生动植物		自治区级	农八师农林牧局	
48	巴音沟河湿地自然保护区	654223	22000	2484.66	5	自然保护区	沙湾县	湿地生态系统/珍稀濒危野生动植物		自治区级	农八师农林牧局	
49	额尔齐斯河与乌伦古湖平原湿地自然保护区	6530023	100000	8072.56	4	自然保护区	福海县	湿地生态系统/珍稀濒危野生动植物		自治区级	农十师林业局	
50	阿瓦提县胡杨林野生动物自然保护区	652928	345000	24045.22	2	自然保护区	阿瓦提县	森林生态系统/胡杨林及野生动物	1994	县级	阿瓦提县人民政府	
51	孔雀河湿地自然保护区	6520007	141300	7618.59	2	自然保护区	库尔勒市/尉犁县	湿地生态系统/珍稀濒危野生动植物	2002	县级	巴音郭楞蒙古自治州林业局	
52	沙雅县塔里木河上游湿地自然保护区	652924	256840	86715.65	4	自然保护区	沙雅县	湿地生态系统/珍稀濒危野生动植物	2008	县级	沙雅县人民政府	
53	西昆仑藏羚羊自然保护区	653227	2100000	23711.02	3	自然保护区	民丰县	野生动物/藏羚羊等珍稀濒危野生动物	2004	县级	和田地区林业局	
54	玛依格勒自然保护区	6540002	60000	15968.23	4	自然保护区	克拉玛依区/白碱滩区	荒漠生态系统/珍稀濒危野生动植物	2002	县级	克拉玛依市人民政府	

（续）

序号	重点调查湿地名称	湿地区编码	总面积（公顷）	湿地总面积（公顷）	主要湿地类	列入重点理由	分布县、市、师部	保护区类型、主要保护对象	建立时间	级别	主管部门	备注
55	温宿县库玛里克河湿地自然保护区	652922	12000	8790.17	2	自然保护区	温宿县	湿地生态系统/珍稀濒危野生动植物	2010	县级	温宿县人民政府	
56	新和县依干库勒湿地自然保护区	652925	81000	9295.28	4	自然保护区	新和县	湿地生态系统/珍稀濒危野生动植物	2010	县级	新和县人民政府	
57	库车县大小龙池自然保护区	652923	250000	1344.69	2	自然保护区	库车县	湿地生态系统/珍稀濒危野生动植物	2010	县级	库车县人民政府	
58	库车县塔里木河中游湿地自然保护区	652923	220000	17137.77	2	自然保护区	库车县	湿地生态系统/珍稀濒危野生动植物	2010	县级	库车县人民政府	
59	拜城县木扎提河湿地自然保护区	652926	65000	17575.83	2	自然保护区	拜城县/温宿县	湿地生态系统/珍稀濒危野生动植物	2010	县级	拜城县人民政府	
60	乌什县托什干河湿地自然保护区	652927	41000	11123.52	2	自然保护区	乌什县	湿地生态系统/珍稀濒危野生动植物	2010	县级	乌什县林业局	
61	阿克苏市阿克苏河湿地自然保护区	6520012	26000	10925.77	2	自然保护区	阿克苏市	湿地生态系统/珍稀濒危野生动植物	2010	县级	阿克苏市林业局	
62	柴窝堡湖国家湿地公园	6520001	3905	3300.15	3	湿地公园	乌鲁木齐市		2009	国家级	乌鲁木齐市林业局	
63	乌奇里克河源国家湿地公园	654301	110000	2516.95	3	湿地公园	阿勒泰市		2010	国家级	阿尔泰山国有林管理局	
64	克兰河国家湿地公园	6520021	7525	2027.93	3	湿地公园	阿勒泰市		2010	国家级	阿勒泰市人民政府	
65	玛纳斯河国家湿地公园	652324	10000	5233.39	2	湿地公园	玛纳斯县		2010	国家级	玛纳斯县人民政府	
66	多浪河国家湿地公园	6520012	1158	224.44	5	湿地公园	阿克苏市		2010	国家级	阿克苏市人民政府	
67	赛里木湖国家湿地公园	652701	130140	47288.22	3	湿地公园/国家重要湿地	博乐市		2008	国家级	博州林业局	
68	额敏河湿地	6520017	110000	7420.71	2	其他类型	额敏县/塔城市/裕民县					
69	和布克河湿地	654226	180000	19229.81	2	其他类型	和布克赛尔蒙古自治县					

（续）

序号	重点调查湿地名称	湿地区编码	总面积（公顷）	湿地总面积（公顷）	主要湿地类	列入重点理由	分布县、市、师部	保护区类型、主要保护对象	建立时间	级别	主管部门	备注
70	白杨河湿地	6520018	330000	22980.17	2	其他类型	额敏县/托里县/和布克赛尔蒙古自治县/克拉玛依市					
71	额尔齐斯河湿地	6520021	460000	120544.77	2	其他类型	阿勒泰地区					包括阿勒泰科克苏湿地自然保护区、额尔齐斯河科克托海湿地自然保护区、克兰河国家湿地公园、克孜勒海英沼泽湿地
72	乌伦古河湿地	6520022	150000	25611.50	2	其他类型	福海县/富蕴县/青河县/阿勒泰市					
73	米兰河湿地	652824	39000	385.76	2	其他类型	农二师					
74	台特玛湖湿地	652824	30000	26937.47	3	其他类型	若羌县					
75	阿克萨伊湖湿地	653221	24000	23013.47	3	其他类型	和田县					
76	罗布泊湿地	6540010	1200000	65947.09	4	其他类型	若羌县					
77	乌尊硝湿地	652824	14000	13894.12	4	其他类型	若羌县					
78	塔城北山湿地	654201	15000	1805.29	4	其他类型	塔城市					
79	克孜勒海英沼泽湿地	6520021	1080	1078.28	4	其他类型	农十师					
80	新井子水库	6520012	5040	4995.29	5	其他类型	农一师					
81	乌拉斯台水库	654201	61	60.63	5	其他类型	农九师					
82	乌什水水库	654221	605	604.18	5	其他类型	农九师					
83	阿苇滩水库	654301	718	717.68	5	其他类型	农十师					
84	东方红水库	654323	380	372.28	5	其他类型	农十师					
85	顶山水库	654323	1900	1899.91	5	其他类型	农十师					
86	于什盖水库	654226	800	790.34	5	其他类型	农十师					

表 2-50 新疆重点调查湿地类型面积统计表

湿地类	湿地类面积（公顷）	湿地型	湿地类型面积（公顷）	占重点调查湿地总面积的比例（%）
河流湿地	599822.30	永久性河流	306946.50	24.29
		季节性河河流	73382.29	
		洪泛平原湿地	219493.51	
湖泊湿地	623098.10	永久性淡水湖	286608.68	25.24
		永久性咸水湖	308812.25	
		季节性淡水湖	11710.10	
		季节性咸水湖	15967.07	
沼泽湿地	1065495.94	草本沼泽	528445.20	43.15
		灌丛沼泽	72114.47	
		森林沼泽	68176.46	
		内陆盐沼	240762.83	
		季节性咸水沼泽	96430.99	
		沼泽化草甸	59565.99	
人工湿地	180696.60	库 塘	135668.21	7.32
		输水河	12813.20	
		水产养殖场	3273.90	
		盐 田	28941.29	
合 计	2469112.94		2469112.94	100

6.2 水环境状况

86 个重点调查湿地的水环境主要受人口密度及工农业生产程度的影响而不同。山区的重点调查湿地，如阿尔金山国家级自然保护区、中昆仑自然保护区等，由于人口密度小、除水力发电和矿产开发外基本没有工业生产，水环境状况良好。绿洲区和绿洲区外围的重点调查湿地，如阿克苏湿地、叶尔羌河流域湿地等，由于受沿河农业生产和工业污染影响，水环境质量较差。

6.3 保护管理状况

新疆现有各级自然保护区 49 个，包括 9 个国家级自然保护区，28 个自治区级自然保护区，12 个地县级自然保护区。其中 43 个自然保护区内有湿地存在，列入重点调查湿地范围，6 个自然保护区内无湿地分布，未列入重点调查湿地范围。湿地自然保护区业务主管部门涉及林业、环保、畜牧、农业等，所有保护区均有固定的办公场所和固定的管护人员，并具有一定的管护能力。新疆现有国家级湿地公园 6 个，均有固定的办公场所和固定的保护管理人员，加强湿地公园内的湿地保护和管理工作。乌伦古湖和吉力湖、伊犁河湿地、乌拉斯台水库等湿地，为周边居民提供重要的生产和生活用水保障，主管部门也加强对湿地的保护管理工作。台特玛湖湿地、阿克萨依湖等湿地，由于未进行开发利用，湿地保持自然原始状态，未进行人为保护。

6.4 受威胁状况

已建立的国家级自然保护区、湿地公园，如哈纳斯国家级自然保护区、赛里木湖国家湿地公园等，由于已落实湿地管理权属、机构和人员及相对稳定的资金支持，保护管理状况总体较好，湿地受威胁状况多数为轻度或无。自治区级以及县级自然保护区，如布尔根河狸自然保护区、乌什县托什干河湿地自然保护区等，已落实管理权属、机构和人员及相对稳定，但缺乏管护资金，保护管理状况一般，湿地受威胁状况多数为轻度或中度。未建立保护区或湿地公园的重点调查湿地，如阿克苏湿地、伊犁河湿地等，则面临日益严重的资源使用压力，以及围垦、污染等多种影响，湿地受威胁状况多数为中度。主要表现在农业生产造成湿地面积减少，质量下降；城镇生产、生活污水无序排放造成湿地污染严重并导致湿地生物多样性减少；上游水库建设造成下游湿地干涸或消失；对湿地天然植被和湿地野生动物的破坏和干扰造成湿地植被面积缩小，野生动物栖息地范围大大缩小。

6.5 土地权属

重点调查湿地的土地权属分为国有和集体。调查表明，重点调查湿地土地权属以国有为主，总面积242.79万公顷，占重点调查湿地面积的98.33%；集体所有的湿地总面积4.12万公顷，占重点调查湿地总面积的1.67%。

第二节
湿地的分布规律

1 新疆湿地特点

1.1 湿地和湿地生物多样性孤岛性

新疆的湿地与沙漠绿洲密切相关，河流水系大多互不相通，湖泊相互隔离，呈岛状孤立分布于全疆各地的荒漠景观中，状似被海水隔离的海岛，湿地即是荒漠海洋的海岛，形成了干旱区特殊的岛屿生物学现象。新疆主要河流如额尔齐斯河、塔里木河、伊犁河、乌伦古河、开都河等，受山地地形阻隔，河流互不相通，在河流附近或尾端的湖泊如乌伦古湖、赛里木湖、博斯腾湖等相互隔离，呈岛状散布于新疆境内。由于地理隔离的普遍存在，湿地生物多样性严格地受"岛屿生物地理学原理"所制约，生态位空缺现象普遍存在，域外物种引进风土驯化成功率往往很高；同时亦可能由于外来物种的入侵而导致土著种类的灭绝，如裂腹鱼科鱼类物种的濒危与灭绝。

1.2 湿地生物多样性丰富

水生环境分布的生物大多种类是世界广布种，生物地理学上以隐域性生物为主，此外还有地带性生物种类的分布。新疆生物区系比较复杂，动植物区系方面地处与蒙古戈壁成分、准噶尔-吐兰成分、中亚成分、欧洲-西伯利亚成分、阿尔泰-萨彦成分、青藏高原成分和古地中海成分交接。据初步统计有湿地高等植物1227种，湿地野生动物234种。其中鱼类87种，两栖类8种，爬行类4种，哺乳动物14种，鸟类121种。其中国家Ⅰ级保护野生动物有5种，分别为黑鹳、黑颈鹤、遗鸥、新疆大头鱼和河狸，国家Ⅱ级保护野生动物有16种，分别为大天鹅、小天鹅、疣鼻天鹅、白鹈鹕、白琵鹭、小苇鳽、角䴙䴘、赤颈䴙䴘、灰鹤、蓑羽鹤、白额燕、长脚秧鸡、姬田鸡、小鸥、黑浮鸥和水獭。

1.3 类型多样，分布不均

新疆湿地类型包括河流湿地、湖泊湿地、沼泽湿地等自然湿地和人工湿地4类湿地，永久性河流、永久性湖泊、洪泛平原湿地等17个湿地型，全国34个湿地型中，17个湿地类型在新疆均有分布。在4大湿地类中，河流湿地121.64万公顷，占湿地总面积30.81%；湖泊湿地77.45万公顷，占湿地总面积19.62%；沼泽湿地168.74万公顷，占湿地总面积42.74%；人工湿地26.99万公顷，占湿地总面积的6.84%，因此沼泽类型湿地是新疆的主要湿地类型。

近十年来，新疆湿地整体变化情况是随着湿地保护管理力度不断加大，湿地面积有所增加，湿地整体质量有所好转。但在局部区域湿地面积减少、湿地生态环境恶化现象依旧严重。主要是在绿洲内部，农业生产和水资源的不合理利用造成自然湿地转变为人工湿地，围垦农田造成湿地消失退化。一些处在河内陆湖滨的河流、湖泊，由于得不到水源补给，河流长年断流，湖泊面积萎缩退化，天然植被衰退。

新疆湿地的分布和新疆降水量分布情况不同。新疆降水量分布的特点是：山区多，平原少；北疆多，南疆少。新疆湿地在山区分布少而分散，河流下游与河岸河漫滩平原较多且连续分布，有时广阔的沙漠里也有部分岛屿式的湿地分布。垂直分布从海平面-154米到海拔4800米高度的山地都有湿地分布。新疆西起伊犁谷地，东至哈密盆地，北从阿尔泰山地，南到昆仑山、喀喇昆仑山，都有湿地分布。而且同时表现为：一个地区内有多种类型湿地存在，一种湿地类型在几个地区分布，从而构成了遍及新疆丰富多样的湿地组合。新疆湿地广布于阿尔泰山、天山、昆仑山及阿尔金山和塔里木盆地、准噶尔盆地。

1.4 多变性

干旱区的湿地水资源补给季节性变化很大，多数河流依靠山地雪和降雨补给，只有在6~8月才能形成稳定的水源。近来受农业灌溉和补水减少的影响，一些水库湖泊被抽空，形成人为枯水期，如恰拉水库、阿克苏甫水库。在沙漠地带还常常出现河流改道、渗流、湖泊游移甚至消失。20世纪50年代末以来，由于玛纳斯河两岸土地被开垦为耕地，发展灌溉农业，自玛纳斯河中游修建大量截水引水工程以后，除发生特大洪水有水流入湖区外，河水断流不再流入玛纳斯湖，20世纪70年代初完全干涸。从上世纪80年代起，石河子玛纳斯河流域管理处夹河子水库逐年有计划地向下游玛纳斯湖注水，玛纳斯湖生态环境逐年提到了恢复。1998 年，重新形成湿地。2005 年，湖面面积为 123 平方公里。罗布泊在若羌县境东北部，曾是我国第二大内陆湖，约2400～3000 平方公里，海拔 780 米。在 20 世纪中后期因塔里木河流量减少，周围沙漠化严重，迅速退化，直至 20 世纪 70 年代末完全干涸，成为内陆盐沼。罗布泊干涸后，周围生态环境马上发生巨变，草本植物全部枯死，胡杨树成片死亡，沙漠以每年 3～5 米的速度向罗布泊推进，很快和广阔无垠的塔克拉玛干沙漠融为一体。罗布泊从此成了寸草不生的地方，被称作“死亡之海”。

1.5 富营养化严重

湿地植物聚集区，大部分湖泊、水库地处平原地区，湖面开阔底部平坦，深度多在 1～5 米之间，光照充足，水中有机物含量丰富，水生浮游生物及水生植物繁衍很快，给湿地动物提供了丰富的饲料和良好的栖息地。但由于湖泊、水库富集了中上游的有机质，造成富营养化现象较为严重，矿化度升高，水质恶化，如塔里木河中下游地区、艾比湖、玛纳斯湖、巴里坤湖等，普遍存在富营养化现象。如塔里木河中下游由于挖沟排碱开垦土地，工业废弃物及生活废水的污染，沿塔里木河一些工厂只重视生产却忽视对废弃物的处理，于是，大量的废水废渣以及周围居民的生活废水不经处理直接被排入河流引起污染，造成中下游富营养化严重，水质下降。艾比湖由于沿湖区农业生产废水的无序排放，富集到湖区后，湖水属高矿化度，pH 偏碱，溶解氧含量低。水化学类型为氯化盐钠组 Ⅱ 型，水体矿化度达 202.2 克/升，艾比湖以劣五类水体为主，中度富营养化。

1.6 矿化度高

干旱少雨的气候使得湿地蒸发量远远大于降水量，在径流补给不足时，水体的矿化度明显增高，而湖泊常位于盆地的中心地带，盐分无法排出，日积月累，湖中含盐量逐年增高，如艾丁湖、艾比湖、盐湖、巴里坤湖、鲸鱼湖、博斯腾湖等。艾丁湖是由吐鲁番盆地中央一个大型季节性盐湖及邻近的微咸到咸水沼泽组成，地表为洪积、淤积物，由氯化钠和硫酸钠形成的很厚的盐壳所覆盖，湖水矿化度高达 180 克/升。20 世纪 50 年代以前，博斯腾湖水的矿化度一直在 0.55 克/升左右，水化学类型以重碳酸钙、重碳酸镁型为主，与开都河、黄水沟、曲惠沟、清水河等河流出口处的水质基本保持一致。随着焉耆盆地的水土大开发，1975 年除开都河入湖区的矿化度为 1.2～1.3 克/升外，北部黄水沟入湖处矿化度已达 1.8～2.6 克/升，湖区东部和东南部 1.5～1.7 克/升，全湖水质的平均矿化度达 1.44 克/升。湖水的化学类型也由重碳酸盐为主变为以硫酸盐为主。博斯腾湖已变为微咸水湖。

1.7 原生湿地的特征减弱或消失

干旱区人群生存的立足点必定是水域附近，近几十年的经济活动的影响，已使得很多湿地面目全非，其原因是：人类活动范围扩大，开发利用程度逐渐增强，人工植被引种和家养鱼类及家禽部分取代了土著种类，生物结构变化强烈。如在叶尔羌河流域，沿河的湿地多被开垦为农田，原有的湿地植被被人工种植的农作物取代。在柴窝堡湖，由于引入外来鱼类，造成本土池沼公鱼种群数量锐减。干旱区湿地与其周围区域自然环境条件反差强烈，湿地以外不存在湿地物种生存条件，很多湿地种类严格限于湿地分布，因而对湿地变化极为敏感，加之湿地水源单一，易受人类活动支配和分配，导致湿地及其生存动植物易受人类活动的干扰和影响，在阿克苏湿地、叶尔羌河湿地、伊犁河湿地、额尔齐斯河湿地等靠近绿洲的湿地这一现象尤为突出。

1.8 自然湿地占主导地位，大部分湿地资源属于国有

从本次调查的总体情况看，自然湿地占绝大多数，面积为367.83万公顷，占全疆湿地总面积的93.16%。人工湿地26.99万公顷，占全疆湿地总面积的6.84%。新疆湿地土地权属基于两大类，一是国有，二是集体所有。根据本次湿地资源调查结果，湿地资源国有土地所有权的比重较大，面积386.94万公顷，占全疆湿地面积的98%，湿地资源属集体所有的面积7.88万公顷，仅占全疆湿地面积的2%。

2 不同湿地类湿地特点

2.1 河流类湿地特点

河流型湿地是以河流为主体构成的湿地类型。新疆境内除额尔齐斯河属于外流河外，其他河流均为内陆河。内陆河流量小，流程较短，河流一般长度数十到几百公里，集中分布在山区和山麓地带。到了广大平原地区，河网稀疏，只有少数水量较大的河流在夏季洪水期间能穿过沙漠注入湖泊。

新疆河流型湿地补给方式有高山高原永久积雪或冰川补给、中山季节性积雪补给、雨水补给、地下水补给。补给时间集中在6～8月，季节性强，因此河流沿岸的湿地分布和消长也有明显的季节性。河流型湿地以河流为中心，沿河流两岸呈条带状分布。构成这种分布格局的条带状湿地植物群落类型依次是：河流中心的沉水植物群落，河流两侧的挺水植物群落以及河滩地和低阶地的沼泽草甸。

2.2 湖泊类湿地特点

湖泊型湿地是以内陆湖泊为中心形成的湿地类型。根据湖泊的矿化度不同，将湖泊划分为淡水湖(矿化度<1克/升)，咸水湖(矿化度1～35克/升)，盐湖(矿化度>35克/升)。新疆除了河流上游湖泊、高山湖泊和山前湖泊属于淡水湖和微咸水湖外，其余的大多属于咸水湖和盐湖。

新疆的湖泊通常深度较小，面积和水量有剧烈的变化，水位伸缩不定，轮廓变化无常。荒漠区的许多小湖泊，仅在雨期和河流洪水期存在，而一年中的大部分时期是干涸的或形成泥泞的沼泽。山区构造成因的湖泊，一般水位较深。湖泊型湿地一般由湖心向沿岸，其景观形成以湖泊为中心的环带状分布。这是由湖泊的水文特点决定的，并明显表现在植被分布上。在水深5米的亚沿岸带生长沉水植物，浮叶植物占据水深3～5米的地带，在1～3米的沿岸带分布挺水植物，广大的湖滩地，地表常有季节性积水，以湿生植物为标志。

盐湖是湖泊发展到老年期的产物。由于干旱半干旱区湖泊蒸发量远远大于补给量，久而久之盐分达到饱和或过饱和状态，在湖滨和湖底就会形成各种不同的盐类沉积。例如玛纳斯湖位于准噶尔盆地最低洼处，在盐池周围有一圈环带状的盐碱土，常凝结成盐土混合盐壳，有芦苇零星

分布。

2.3　沼泽类湿地特点

新疆的沼泽湿地大多是湖泊萎缩或在河流滩地、曲流废弃河段等部位形成的湿地类型，其景观以沼泽为主。按优势植被不同，可分为芦苇沼泽和薹草沼泽。芦苇沼泽由湖泊和常年积水洼地的水体沼泽化形成，地表水深一般0.2～1.5米，泥炭厚度一般为几十厘米至1～2米。芦苇沼泽分布面积最广，仅博斯腾湖湖滨地区就有11万公顷。薹草沼泽由草甸沼泽化形成，泥炭层一般厚几十厘米，以薹草为建群种，伴生有牛毛毡和禾本科植物。薹草沼泽分布在大、小尤尔都斯盆谷地的牛轭湖和旧河道等地。此外，在高寒的江河源区多年冻土发育，高山高原冻融作用强烈，形成以嵩草群落和薹草群落为典型代表的高原沼泽湿地，构成江河源区独特的湿地景观生态类型。

新疆沼泽型湿地的分布呈斑块状或片状分布。天山、阿尔泰山等山地海拔1000米以上的山间盆谷地和海拔500米以上的山麓平原洪积—冲积扇缘的潜水溢出带，山前冲积平原上的沿河滩地、冲积扇间洼地、湖滩地以及江河源区，沼泽湿地呈斑块状分布。

2.4　人工类湿地特点

人工湿地分为库塘、输水渠、水产养殖场、盐田四型。近年来，新疆修建了大量水库，与已经干涸和缩小的湖泊面积基本相当，表现为自然湿地向人工湿地的转换。同时，渠系建设也不断发展。人工湿地的分布有斑状和网状两种形式，水库、坑塘、水田呈斑状散布于新疆各地，人工渠道则成网状分布于绿洲和农田内，纵横交织，构成农田水网系统。

3　湿地成因分析

控制湿地发育的最根本动力因素是地貌和气候条件的演化。新疆典型的地貌格局表现为内陆盆地与高山相间分布，发源于高山地区的河流形成由高山向平原、盆地汇集的向心式水系。以山口为界，径流形成区，水系成树枝状，湿地广泛分布。昆仑山、天山、阿尔泰山、阿尔金山等高大山体截获较多水汽形成干旱区的山区湿岛。山区降水蒸发强度相对较小，水资源较为丰富，是河流的主要径流形成区，河流众多。

平原地区水系成线状，在沿河滩地及绿洲地下水露头处有零星分布的湖泊和沼泽湿地。内陆河流最终消失在荒漠中或潴成湖泊，形成内陆盐湖和盐沼湿地。如塔里木盆地和噶尔盆地由于降水稀少，蒸发强烈，降水除少量补给地下水外很少或不产生地表径流，是径流散失区和无流区，地表径流出山口后沿程蒸发渗透逐渐耗散。最后消失在盆地中心地带的荒漠无流区。内陆河流出山口后，进人平原绿洲区后水资源被天然生态所利用。人类活动发展起来了人工生态系统，耗用了一部分原用于天然生态的水资源。当人类活动加剧，水资源开发利用程度较高时，水资源的天然配置被明显改变，自然湿地转变为人工湿地，一些河流进入绿洲区后，逐渐退变成季节性河流或消失于沙漠中。

因此，新疆的河流湿地主要水源补给为山区大气降水，新疆湖泊湿地水源补给主要依靠河流、冰川与大气降水补给。沼泽湿地主要分布在泉眼附近和湖河旁，由河滩地淹没和湖泊进出水区淤积而成，水源补给来源于冰川、河流泛滥、大气降水和地下水，境内绝大多数沼泽湿地属于以上几种水源综合补给。人工湿地的补给基本上通过人工渠系进行补给。

4 新疆湿地分布规律

4.1 新疆不同地域湿地分布规律

阿尔泰山南坡山地，水资源较为丰富，分布有哈巴河、布尔津河、克兰河、喀拉额尔齐斯河、青格里河等山地诸河，分布有喀纳斯湖等山地湖泊，在河流附近分布有科克苏湿地等大片沼泽，山地诸河最终汇入额尔齐斯河，并在额尔齐斯河边形成大片河旁沼泽湿地。在阿尔泰山东南部，大青河、小青河等山区诸河汇流形成乌伦古河，最终流入乌伦古湖和吉力湖，沿河分布有大片沼泽，在平原地区形成绿洲灌溉系统。

准噶尔西部山地，发源于塔尔巴哈台山、巴尔鲁克山等准噶尔西部山地的河流，汇成额敏河、和布克河、白杨河等河流，在平原地区成为绿洲灌溉系统的重要组成部分。

天山西部山地，分布有喀什河、特克斯河、巩乃斯河等山地河流，最终汇流成伊犁河，在山地诸河附近形成诸多河旁沼泽，进入平原地区后形成绿洲灌溉渠系。

北天山西部的阿拉套山及天山北麓西段，分布有博尔塔拉河等河流，山间盆地汇水形成赛里木湖。

北天山中东部，分布有安集海河、四棵树河、玛纳斯河、奎屯河、乌鲁木齐河等诸多山地河流，出山口后形成天山北坡绿洲灌溉渠系统。在精河、库松木切克河、阿恰勒河、古尔图河、四棵树河、奎屯河，沿河分布有诸多平原水库，诸河最终汇入艾比湖。在安集海河、清水河、玛纳斯河下游，沿河分布有蘑菇湖水库、跃进水库等平原水库，玛纳斯河丰水期可流入玛纳斯湖，但近年来由于进水锐减，玛纳斯湖湖面萎缩，形成大片内陆盐沼。乌鲁木齐湿地包括头屯河、三屯河、乌鲁木齐河、三工河等河流，沿河分布有猛进水库、八一水库等平原水库，河流尾闾分布有柴窝堡湖、盐湖等湖泊。

东天山山地，分布有北麓山地诸河、南麓山地诸河，山区有天池等湖泊分布。平原分布有艾丁湖、巴里坤湖等湖泊，矿化度较高。

准噶尔盆地包括准噶尔东部戈壁及北塔山山麓东部，干旱少雨，仅有零星泉水(淡、半咸)分布。

嘎顺戈壁区域，气候炎热干燥，仅有零星盐泉(半咸、咸)分布。戈壁以南为罗布泊，由于多年无水源补给，已基本干涸，仅留湖盆遗迹。

南天山山地，分布有喀什噶尔河、托什干河、库玛里克河、台兰河、木扎提河、克孜勒河等山地河，沿河有山地湖分布，在巴音布鲁克，形成大尤尔斯沼泽、小尤尔都斯沼泽，汇入开都河注入博斯腾湖，从博斯腾湖人工输水注入孔雀河。

塔里木河上游有阿克苏河等河流汇入，沿河有上游水库、胜利水库等水库，进入平原形成绿洲灌溉系统。塔里木河中游有渭干河等河流汇入，沿河有帕满水库、期满水库，沿塔里木河中游有大片的沿河沼泽分布。塔里木河下游分布有普惠水库、卡拉水库、大西海子水库等平原水库，英格海等诸多沙漠小湖，沿河有大片沼泽分布，塔里木河最终汇入台特玛湖。

帕米尔高原，分布有克孜勒河上游山地河、木孜河、叶尔羌河上游山地河、木尔加布河上游山地河等山地河，沿河有大片沼泽分布。

叶尔羌河流域包括发源于昆仑山区的诸多山地河，平原地区分布有小海子水库等平原水库，中下游形成绿洲灌溉系统。

昆仑山西部山地，高山区域分布有阿克萨依湖等高山湖泊，分布有喀拉喀什河、玉龙喀什河等山地河，进入平原地区后汇成和田河，最终流入塔里木河。克里雅河、策勒河、杜瓦河、桑株河、科克塔格河等山地河，进入平原地区后，形成昆仑山南坡绿洲灌溉系统。

昆仑山中部山地，分布有喀拉米兰上游、金水沟等山地河以及塔什库勒湖等高山湖泊，进入平原后形成喀拉米兰河、安迪尔河、尼雅河下游及其灌溉系统。

昆仑山东部，山区库木库勒盆地分布有阿牙克库木湖、阿其克湖、鲸鱼湖等高山湖、沙子湖、依夏克帕提湖等高山湖泊及湖旁沼泽，分布有依协克帕提河、明布拉克泉头沼泽及皮提勒克河等山地河。

4.2　新疆不同湿地区湿地分布规律

按湿地区不同，新疆湿地主要分布在昆仑山地、天山山地、阿尔泰山地的一些单独区划湿地区和零星湿地区，以及塔里木河、叶尔羌河、伊犁河、额尔齐斯河所属湿地区内。新疆湿地面积较大(10 万公顷以上)的湿地区有：阿尔金山国家级自然保护区单独区划湿地区、若羌县零星湿地区、和静县零星湿地区、叶尔羌河流域单独区划湿地区、且末县零星湿地区、博斯腾湖湿地单独区划湿地区、和田县零星湿地区、精河县零星湿地区、福海县零星湿地区、尉犁县零星湿地区、额尔齐斯河湿地单独区划湿地区、和布克赛尔蒙古自治县零星湿地区、伊犁河湿地单独区划湿地区和塔什库尔干塔吉克自治县零星湿地区。

新疆河流湿地主要分布在叶尔羌河、伊犁河、额尔齐斯河、和田河所属湿地区，新疆河流湿地(5 万公顷以上)主要分布在叶尔羌河流域湿地单独区划湿地区、阿尔金山国家级自然保护区单独区划湿地区、且末县零星湿地区、和田县零星湿地区、伊犁河湿地单独区划湿地区、若羌县零星湿地区和额尔齐斯河湿地单独区划湿地区。

新疆湖泊湿地主要分布在昆仑山、喀喇昆仑山所属湿地区、乌伦古湖和吉力湖、博斯腾湖、赛里木湖所属湿地区，新疆湖泊湿地(1 万公顷以上)主要分布在阿尔金山国家级自然保护区单独区划湿地区、福海县零星湿地区、博斯腾湖湿地单独区划湿地区、若羌县零星湿地区、且末县零星湿地区、精河县零星湿地区、博乐市零星湿地区、和田县零星湿地区、民丰县零星湿地区。

新疆沼泽湿地主要分布在巴音布鲁克、昆仑山区沼泽、玛纳斯湖沼泽、艾比湖沼泽、罗布泊所属湿地区，新疆沼泽湿地(5 万公顷以上)主要分布在和静县零星湿地区、和布克赛尔蒙古自治县零星湿地区、精河县零星湿地区、若羌县零星湿地区、罗布泊野骆驼国家级自然保护区单独区划湿地区、尉犁县零星湿地区、阿尔金山国家级自然保护区单独区划湿地区、塔什库尔干塔吉克自治区零星湿地区、额尔齐斯河湿地单独区划湿地区、于田县零星湿地区、沙雅县零星湿地区和博斯腾湖湿地单独区划湿地区。

新疆人工湿地主要分布在叶尔羌河、阿克苏河、塔里木河、伊犁河流域所属湿地区，新疆人工湿地(1 万公顷以上)主要分布在叶尔羌河流域湿地单独区划湿地区、阿克苏湿地单独区划湿地区、尉犁县零星湿地区、沙雅县零星湿地区和伊犁河湿地单独区划湿地区。

4.3 按三级流域不同各湿地类湿地分布规律

按三级流域不同，新疆湿地主要分布在羌塘高原区、开孔河、塔里木河干流、叶尔羌河、艾比湖水系、和田河、额尔齐斯河、喀什噶尔河、车尔臣河诸小河、伊犁河、中段诸河和乌伦古河等三级流域内。

新疆河流湿地主要分布在和田河、叶尔羌河、车尔臣河诸小河、塔里木河干流、羌塘高原区、伊犁河、阿克苏河和额尔齐斯河等三级流域内。新疆湖泊湿地主要分布在羌塘高原区、乌伦古河、开孔河、艾比湖水系等三级流域内；新疆沼泽湿地主要分布在开孔河、塔里木河干流、柴达木盆地西部、叶尔羌河、额尔齐斯河、喀什噶尔河等三级流域内；新疆人工湿地主要分布在叶尔羌河、塔里木河干流、中段诸河等三级流域内。

4.4 按不同行政区域湿地类分布规律

新疆不同行政区域内湿地面积构成如图 2-5。

巴音郭楞蒙古自治州、阿勒泰地区、和田地区、喀什地区、阿克苏地区的湿地分布较多，由上图可以看出新疆各地州湿地面积排序总体情况，由高到低依次是巴音郭楞蒙古自治州(湿地占新疆湿地面积的 34.81%)，阿勒泰地区(湿地占新疆湿地面积的 10.40%)，和田地区(湿地占新疆湿地面积的 10.35%)，喀什地区(湿地占新疆湿地面积的 10.19%)，阿克苏地区(湿地占新疆湿地面积的 8.75%)，塔城地区(湿地占新疆湿地面积的 5.56%)，博尔塔拉蒙古自治州(湿地占新疆湿地面积的 4.83%)，伊犁哈萨克自治州(湿地占新疆湿地面积的 3.93%)，克孜勒苏柯尔克孜自治州(湿地占新疆湿地面积的 3.89%)，哈密地区(湿地占新疆湿地面积的 2.82%)，昌吉回族自治州(湿地占新疆湿地面积的 1.70%)，吐鲁番地区(湿地占新疆湿地面积的 1.21%)，乌鲁木齐市(湿地占新疆湿地面积的 0.73%)，克拉玛依市(湿地占新疆湿地面积的 0.55%)，自治区直辖县级行政单位(湿地占新疆湿地面积的 0.27%)。

4.5 新疆河流湿地分布规律

4.5.1 新疆河流湿地基本情况

新疆河流湿地包括永久性河流、季节性或间歇性河流和洪泛平原湿地三个湿地型。河流湿地总面积 121.64 万公顷。其中：永久性河流湿地总面积 68.17 万公顷，占河流湿地总面积的 56.05%；季节性或间歇性河流湿地总面积 14.53 万公顷，占河流湿地总面积的 11.94%；洪泛平原湿地总面积 38.94 万公顷，占河流湿地总面积的 32.01%。

新疆河流湿地各湿地型面积比例构成如图 2-10。

4.5.2 按流域不同河流湿地分布规律

按二级流域不同，新疆河流湿地主要分布在塔里木河源流、中亚西亚内陆河区、阿尔泰山南麓诸河、昆仑山北麓小河等二级流域内。按三级流域不同，新疆河流湿地主要分布在和田河、叶尔羌河、车尔臣河诸小河、塔里木河干流、羌塘高原区、伊犁河、阿克苏河和额尔齐斯河等三级流域内。其中永久性河流主要分布在和田河、伊犁河、塔里木河干流、阿克苏河和羌塘高原区三级流域内；季节性河流主要分布在车尔臣河诸小河、羌塘高原区和中段诸河等三级流域内；洪泛平原湿地主要分布在叶尔羌河、塔里木河干流和车尔臣河诸小河等三级流域内。

4.5.3　按湿地区不同河流湿地分布规律

新疆河流湿地(5 万公顷以上)主要分布在叶尔羌河流域湿地单独区划湿地区、阿尔金山国家级自然保护区单独区划湿地区、且末县零星湿地区、和田县零星湿地区、伊犁河湿地单独区划湿地区、若羌县零星湿地区和额尔齐斯河湿地单独区划湿地区。永久性河流湿地面积最大的是若羌县零星湿地区；季节性或间歇性河流湿地面积最大的是且末县零星湿地区；洪泛平原湿地面积最大的是若羌县零星湿地区。

4.5.4　按行政区域不同河流湿地分布规律

河流湿地面积最大的是巴音郭楞蒙古自治州，其次是和田地区，第三位是喀什地区。

4.6　湖泊湿地分布规律

4.6.1　新疆湖泊湿地基本情况

新疆湖泊湿地总面积 77.45 万公顷，占湿地总面积 19.62%。其中，永久性淡水湖 30.65 万公顷，占湖泊湿地总面积 39.57%；永久性咸水湖 33.92 万公顷，占湖泊湿地总面积 43.80%；季节性淡水湖 9.83 万公顷，占湖泊湿地总面积 12.69%；季节性咸水湖 3.05 万公顷，占湖泊湿地总面积 3.94%。

新疆湖泊湿地各类型面积比例构成如图 2-11。

4.6.2　按流域不同河流湿地分布规律

按二级流域划分，新疆湖泊湿地主要分布在羌塘高原区内陆河、阿尔泰山南麓诸河、塔里木河源流区和天山北麓诸河区等二级流域内，按三级流域不同，新疆湖泊湿地主要分布在羌塘高原区、乌伦古河、开孔河、艾比湖水系等三级流域内。其中：永久性淡水湖主要分布在乌伦古河、开孔河、羌塘高原区等三级流域内；永久性咸水湖主要分布在羌塘高原区、艾比湖水系等三级流域内；季节性淡水湖主要分布在塔克拉玛干沙漠、塔里木河干流等三级流域内；季节性咸水湖主要分布在古尔班通古特荒漠区、开孔河、乌伦古河等三级流域内。

4.6.3　按湿地区不同湖泊湿地分布规律

新疆湖泊湿地(1 万公顷以上)主要分布在阿尔金山国家级自然保护区单独区划湿地区、福海县零星湿地区、博斯腾湖湿地单独区划湿地区、若羌县零星湿地区、且末县零星湿地区、精河县零星湿地区、博乐市零星湿地区、和田县零星湿地区、民丰县零星湿地区。其中：永久性咸水湖面积较大的有阿尔金山国家级自然保护区单独区划湿地区、精河县零星湿地区、博乐市零星湿地区；季节性淡水湖面积较大的有民丰县零星湿地区、福海县零星湿地区、和田县零星湿地区；季节性咸水湖面积较大的有新疆卡拉麦里山有蹄类自然保护区单独区划湿地区、奇台县零星湿地区、博湖县零星湿地区。

4.6.4　按行政区域不同湖泊湿地分布规律

湖泊湿地面积较大的地州有巴音郭楞蒙古自治州、阿勒泰地区和博尔塔拉蒙古自治州等。

4.7　沼泽湿地分布规律

4.7.1　新疆沼泽湿地基本情况

新疆沼泽湿地总面积168.74万公顷，占湿地总面积42.74%。其中草本沼泽86.37万公顷，占沼泽湿地总面积的51.19%；灌丛沼泽17.84万公顷，占沼泽湿地总面积的10.57%；森林沼泽6.82万公顷，占沼泽湿地总面积的4.04%；内陆盐沼27.37万公顷，占沼泽湿地总面积的16.22%；季节性咸水沼泽18.01万公顷，占沼泽湿地总面积的10.67%；沼泽化草甸12.32万公顷，占沼泽湿地总面积的7.30%。新疆沼泽湿地各湿地型面积比例构成如图2-12。

4.7.2　按流域不同沼泽湿地分布规律

新疆沼泽湿地主要分布在塔里木河源流、塔里木河干流、古尔班通古特荒漠区等二级流域内，按三级流域不同，新疆沼泽湿地主要分布在开孔河、塔里木河干流、柴达木盆地西部、叶尔羌河、额尔齐斯河、喀什噶尔河等三级流域。草本沼泽面积较大的三级流域有开孔河、柴达木盆地西部、塔里木河干流；灌木沼泽面积较大的三级流域有塔里木河干流、塔克拉玛干沙漠、古尔班通古特荒漠中段诸河；森林沼泽面积较大的三级流域有塔里木河干流、叶尔羌河、和田河；内陆盐沼面积较大的三级流域有古尔班通古特荒漠区、库木塔格沙漠、艾比湖水系；季节性咸水沼泽面积较大的三级流域有羌塘高原区、艾比湖水系、古尔班通古特荒漠中段诸河；沼泽化草甸面积较大的三级流域有叶尔羌河、喀什噶尔河、塔里木河干流。

4.7.3　按湿地区不同沼泽湿地分布规律

新疆沼泽湿地主要分布在和静县零星湿地区、和布克赛尔蒙古自治县零星湿地区、精河县零星湿地区、若羌县零星湿地区、罗布泊野骆驼国家级自然保护区单独区划湿地区、尉犁县零星湿地区、阿尔金山国家级自然保护区单独区划湿地区、塔什库尔干塔吉克自治县零星湿地区、额尔齐斯河湿地单独区划湿地区、于田县零星湿地区、沙雅县零星湿地区和博斯腾湖湿地单独区划湿地区。草本沼泽面积较大的有和静县零星湿地区、若羌县零星湿地区、博斯腾湖湿地单独区划湿地区；灌丛沼泽面积较大的有于田县零星湿地区、轮台县零星湿地区、尉犁县零星湿地区；森林沼泽面积较大的有沙雅县零星湿地区、阿瓦提县零星湿地区、轮台县零星湿地区；内陆盐沼面积较大的有和布克赛尔蒙古自治县零星湿地区、罗布泊野骆驼国家级自然保护区单独区划湿地区、精河县零星湿地区、若羌县零星湿地区；季节盐沼面积较大的有和田县零星湿地区、精河县零星湿地区、托克逊县零星湿地区；沼泽化草甸面积较大的有塔什库尔干塔吉克自治县零星湿地区、阿克陶县零星湿地区、轮台县零星湿地区、和静县零星湿地区。

4.7.4　按行政区域不同沼泽湿地分布规律

沼泽湿地面积较大的地州有巴音郭楞蒙古自治州，各地、州中沼泽湿地面积最大的依次是巴音郭楞蒙古自治州、阿勒泰地区、和田地区和喀什地区。

4.8　人工湿地分布规律

4.8.1　新疆人工湿地基本情况

新疆人工湿地总面积为26.99万公顷，占新疆湿地总面积的6.84%。其中库塘18.46万公顷，占人工湿地总面积的68.40%；输水河4.06万公顷，占人工湿地总面积的15.06%；水产养殖场

0.89 万公顷，占人工湿地总面积的 3.29%；盐田 3.58 万公顷，占人工湿地总面积的 13.25%。新疆人工湿地各湿地型面积比例构成如图 2-13。

4.8.2　按流域不同人工湿地分布规律

按三级流域划分，新疆人工湿地主要分布在叶尔羌河、塔里木河干流、中段诸河。其中：库塘湿地面积较大的三级流域有叶尔羌河、塔里木河干流、中段诸河；输水河湿地面积较大的三级流域有伊犁河、叶尔羌河、和田河；水产养殖场湿地面积较大的三级流域有中段诸河、叶尔羌河、开孔河；盐田湿地面积较大的三级流域有库木塔格沙漠、古尔班通古特沙漠、开孔河。

4.8.3　按湿地区不同人工湿地分布规律

新疆人工湿地(1 万公顷以上)主要分布在叶尔羌河流域湿地单独区划湿地区、阿克苏湿地单独区划湿地区、尉犁县零星湿地区、沙雅县零星湿地区和伊犁河湿地单独区划湿地区。其中：库塘湿地的面积较大的有叶尔羌河流域单独区划湿地区、沙雅县零星湿地区、尉犁县零星湿地区；输水河面积最大的是伊犁河流域单独区划湿地区、渭干河流域单独区划湿地区、福海县零星湿地区；水产养殖场面积最大的是阿克苏湿地单独区划湿地区、乌鲁木齐市新市区零星湿地区、伊宁县零星湿地区；盐田面积最大的是若羌县零星湿地区、玛纳斯县零星湿地区、吐鲁番市零星湿地区。

4.8.4　按行政区域不同人工湿地分布规律

人工湿地面积较大的地州有喀什地区、阿克苏地区和巴音郭楞蒙古自治州等地州。

第三章 湿地生物资源

第一节 湿地植物与植被

1 湿地植物概况

1.1 新疆湿地植物物种组成与区系分布

新疆位于欧亚大陆腹地，地处中亚、西伯利亚、蒙古及我国西藏的交汇处，气候时空变化明显，昼夜、季节温差大，地区性气候差异大，包括寒温带、温带和暖温带，植物资源相对丰富，区系成分复杂。

本次新疆湿地植物物种统计，蕨类植物统计按照秦仁昌系统，裸子植物统计按照郑万钧系统，被子植物统计按照恩格勒系统。据初步统计，新疆共有湿地维管束植物 1227 种，隶属 40 目 93 科 381 属(详见附录 1)，约占全疆总种数的 30.9%。其中蕨类植物 22 种，隶属 10 科 11 属，约占全疆蕨类植物总种数的 40.0%；裸子植物 9 种，隶属 3 科 6 属，约占全疆裸子植物总种数的 17.6%；被子植物 1196 种，隶属 35 目 80 科 364 属(其中单子叶植物 267 种，隶属 16 科 66 属；双子叶植物 929 种，隶属 64 科 298 属)。

1.1.1 科统计分析

含有 30 个种以上的科有 11 个，依次为：菊科 170 种；豆科 156 种；禾本科 94 种；莎草科 86 种；藜科 55 种；伞形科 44 种；玄参科 41 种；毛茛科 41 种；蔷薇科 38 种；十字花科 37 种；蓼科 36 种。含 30 种以上的湿地植物共有 11 科 210 属 798 种，分别占湿地植物总科数的 11.8%，总属数的 55.1% 和总种数 65.0%，由此可见，含 30 种以上的科是新疆湿地植物的主要组成部分，在新疆湿地高等植物区系组成中占主导地位。含 10～30 种的科有 13 个，共 229 种，隶属 70 个属，分别占总科数的 14.0%，总属数的 18.4% 和总种数的 18.7%。含 10 种以下 1 种以上的科有 38 科，共 169 种，隶属 70 个属，分别占总科数的 40.9%，总属数的 18.4% 和总种数的 13.8%；单属单种的科计 31 个，占总科数的 33.3%，总属数的 8.1% 和总种数的 2.5%。

含有10属以上的科有11科，依次排列是：菊科50属；禾本科30属；伞形科25属；十字花科24属；豆科18属；唇形科16属；蔷薇科14属；藜科14属；紫草科12属；毛茛科10属；莎草科10属。此11科种按照所含种数多少依次排列是：菊科170种；豆科156种；禾本科94种；莎草科86种；藜科55种；伞形科44种；毛茛科41种；蔷薇科38种；十字花科37种；紫草科24种；唇形科22种。含10属以上的科只有11科，但包含了223属767种，占总科数的11.8%，总属数的58.5%，总种数的62.5%，因而这些是新疆湿地植物的优势科，在湿地植物区系组成中占有重要地位。

1.1.2　属统计分析

含20个以上种的属少，共有5个属，分别为棘豆属50种、薹草属43种、黄耆属37种、毛茛属22种、蒲公英属22种，占总属数的1.3%，占总种数的14.2%；含10~20个种的属有20个，依次为蒿属18种、风毛菊属18种、眼子菜属16种、灯心草属16种、酸模属16种、婆婆纳属16种、柳属14种、藨草属14种、蓼属14种、委陵菜属14种、锦鸡儿属14种、蓟属14种、碱茅属13种、碱蓬属13种、柽柳属12种、苜蓿属11种、大戟属11种、拉拉藤属11种、早熟禾属11种、杨属11种，占总属数的5.2%，占总种数的22.6%；含2~9个种的属有171个，共591个种，占总属数的44.9%，占总种数的48.2%；仅含有1种的属有185个，占总属数的48.6%，占总种数的15.1%。

1.1.3　种统计分析

按照生活型来划分，在1227种高等植物中，乔木仅有39种，占总种数的3.2%，主要集中在松科、柏科、杨柳科、桦木科等。草本植物和灌木占绝对优势，共有1188种，占总种数的96.8%。

在地势较为低洼的湿地周边以多花柽柳、盐爪爪、盐角草、盐生草、白刺、芦苇等盐生植物为主。

淡水湿地内分布的植物按照生活型可进一步划分为沉水植物、漂浮植物、浮叶植物、挺水植物和湿生植物。经野外调查，常见种类包括：

沉水植物：狸藻、帕米尔眼子菜、大茨藻、小茨藻等；漂浮植物：槐叶苹等；浮叶植物：荇菜、雪白睡莲等；挺水植物：芦苇、花蔺草、小果黑三棱、小黑三棱、黑三棱、球序香蒲、小香蒲、短序香蒲、长苞香蒲、无苞香蒲等；湿生植物：矮酸模、小酸膜、长刺酸模、窄叶酸模、珠芽蓼、水蓼、棱叶灯心草、大花灯心草、丝状灯心草、海乳草、稗、青河毛茛、长叶毛茛、浮毛茛、水葫芦苗、藨草、水麦冬、海韭菜等。

1.1.4　区系分析

根据秦仁昌《中国蕨类植物科属志》，新疆湿地蕨类植物11属22种，共有北温带分布、世界分布2个分布类型，其中：卷柏属、铁线蕨属、铁角蕨属、耳蕨属、苹属、槐叶苹属6个属为世界分布类型；木贼属、珠蕨属、冷蕨属、沼泽蕨属、鳞毛蕨属5个属为北温带分布类型，见表3-1。

表 3-1 新疆湿地蕨类植物属、种分布类型统计表

分布类型	属 数	占总属数的比例(%)	种 数	占总种数的比例(%)
1. 世界分布	6	54. 5	10	45. 5
2. 北温带分布	5	45. 5	12	54. 5
合 计	11	100. 0	22	100. 0

根据吴征镒(1991)的中国种子植物属分布类型的划分系统，将新疆湿地种子植物 370 属划分为以下的分布区类型，见表 3-2。

表 3-2 新疆湿地种子植物属的分布类型统计表

分布类型	属 数	占总属数比例(%)
1. 世界分布	68	
2. 泛热带分布	15	5. 0
4. 旧世界热带分布	1	0. 3
4-1. 热带亚洲、非洲(或东非、马达加斯加)和大洋洲间断分布	1	0. 3
小 计	2	0. 6
6. 热带亚洲至热带非洲分布	1	0. 3
7. 热带亚洲(印度—马来西亚)分布	2	0. 7
8. 北温带分布	97	32. 1
8-1. 环北极分布	1	0. 3
8-2. 北极—高山分布	6	2. 0
8-4. 北温带和南温带(全温带)间断分布	37	12. 3
8-5. 欧亚和南美温带间断分布	3	1. 0
小 计	144	47. 7
9. 东亚和北美洲间断分布	4	1. 3
9-1. 东亚和墨西哥间断分布	1	0. 3
小计	5	1. 6
10. 旧世界温带分布	43	14. 2
10-1. 地中海、西亚(或中亚)和东亚间断分布	4	1. 3
10-2. 地中海和喜马拉雅间断分布	2	0. 7
10-3. 欧亚和南部非洲(有时也在大洋洲)间断分布	9	3. 0
小 计	58	19. 2
11. 温带亚洲分布	10	3. 3
12. 地中海区、西亚至中亚分布	38	12. 6
12-1. 地中海区至中亚和南非洲、大洋洲间断分布	1	0. 3
12-2. 地中海区至中亚和墨西哥至美国南部间断分布	1	0. 3
12-3. 地中海区至温带—热带亚洲、大洋洲和南美洲间断分布	2	0. 7
12-4. 地中海区至热带非洲和喜马拉雅间断分布	1	0. 3
12-5. 地中海区至北非州，中亚，北美洲西南部，非洲南部，智利和大洋洲间断分布	2	0. 7
小 计	45	14. 9
13. 中亚分布	10	3. 3
13-1. 中亚东部(亚洲中部)分布	1	0. 3
13-2. 中亚至喜马拉雅和我国西南分布	3	1. 0
13-4. 中亚至喜马拉雅—阿尔泰和太平洋北美洲间断分布	1	0. 3
小 计	15	5. 0

（续）

分布类型	属　数	占总属数比例(%)
14. 东亚分布	3	1.0
14(SH). 中国—喜马拉雅分布	2	0.7
小　计	5	1.7
合　计	370	100

1.2　新疆湿地植物区系特点

1.2.1　新疆湿地蕨类植物区系特点

从新疆湿地蕨类属的区系组成看，其群系分布与新疆所处的地理位置及气候条件是相一致的，其中世界成分类型占54.5%，北温带成分类型占45.5%。这是由于新疆属温带荒漠地区，该地区有两个盆地，即塔里木盆地和准噶尔盆地，这两个地域是古老的。在这两个古老地域，虽有蕨类这一古老植物类群栖息，却并不具备他们生存的气候条件。山地具有他们生长的条件，但新疆的山系多发生较晚，一般都在第三纪中后期才显著隆升，因此，在新疆的众多山系上没有发现蕨类植物特有属。新疆湿地蕨类植物种的区系成分以北温带成分占优势，共有12种，它们是节节草、问荆、山木贼、沼泽蕨等，占总种数的54.5%；其次为世界分布类型，共有10种，它们是天山耳蕨、苹、槐叶苹等。

综上所述，新疆湿地蕨类植物区系特点为：种类稀少，区系组成简单；世界分布类型、北温带分布类型占绝对优势；缺乏特有属。

1.2.2　新疆湿地种子植物区系特点

(1)湿地种子植物单种科、单种属所占比例大，世界广布种分布较多。新疆湿地植物区系贫乏是由于新疆干旱气候所致，降雨较少，严重缺水的干旱环境限制了植物的生长和分布。湿地植物中，仅含1种的科有31科，占总科数的33.3%。仅含1种的属有185属，占总属数的48.6%。世界广布属较多，达68属，这是湿地植物，尤其是水生植物区系的一个共性，大多数挺水植物、漂浮植物、沉水植物都属于世界分布型，如芦苇属、香蒲属、藨草属、眼子菜属、金鱼藻属、狐尾藻属等。

(2)湿地种子植物区系成分多样，既有地带性特点又有隐域性的区系成分。中国的种子植物属共有15个分布区类型，此次调查统计新疆湿地植物有12个分布类型(表3-2)，缺热带亚洲和热带美洲间断分布、热带亚洲和热带大洋洲分布、中国特有属的分布。各种成分中，以温带成分占优势，其次为古地中海成分，这充分表明新疆所处的地理位置和气候特点，具明显地带性特征。同时，新疆湿地植被在强烈的大陆性气候笼罩下，由北向南出现水平地带的更迭，隐域地境的植被，主要是耐盐中生植被大大发展，如：荒漠河岸的胡杨林、柽柳灌丛、多汁木本盐柴类植被极为发达。

(3)新疆湿地种子植物区系的地理成分复杂。新疆湿地种子植物以温带成分占优势，占总属数的47.7%，古地中海成分居第二，占总属数的19.2%，旧世界温带成分占总属数的14.9%，泛热带分布占总属数的5.0%，中亚分布占总属数的5.0%等，这充分说明新疆湿地种子植物区系的来源是多方面的，各种成分在这里汇合交融，并在独特的干旱环境中演化，形成现代如此复杂的区系特征。

(4)新疆湿地种子植物中科的优势现象很明显，种类趋向于集中在少数科内。湿地种子植物中，含有30个种以上的科有11个，共有798个种，隶属210个属，占科数的11.8%，却占总属数的55.1%和总种数65.0%，这表明，新疆湿地种子植物区系中科的优势现象十分显著，这11个科是新疆湿地种子植物区系的优势科，按所含种数多少排列依次是：菊科、豆科、禾本科、莎草科、藜科、伞形科、玄参科、毛茛科、蔷薇科、十字花科、蓼科。可以发现，新疆湿地种子植物区系中的优势科多为世界广布科，这充分反映出新疆气候方面的严酷性。干旱的荒漠气候使温带的许多成分虽在本区多有分布但却难以形成优势，唯有广布性的大科能以其庞大的种系和适应能力在新疆这一生境恶劣的地域取得优势，尽管它们在世界植物区系中所占比例仍有所偏低，但就它们包含的种数而言，与我国植物区系组成十分丰富的地区相比，却是很高的。

(5)新疆湿地种子植物区系的表征科有特殊性。新疆湿地种子植物区地理成分以温带成分为主，尽管它们所含种数相对那些优势科而言不很多，但它们在世界种子植物区系中占的比例却很高，在新疆种子植物区系起着十分重要的表征作用，即为新疆种子植物区系的表征科。这充分反映出新疆湿地种子植物分布与地区气候条件的一致性。它们对新疆湿地植物区系和植被方面的贡献和作用是非凡的。如麻黄科、柽柳科、藜科、眼子菜科、杨柳科、蒺藜科、蓼科、石竹科、桦木科、毛茛科等，它们是新疆湿地植被的建群种或优势种。

(6)新疆湿地种子植物区系中占绝对优势的泛温带成分是安加拉区系的重要部分。从历史和地理上看，新疆的准噶尔南缘以北的广大地区其本身就属于安加拉古陆的一部分。因而在科级水平上，新疆种子植物区系是在安加拉植物区系上发生和孕育起来的。

1.3 国家重点保护野生湿地植物

本次调查过程中记录的国家重点保护野生植物有雪白睡莲、鳞瓣花、漂浮慈姑3种，均为国家Ⅱ级重点保护野生植物资源。

1.4 新疆湿地植被特点

1.4.1 湿地植物种类较多，但植被型较单一

新疆地处中亚、蒙古、西伯利亚、中国－喜马拉雅几种植物区系的交汇，植物区系性质复杂且带有浓厚的过渡性，湿地植物种类较多，据初步统计有1227个植物种，但湿地群落层片结构繁简不一，层片结构较复杂的群落主要见于阿尔泰地区、伊犁河谷等，塔里木河流域、噶顺戈壁、帕米尔高原、藏北高原等植物群落。南疆及东疆湿地植物层片结构比较简单，灌木或草本类型的分层现象不明显，很多类型仅有一层结构。

1.4.2 湿地植被受水分影响较大，多表现出隐域性特点

湿地植被生长好坏受水系分布的直接影响，如塔里木河流域湿地植被，沿水域呈带状分布，表现出隐域性特点。近河地段植被生长较好，远离河道处生长稀疏，景象衰退。

1.4.3 湿地植被中盐生植被、沙生植被充分发育

新疆是典型的内流区域，除额尔齐斯河流入北冰洋外，其余河流都注入内陆湖泊或消失在大沙漠中，河流的水化学性质表现出明显的地带性，一般在高山、中山带的径流形成区，河水矿化

度低，属重碳酸盐型。径流形成区以下和愈向下游，矿化度迅速增加，化学型由重碳酸盐型过渡为硫酸盐型，以至氯化物型，进而通过地下水和土壤的盐渍化而直接影响着盐生植被充分发育。同时，干旱的生态环境及位于沙漠边缘的地理位置，使湿地植物形态及植被类型中均受不同程度地具有沙漠化痕迹，湿地植物群落中沙生、旱生种类在群落中占据优势，构成干旱区典型的荒漠植被景观。

1.4.4　新疆很多流域，由于环境因素不稳定，变化幅度很大，使植被类型间的演替变化非常明显

如塔里木河流域，受水分状况、盐分含量、风沙作用及人类活动的影响，湿地植被是不稳定的，经常重复或往返发生变化，充分说明了新疆生态系统的不稳定性和脆弱性。

1.4.5　植物群落由水生性向中生旱生性群落直接过渡

通常来说，湿地植物群落的建群种和优势种是水生植物、湿生植物、盐生植物或耐盐植物，群落属于水生(包括挺水、浮叶、沉水)或湿生植物群落类型。但是由于新疆气候干旱，蒸发和植物蒸腾作用强烈，水生环境和陆地旱生环境之间缺乏一个由湿生到中生的交接过渡地带，因此，新疆湿地植物中缺少湿生植物优势种，水生植物群落往往直接与中生植物或旱生植物相邻分布。例如湿地植被型中，建群种除芦苇、香蒲、藨草等水生植物外，在过湿地土壤上主要生长胡杨、柽柳、委陵菜、珠芽蓼、报春花等中生植物，其他均为中旱生植物或旱生植物，如盐爪爪、唐古特白刺、霸王等，中生－旱生植物充分发育是新疆湿地植被的最显著特点。

2　湿地植被类型和分布

依据植被型组—植被型—群系的分类系统，通过本次新疆湿地植被调查发现，新疆湿地植被共有 5 个植被型组，10 个植被型，群系总数超过 100 种。常见植被类型和分布状况如下：

2.1　针叶林湿地植被型组

2.1.1　寒温性针叶林湿地植被型

(1)西伯利亚冷杉群系。仅分布于阿尔泰山西北部的喀纳斯地区。群落内或多或少混有西伯利亚落叶松，构成稀疏的上层林冠。

(2)西伯利亚云杉群系。在沼泽化的山地河谷中，西伯利亚云杉成为森林的建群种，构成小片的西伯利亚云杉纯林。主要分布在阿尔泰山的西北部，在其中部与东南部山地则仅沿着河谷及其侧坡下部分布，在青格里河以东不复见。其群落内常混有西伯利亚落叶松和疣枝桦等。

(3)雪岭云杉群系。雪岭云杉构成的温带山地常绿针叶林是新疆分布最广泛的森林群系。它从喀什西端的西昆仑山地经天山南麓山地向东断续绵延，尤其到天山北麓更是迤逦不绝，直达哈密以北的巴尔库－哈尔里克山地。雪岭云杉林内混交或伴生的树种不多，仅在天山东部与西伯利亚落叶松一起构成稳定的混交林。伴生的落叶树种有：欧洲山杨、伊犁的新疆野苹果等。

(4)西伯利亚落叶松群系。在新疆阿尔泰山西南坡的中部和东南部，以及准噶尔西部山地的萨乌尔山和天山东部的巴里库山和哈里克山地都有分布。由于西伯利亚落叶松较喜光，其林冠疏透，因此常有耐阴的针叶林树种西伯利亚冷杉等与它混交。

2.2 阔叶林湿地植被型组

2.2.1 落叶阔叶林湿地植被型

(1)新疆野苹果群系。分布于伊犁天山和巴尔鲁克山地。常与雪岭云杉等混交，林下生长丰富的灌木包括忍冬等，林下草本包括龙牙草、野芝麻等。

(2)疣枝桦群系。疣枝桦主要分布在阿尔泰山西南坡、天山北麓山脉东段的博格达山与哈尔利克山北坡以及准噶尔西部的巴尔鲁克山中。林下常有云杉的幼树丛。林下生长着忍冬、唐松草、野火球、柳叶菜、香豌豆、乳苣、广布野豌豆、早熟禾等。

(3)银白杨群系。天然的银白杨林分布在额尔齐斯河岸的低山阶地和河漫滩上。林内或林缘散生黑杨和其他种类的杨树。林下灌木不多。草类有光果甘草、芦苇、偃麦草等。

(4)黑杨群系。额尔齐斯河与布尔津河谷地的黑杨，通常生长在河边的沙地上，耐水淹，稀疏或散生。

(5)苦杨群系。在阿尔泰山的中低山河谷与山前谷地，分布有苦杨河漫滩林，尤以额尔齐斯河谷地苦杨林分布最广。在这里，苦杨林与银白杨林相组合分布。林间草类均为湿中生或中生河漫滩草甸成分，主要有：无芒雀麦、芦苇、偃麦草、鹅观草、大看麦娘、二裂委陵菜等。

(6)密叶杨与柔毛杨群系。在天山北麓山脉以及南麓山脉的东段，自山地草原带至中山森林带河谷，普遍分布有密叶杨和柔毛杨的河漫滩森林。它们呈小片状或断续的带状与河谷水柏枝或柳灌丛、河漫滩草甸等相结合分布。

(7)胡杨群系。胡杨群系在叶尔羌河流域、和田河流域、塔里木河流域广泛分布。群落内灌木层主要有多枝柽柳、刚毛柽柳、细穗柽柳、黑果枸杞等。草本层如骆驼刺、芦苇、芨芨草、胀果甘草、罗布麻、苦豆子等。

(8)灰杨群系。灰杨也属于胡杨亚属，但是它的生态幅度比胡杨狭窄的多，要求较高的热量和较充足的水分补给条件，不能忍受强度盐渍化和黏重的土壤。因此，其分布区远比胡杨群系局限，只见于塔里木盆地西半部的塔里木上游、叶尔羌河、和田河沿岸。林内分布灌木有沙棘、柽柳、铃铛刺等。林内草本简单，主要是芦苇、光果甘草等。

2.3 灌草丛湿地植被型组

2.3.1 盐生灌丛湿地植被型

(1)多枝柽柳群系。南疆分布广泛。伴生的种类包括刚毛柽柳、长穗柽柳、细穗柽柳、白刺等。草本层主要有芦苇、骆驼刺、胀果甘草、盐穗木、苦豆子等。

(2)刚毛柽柳群系。主要分布于荒漠地区河流冲积与洪积扇前缘地段。伴生植物有盐穗木、长穗柽柳、苏枸杞、尖叶盐爪爪、白刺等。草本层种类少，简单，常见的为芦苇、花花柴、盐生草、盐角草等。

2.3.2 多汁木本盐柴类湿地植被型

(1)盐穗木群系。分布于塔里木盆地和焉耆盆地，天山北麓也有局部出现。群落伴生种包括：具叶盐爪爪、骆驼刺、胀果甘草等。

(2)盐节木群系。新疆广泛分布，普遍见于各地的盐土低地，尤其在天山南麓山前平原和罗布泊平原有大面积分布。其群落组成简单，伴生植物有多枝柽柳、芦苇等。

(3)盐节木+盐穗木群系。分布于天山南麓山前平原和吐鲁番盆地的扇缘低地。盐穗木和盐节木形成密集的群落，覆盖度达30%~40%。群落种类组成贫乏。

(4)碱蓬群系。分布于天山北麓扇缘低地，乌伦古河下游盐池周围的盐土上。伴生种包括里海盐爪爪、盐穗木等。

(5)白滨藜群系。分布于额尔齐斯河和乌伦古河两河河间小洼地内、盐池周围和准噶尔盆地南部。白滨藜往往形成单优势种群落。

(6)藜群系。阿尔泰山南麓、乌伦古河下游盐池周围及玛纳斯河河谷平原分布较广。其常与白滨藜群落和碱蓬群落组成复合体。群落中混生芦苇、海韭菜等。

2.4　草丛湿地植被型组

2.4.1　莎草型湿地植被型

(1)薹草群系。薹草群系分布广泛，在帕米尔、昆仑山西段、阿尔泰山、巴音布鲁克等河谷阶地上都有分布。其与早熟禾、海乳草、水麦冬、车前、草木樨等组成群落，若生境经常过度潮湿，则过渡为沼泽，群落盖度达90%。

(2)木贼状荸荠群系。此群系见于喀什平原和天山南麓扇缘洼地，地下水接近地表，在群落内与海乳草、薹草组成群落。

(3)嵩草+薹草群系。帕米尔高原、昆仑山系等水分状况较好的河旁缓坡和阶地上，土层深厚而湿润。建群种包括藏西嵩草、线叶嵩草、山薹草、无脉薹草等。伴生种类包括珠芽蓼、唐松草、委陵菜、火绒草等。

(4)嵩草群系。帕米尔高原、昆仑山等高山分布最广，建群种包括粗壮嵩草、藏西嵩草等，伴生种类包括珠芽蓼、委陵菜、报春花、风毛菊等。

2.4.2　禾草型湿地植被型

(1)偃麦草群系。广布于北疆各大河流的河漫滩上，并伸展到阿尔泰山低山带的河谷中。草层密集，群落总盖度70%~90%。与甘草、蓟、苦豆子、毛茛等混生。

(2)假苇拂子茅群。全疆分布。群落结构及种类组成非常简单，假苇拂子茅为建群种，伴生少量的芦苇、红车轴草、委陵菜等。

(3)拂子茅群系。额尔齐斯河的河漫滩上，与苦豆子、甘草等组成群落。草层高40~50厘米，盖度可达90%。

(4)芨芨草群系。芨芨草群落全疆分布，随环境不同，伴生植物各异。

(5)芦苇群系。全疆分布，可在河边、池沼中生长，成为沼泽类型；又可在地下水位较高的水分饱和的土壤中生长，成为草甸类型；还可适应于盐渍化土壤，形成盐化草甸类型；亦能见于流沙地区的沙丘间低地，成为沙生植被中一个组成成分。伴生植物随生境不同改变。

(6)赖草群系。这一群系分布也较广，阿尔泰山前丘陵间谷地、乌伦古河中游河旁阶地、巴里坤湖旁及开都河三角洲局部地段都有分布。群落发展良好，种类组成也较丰富，与蓟、蒲公英、马先蒿、鹅绒委陵菜等杂类草组成不同群落。

2.4.3 杂草类型湿地植被型

(1)苜蓿+草木樨区系群系。阿尔泰山低山河谷中的河漫滩草甸土上。群落茂盛，盖度70%~100%，混生有鹅观草、蒿等。

(2)苦豆子群系。这一群系分布较广，多见于大河流河漫滩或农作区内的河渠旁。以苦豆子为建群种，混生有甘草、芨芨草、芦苇、赖草等。

(3)车轴草群系。小面积见于阿尔泰山、天山北坡林缘或低山河谷内，也零星见于榆树树林分布地段的空地上，均处于河漫滩。混生有看麦娘、蒲公英、车前、酸模等。

(4)甘草群系。阿尔泰山山前的盐地周围和克朗河三角洲。甘草与赖草和芦苇形成群落复合体。甘草群落处于土壤盐渍化明显、地形较高的部位上。混生有赖草、芦苇等。

(5)胀果甘草群系。分布于南疆塔里木河、孔雀河、克里雅河等河谷平原及诸大河流冲积扇的中下部，吐鲁番和焉耆盆地也有分布。群落盖度为25%~55%，常有骆驼刺、花花柴、苦豆子、骆驼蓬、黑果枸杞、赖草等伴生种。

(6)罗布白麻群系。分布广泛，特别集中在塔里木湖、孔雀河、叶尔羌河及克里雅河诸河谷平原。伴生的植物种类与胀果甘草群系相似，较稀疏。

(7)骆驼刺群系。盐化的黏质土壤上都有分布。群落盖度为10%~40%，伴生种有胀果甘草、芦苇、芨芨草、赖草等。

(8)香蒲群系。博斯腾湖滨、巴楚阿纳湖、叶尔羌河漫滩及塔里木河下游湖泊都有分布，比芦苇丛更接近湖泊中心、高1~1.5米，与其混生的有芦苇、藨草等。

(9)藨草群系。塔里木柯孜勒苏河、克里雅河等河漫滩。

(10)盐角草群系。分布普遍，阿尔泰山、天山山前洪积平原和罗布泊周围，呈斑状出现于潮湿的盐湖滨河洼地底部。

2.5 浅水植物湿地植被型组

2.5.1 漂浮植物型

(1)槐叶苹群系。青河、富蕴、福海、阿尔泰、博斯腾湖等地苇湖或河湾水池中均有分布。

(2)浮叶眼子菜群系。分布于布尔津、塔城、库尔勒等地湖泊、河滩、池沼内。

(3)睡莲群系。分布于博斯腾湖有。

(4)萍蓬草群系。分布于额尔齐斯河。

2.5.2 挺水植物型

(1)慈姑群系。分布于阿尔泰、布尔津、焉耆、尉犁等地湖、渠水或沼泽地内。

2.5.3 沉水植物型

(1)长柄角果藻群系。分布于福海、阿尔泰、布尔津、温泉、库车等地的淡水或咸水湖泊、河湾中。

(2)大茨藻群系。分布于博湖、福海、巴楚等地湖泊、沟渠中。

(3)金鱼藻群系。分布于莎车县等湖泊、沟渠内。

3 湿地植物的保护和利用情况

由于新疆特殊的地理位置和地形地貌特征，新疆湿地类型多样，湿地分布较广，湿地植被广泛分布于湿地内，湿地植物资源较为丰富。发挥湿地资源优势，对湿地植物资源进行多方面的合理开发和利用，能获得较好的经济效益、社会效益和生态效益，同时可以有效地促进湿地资源的保护。

3.1　湿地植物保护现状

建立保护区是保护湿地植被最有效的办法，截至目前新疆现有各级自然保护区 49 处，包括 9 处国家级自然保护区，28 处自治区级自然保护区和 12 处地县级自然保护区，保护区总面积达 2538.60 万公顷，占新疆国土面积的 15.23%。这些自然保护区在新疆的生态环境保护、经济和社会的可持续发展方面起着重要作用，切实有效地保护野生动植物资源、自然生态系统。

在 49 处自然保护区中，林业部门管理的森林生态系统、野生动植物及湿地类型自然保护区 43 处，其中国家级自然保护区 7 处，包括哈纳斯国家级自然保护区、巴音布鲁克国家级自然保护区、西天山国家级自然保护区、甘家湖梭梭国家级自然保护区、塔里木胡杨林国家级自然保护区、艾比湖湿地国家级自然保护区、托木尔峰国家级自然保护区。这些自然保护区土地使用权已经明确，均由自治区人民政府批准颁发了国有林权证。通过自然保护区建设，一些国家重点保护的野生动植物资源和典型的森林、湿地生态系统得到了有效的保护，一些珍稀濒危物种得到了不同程度的恢复和增长。

3.2　湿地植物利用现状

湿地植物除了能够直接给人类提供工业原料、食物、观赏花卉、药材等，还在湿地生态系统中发挥关键作用。大致可分为生态应用价值、经济利用价值和景观应用价值。

3.2.1　生态应用价值

维护生物多样性：依赖湿地生存的植物种类非常丰富，是重要的遗传基因库。湿地生态系统的多样性决定了其物种的丰富度，依据干旱区湿地物种生存条件差异性较大，如温差大，盐分和矿物质聚集高，依赖湿地生存的物种必然会具有较高遗传多样性组成，以保障其种族的繁衍。因此湿地汇集了物种的大量遗传成分，为利用野生基因改良经济物种的品质提供了改良有效的基因材料。

防风固沙：湿地植被可使农作物、农业生产等免遭强风的破坏。如艾比湖地区由于人为大量垦荒截流，湖区面积区由建国初的 10.7 万公顷降至目前的 3.4 万公顷，同时水位大幅下降，导致湖泊植被衰退，荒漠化扩大，生态环境恶化，造成风沙成灾。仅博州每年因风沙的灾害直接经济损失近 1 个亿，同时艾比湖环境恶化已直接影响到亚欧大陆桥的安全运营和整个北疆，天山北坡经济带的经济可持续发展。

滞留沉积物、营养物：某些湿地特别是沼泽地和洪泛平原的自然属性有助于减缓水流的速度，有利于沉积物的沉降和排除，从而达到净化水质，改善湿地生态环境的作用。

指示作用：现在的工业化城市化造成了巨大的生态压力和环境污染，湿地植物的生长、生存和繁殖等情况可以直接或间接地反映出某个水域水体相应的物理化学及其他环境情况，显示水质的变化和水体的受污染程度，如芦苇、香蒲等就具有指示水体污染情况的作用。

净化水质：湿地植物通过吸收利用、吸附和富集等作用可以消除水体中的污染物，如根系能从污水中吸收营养物质并吸附和富集重金属和一些有害有毒物质。另外植物根系释放到土壤中的酶等物质可以直接降解污染物，且降解速度非常快，吸附水体中营养物质，增加水体中的含氧量，抑制有害藻类的大量繁殖，遏制底泥营养盐向水中的再释放，以利于水体的生态平衡。

3.2.2 经济利用价值

天然牧草植物：许多湿地植物可做优良的天然牧草植物，如豆科的红花车轴草，禾本科的梯牧草、芦苇、赖草等，为牧民增收，发展新疆畜牧业创造了物质基础条件。

药用植物资源：湿地植物泽泻、臭阿魏、鹅绒委陵菜、二裂委陵菜等均具有药用价值和较好的发展前途。例如，甘草等是常用的祛痰止咳剂，分布较广，蕴藏量较大，且成片分布，易于采集。泽泻等可作为利尿剂的原料。可作收敛剂、轻泻剂的种类如鹅绒委陵菜等。

工艺植物资源：芨芨草、芦苇等湿地植物资源蕴藏量大，分布面积广，是造纸、建材等工艺的基础原料，具有较广的经济利用价值。

3.2.3 景观应用价值

天然的湿地植物群落是稳定的生态系统，不但能够调节气候，净化空气，还为各种动物提供食物和栖息地，为人类提供了旅游、休闲的自然美景。

3.3 湿地植物保护存在的问题

新疆地域辽阔，自然条件恶劣，经济基础薄弱，经济发展和资源保护矛盾突出。长期以来，由于人口剧增、农业开发、围垦、养殖业、工农业污染以及其他对湿地资源的不合理开发和利用，使新疆的湿地资源遭到严重的破坏，产生了湿地生物资源过度利用，生物多样性持续减少，湿地污染加剧，生态环境质量下降，湿地功能不同程度退化等亟待解决的问题。

3.3.1 不合理湿地资源利用，湿地植被严重遭到破坏

以塔里木河湿地为例，不合理的耕作灌溉，造成部分区域毁林开荒现象；植被遭到破坏后，使得塔里木河湿地调蓄水能力减弱。挖沟排碱开垦土地等，使湿地遭到严重干扰。工业兴起与发展给沿河经济带来了生机，同时也带来了大量工业“三废”，只重生产却忽视对废弃物的处理，造成大量废水废渣以及周边居民生活废水不经处理直接被排入河流，对湿地生态系统造成严重危害，使湿地生物多样性受到严重破坏，也使湿地水质恶化、功能衰退。

3.3.2 过度放牧、垦荒等问题致使湿地功能退化

巴里坤湿地、布伦口湖群能分布着大量沼泽湿地，这些区域多为牧区或者全牧区，由于过度放牧、垦荒等问题，致使沼泽湿地植物种类多度、盖度降低，植物丰富度严重下降，严重影响到湿地的生态功能，易导致沼泽逐步退化为草甸，草甸也会有进一步沙化的可能。

3.3.3 大量资源植物的采挖致使湿地植被遭到严重破坏

中药材以及食用植物资源的大量采集，已造成湿地植被严重破坏。在经济利益驱使作用下，对甘草等中药材的滥采滥挖，对周边植被造成很大破坏，造成湿地生态环境质量下降。

3.3.4 湿地植被保护意识亟待加强

虽然近几年人们对环境保护、生态建设的意识在逐渐增强，当大多数人对湿地的生态价值还认识不够，个别人仍然将沼泽、滩地等湿地当作难利用地对待。对湿地植物的利用大于保护，使得湿地和湿地植被受到的人为威胁加剧。

第二节 湿地动物资源

新疆大部分河流湿地、湖泊湿地水温适中，光照条件好，水生生物资源丰富，为鱼类提供丰富的饵料，因此鱼类种类多，有 9 目 19 科 87 种。阿尔泰由于纬度靠北，则以鲑科、茴鱼科、狗鱼科、江鳕科等耐寒性较强的鱼类为主。

两栖动物是脊椎动物中从水到陆的过渡类型，它们除成体结构尚不完全适应陆地生活，需要经常返回水中保持体表湿润外，繁殖时期必须将卵产在水中，孵出的幼体还必须在水内生活，有的种类甚至终生生活在水里，所以两栖动物全部归入湿地动物。由于新疆特殊的地理位置和自然条件，两栖类的种类相对较少，共有 2 目 3 科 8 种，分别为中亚北鲵、绿蟾蜍、帕米尔蟾蜍、大蟾蜍、中国林蛙、阿尔泰林蛙、中亚林蛙和湖蛙，除中国林蛙外，其余 7 种均为新疆特有种。

爬行类在新疆有 2 目 8 科 50 种，但大多为荒漠种类，营水生和近水生生活的种类仅有 1 目 2 科 4 种，分别为捷蜥蜴、胎生蜥蜴、水游蛇和棋斑游蛇。

与湿地两栖类和爬行类不同，湿地兽类的广布种成分较多，有 3 目 4 科 14 种，生活在水中或经常活动在河湖湿地岸边，新疆湿地兽类大多为珍贵的毛皮动物，经济价值极高。

新疆属于西北地区，湿地多属内陆、高原湿地类型，既有海拔 2500 ~ 5000 米的高山草甸沼泽和芦苇沼泽，也有如博斯腾湖、赛里木湖等平原湖泊，栖息着众多湿地鸟类资源，有 10 目 19 科 121 种。在博斯腾湖、赛里木湖等地，每年 4 ~ 5 月有众多水禽在此栖息繁殖，如大天鹅、斑头雁、赤麻鸭、黑鹳、红嘴鸥、红脚鹬等，巴音布鲁克自然保护区为大天鹅的重要繁殖地，塔里木河流域是我国黑鹳的重要繁殖地。

1　湿地野生动物的种类和特点

1.1　野生动物种类组成

调查表明，新疆湿地脊椎动物有 234 种，隶属于 5 纲 25 目 47 科（表 3-3）。其中，鱼纲 9 目 19 科 87 种；两栖纲 2 目 3 科 8 种；爬行纲 1 目 2 科 4 种；鸟纲 10 目 19 科 121 种；哺乳纲 3 目 4 科 14 种。

表 3-3　新疆湿地脊椎动物基本情况表

	鱼　纲	两栖纲	爬行纲	鸟　纲	哺乳纲	合　计
目	9	2	1	10	3	25
科	19	3	2	19	4	47
种	87	8	4	121	14	234

1.2 湿地野生动物资源特点

1.2.1 野生动物资源丰富

新疆湿地脊椎动物与新疆脊椎动物组成情况见表3-4。新疆湿地脊椎动物目、科、种分别占新疆脊椎动物目、科、种总数的65%、40%和31.2%。其中，湿地鱼类种类数占新疆鱼类总种数的100%，两栖类种类数占新疆两栖类总种数的100%；爬行类种类数占新疆爬行类总种数的8%；鸟类种类数占新疆鸟类总种数的26.8%；哺乳类种类数占新疆哺乳类总种数的9.2%。由此可见，湿地是新疆野生脊椎动物分布最为集中的地方之一。湿地不仅为鱼类和两栖类生存提供了必需的水环境，更为鸟类提供了很好的栖息环境，成为迁徙中鸟类必要的补给站点。这些功能使得湿地这种生态系统生境内的野生动物资源十分丰富。因此，保护湿地对于维护新疆生物多样性具有十分重要的意义。

表3-4 新疆湿地脊椎动物基本情况表

类别	新疆湿地脊椎动物			新疆脊椎动物			湿地脊椎动物占新疆同类物种比例(%)		
	目	科	种	目	科	种	目	科	种
鱼 纲	9	19	87	9	19	87	100.0	100.0	100.0
两栖纲	2	3	8	2	3	8	100.0	100.0	100.0
爬行纲	1	2	4	2	8	50	50.0	25.0	8.0
鸟 纲	10	19	121	21	65	452	47.6	29.2	26.8
哺乳纲	3	4	14	7	23	153	42.9	17.4	9.2
合 计	25	47	234	40	117	750	65.0	40.0	31.2

1.2.2 珍稀鸟类及保护物种比例高

在湿地鸟类中，国家Ⅰ级保护鸟类3种，分别是黑鹳、黑颈鹤和遗鸥。国家Ⅱ级保护鸟类15种，分别是大天鹅、小天鹅、疣鼻天鹅、白琵鹭、小苇鳽、角䴙䴘、赤颈䴙䴘、白鹈鹕、蓑羽鹤、灰鹤、白额雁、长脚秧鸡、姬田鸡、小鸥、黑浮鸥。新疆Ⅰ级保护鸟类7种，黑喉潜鸟、苍鹭、大白鹭、大麻鳽、鸿雁、斑脸海番鸭、白头硬尾鸭。新疆Ⅱ级保护鸟类4种，翘鼻麻鸭、针尾鸭、赤膀鸭、白眼潜鸭。新疆湿地保护鸟类29种，占新疆湿地鸟类种数的24%。

湿地鸟类列入CITES(国际贸易保护公约)名录的有12种，占湿地鸟类总数的9.9%。其中列入附录Ⅰ名录的有1种，黑颈鹤；列入CITES附录Ⅱ名录的有3种，黑鹳、白头硬尾鸭、蓑羽鹤。列入CITES附录Ⅲ名录的有7种，大白鹭、针尾鸭、琵嘴鸭、绿翅鸭、赤颈鸭、白眉鸭、白眼潜鸭。

湿地鱼类、两栖类、爬行类和哺乳类中，国家Ⅰ级保护鱼类1种，新疆大头鱼；国家Ⅰ级保护哺乳类1种，河狸；国家Ⅱ级保护哺乳类1种，水獭；新疆Ⅰ级保护两栖类1种，中亚北鲵；新疆Ⅱ级保护两栖类1种，阿勒泰林蛙；新疆Ⅱ级保护爬行类2种，游蛇、棋斑游蛇。

1.2.3 经济种类多

新疆湿地野生经济动物资源丰富，其中鱼类是湿地中经济动物种类最多，经济价值最高的湿地动物。新疆大多水域，尤其是以发展渔业为经济支柱产业的水域，如博斯腾湖、额尔齐斯河等湿地，除了养殖草鱼、鲢鱼、鳙鱼这三种家鱼外；还养殖其他重要的经济鱼类，如鲤鱼、鲫鱼、鳊鱼、池沼公鱼、北方泥鳅、河鲈等。此外，鳑鲏鱼、鳘鲦、棒花鱼、麦穗鱼等小型鱼类，是各种水禽的食物来源。

湿地两栖类中，绿蟾蜍、中国林蛙和阿勒泰林蛙在农田害虫生物防治方面发挥着重要作用，其中中国林蛙还具有重要的药用价值。湿地哺乳类中，麝鼠、欧水貂、美水貂、水獭和河狸为珍贵的毛皮兽，其中河狸香腺分泌物的河狸香，是一种名贵香料，作为世界上四大动物香料之一，具有很高的经济价值。麝鼠香，具有浓裂的芳香味，是制作高级香水的原料，麝鼠分泌的麝鼠香中含有降麝香酮、十七环烷酮等成分，除具有与天然麝香相同的作用外，还能延长血液凝固的时间，可防治血栓性病症。

1.3 常见湿地动物种类

1.3.1 鸟 类

鸟类是滩涂湿地野生动物中最具代表性的类群，是湿地生态系统的重要组成部分，新疆湿地常见鸟类有：鸭科的赤麻鸭、绿头鸭、绿翅鸭，鸬鹚科的鸬鹚，反嘴鹬科的黑翅长脚鹬，鸊鷉科的凤头鸊鷉，鹭科的大白鹭，鹗科的鹗，秧鸡科的白骨顶、黑水鸡，鸥科的红嘴鸥、银鸥以及燕鸥科的普通燕鸥等。

1.3.2 鱼 类

鱼类是脊椎动物中最具多样性的类群，几乎栖居于地球上所有的水生环境。新疆鱼类资源丰富，常见的淡水鱼类有草鱼、鲢鱼、鳙鱼、鲤鱼、鲫鱼等常见鱼种，也有鲇鱼、池沼公鱼、虹鳟以及莫桑比克罗非鱼、尼罗罗非鱼等引种驯化的经济鱼类，还有新疆大头鱼、哲罗鲑、白斑狗鱼、河鲈、粘鲈等有经济价值的土著鱼类。

1.3.3 两栖类

两栖动物是自然界最优秀的环境监测器，其种群的变化预示着生存环境的变化。它们作为地球生态系统的“晴雨表”扮演着十分重要的角色。由于新疆特殊的地理位置和自然条件，两栖类的种类相对较少，仅 8 种。新疆常见的两栖动物主要有绿蟾蜍、中国林蛙和阿尔泰林蛙。除中国林蛙外，其余 7 种均为新疆特有种。

1.3.4 爬行类

新疆爬行类多见于塔里木盆地和准噶尔盆地的荒漠砾石地带，极少数生活在河岸和沼泽地带。湿地常见的主要有捷蜥蜴和棋斑游蛇。爬行类多处于荒漠带，由于新疆季节性河流相对较多，蜥蜴类也常出现在河岸洪水来临之前或者退去后形成的干旱区域。

1.3.5 哺乳类

新疆营水生生活和和喜湿的哺乳类较少，常见湿地哺乳类有麝鼠，分布较广；水鼠平、河狸在中国仅分布在新疆阿勒泰地区，白腹麝鼩在中国仅分布于新疆沿天山一带。

2 湿地鸟类

湿地鸟类又称水鸟，指在生态上依赖于地球上的淡水、咸水或半咸水等各种类型的湿地环境而繁殖、栖息和越冬的鸟类。对湿地生态系统而言，水鸟是其重要的组成部分，并且在湿地生态系统的能量流动和维持生态系统的稳定性方面起着举足轻重的作用，同时也是监测湿地水环境质量极其敏感的生物指标。湿地水鸟不仅在形态上产生了各种适应特征，而且在行为上亦形成了许多独特的适应特征。

2.1 种类和分布

湿地水鸟的地理分布，在新疆以温带和寒温带种类为主，夏候鸟和旅鸟占优势。新疆湿地鸟类共有 121 种，隶属于 10 目 21 科，见表 3-5。其中鸻形目种类最多，占新疆湿地鸟类总数的 38%，其次是雁形目与鸥形目的鸟类，分别占新疆湿地鸟类总数的 25.6% 和 12.4%。

表 3-5 新疆湿地鸟类种类基本情况

序号	目 名	科 数	物种数	所占比例(%)
1	潜鸟目(GAVIIFORMES)	1	1	0.8
2	䴙䴘目(PODICIPEDIFORMES)	1	5	4.1
3	鹈形目(PELECANIFORMES)	2	2	1.7
4	鹳形目(CICONIIFORMES)	3	9	7.4
5	雁形目(ANSERIFORMES)	1	30	25.6
6	隼形目(FALCONIFORMES)	1	1	0.8
7	鹤形目(GRUIFORMES)	2	10	8.3
8	鸻形目(CHARADRIIFORMES)	6	46	38.0
9	鸥形目(LARIFORMES)	3	16	12.4
10	佛法僧目(CORACIIFORMES)	1	1	0.8
合 计		21	121	100.0

2.1.1 潜鸟目

潜鸟目仅有潜鸟科 1 科 1 属 1 种，黑喉潜鸟为冬候鸟，主要分布在新疆北部赛里木湖和阿勒泰地区。

2.1.2 䴙䴘目

䴙䴘目仅 1 科 1 属 5 种。

䴙䴘属 5 种。小䴙䴘，留鸟，主要分布在新疆南部和中部，和田、喀什、博湖、伊犁河谷、乌鲁木齐周边区域；角䴙䴘，夏候鸟，主要分布在天山和阿尔泰山周边湖泊；黑颈䴙䴘和凤头䴙䴘均为夏候鸟，主要分布在新疆各地水域；赤颈䴙䴘为旅鸟，主要分布在新疆北部特克斯河谷、赛里木湖和青格达湖等地。

2.1.3 鹈形目

鹈形目有 2 科 2 种。

鹈鹕科有 1 种。白鹈鹕，夏候鸟，旅鸟；主要分布在新疆西部和天山区域的塔里木河下游、博斯腾湖、伊犁河谷、准噶尔盆地等区域。

鸬鹚科仅 1 种，鸬鹚，旅鸟，广泛分布于新疆各个水域。

2.1.4　鹳形目

鹳形目有3科9种。

鹭科有7种。苍鹭、大白鹭较为常见，分布于新疆各地水域；小苇鳽和大麻鳽均夏候鸟，分布在新疆西部和北部的芦苇丛、池塘和水库中；牛背鹭曾见于石河子蘑菇湖；池鹭曾见于阿尔金山及塔克拉玛干沙漠腹地一水坑附近；夜鹭分布于新疆西部、喀什、阿克苏等地。

鹳科有1种。黑鹳，夏候鸟。分布较广，几乎遍布全疆各个水域和沼泽地带。

鹮科有1种。白琵鹭，旅鸟。迁徙期见于新疆西部以及北疆各地。

2.1.5　雁形目

雁形目有1科9属30种。

天鹅属有3种。大天鹅，夏候鸟、分布于全疆各地开阔水域；小天鹅，冬候鸟，分布于天山尤尔都斯、火烧山等地水域；疣鼻天鹅为夏候鸟，分布于新疆西北部伊犁、博乐、乌伦古湖和准噶尔盆地。

雁属有6种。其中灰雁见于新疆各地。豆雁和白额雁均为旅鸟，主要分布于新疆西部地区；鸿雁分布于新疆北部准噶尔盆地和阿勒泰地区；斑头雁为典型的高原水鸟，主要分布在新疆南部和中部山区；小白额雁为新疆新记录种类，曾发现于博乐市五一水库。

麻鸭属有2种。赤麻鸭和翘鼻麻鸭均为新疆湿地常见鸟类，广泛分布于新疆各个河流、湖泊、沼泽地区。

鸭属有8种。除斑嘴鸭偶见于孔雀河和青格达湖外，针尾鸭、绿翅鸭、绿头鸭、赤膀鸭、赤颈鸭、白眉鸭和琵嘴鸭均为新疆常见种，广泛分布于新疆各地。

潜鸭属有5种。除斑背潜鸭曾见于赛里木湖和艾比湖外，赤嘴潜鸭、红头潜鸭、白眼潜鸭、凤头潜鸭均为新疆广布种。

海番鸭属仅1种。斑脸海番鸭，冬候鸟，曾见于喀纳斯湖。

鹊鸭属仅1种。鹊鸭，夏候鸟，分布于新疆西部和北部大部分区域。

硬尾鸭属仅1种。白头硬尾鸭，夏候鸟，散见于北疆的一些水域。

秋沙鸭属有3种。白秋沙鸭，旅鸟、夏候鸟。分布于新疆西部和北部大部分的湖泊、河流和沼泽中；红胸秋沙鸭，旅鸟，新疆库尔勒、天山、博乐五一水库、赛里木湖均有该种分布；普通秋沙鸭广泛分布于新疆各地。

2.1.6　隼形目

隼形目有1科1属1种，鹰科1种，鹗，为留鸟，主要分布在新疆各地开阔的水库、湖泊、河流、沼泽等水域及附近的森林和草原。

2.1.7　鹤形目

鹤形目有2科10种。

鹤科有3种。灰鹤和蓑羽鹤均为夏候鸟、旅鸟，见于新疆各地的湖泊、草原和沼泽中；黑颈鹤，夏候鸟，是青藏高原特有种，见于阿尔金山和昆仑山等地。

秧鸡科有7种。普通秧鸡，留鸟，见于新疆各地；长脚秧鸡，夏候鸟，分布于新疆西部和北部的喀什地区、克州、伊犁和阿勒泰等地；姬田鸡和小田鸡均为夏候鸟，分布于新疆西部的塔里木河、伊犁河和天山等地；斑胸田鸡，旅鸟，见于塔什库尔干和阿勒泰等地；黑水鸡和白骨顶均为夏候鸟，全疆广布种。

2.1.8 鸻形目

鸻形目有6科46种。

蛎鹬科有1种。蛎鹬，夏候鸟、旅鸟。分布于北疆各地。

鹮嘴鹬科1种。鹮嘴鹬，留鸟，分布于西部山区托什干河、木扎特流域、巴音布鲁克以及伊犁河谷等地。

鸻科有10种。凤头麦鸡、金眶鸻、环颈鸻广泛分布于新疆各地；灰斑鸻，旅鸟，分布于喀什、赛里木湖、艾比湖、青格达湖等地；金(斑)鸻为旅鸟，见于新疆博斯腾湖、伊犁地区、喀什地区、昌吉地区和阿勒泰地区等；蒙古沙鸻和铁嘴沙鸻主要分布于帕米尔高原、喀什、克州、阿勒泰和昌吉地区；红胸鸻见于伊犁河和准噶尔盆地；小嘴鸻较为罕见，见于天山和布尔津等地；东方鸻曾发现于木垒盐泽。

鹬科有30种。其中白腰杓鹬、黑尾塍鹬、红脚鹬、青脚鹬、白腰草鹬、林鹬、矶鹬、扇尾沙锥、乌脚滨鹬和流苏鹬10种为新疆广布种，见于新疆各地；斑尾塍鹬为罕见种，偶现西部天山；泽鹬为旅鸟，分布于新疆西北部博斯腾湖、艾比湖及准噶尔盆地等区域；翘嘴鹬分布于新疆除伊犁和哈密地区外所有的区域；孤沙锥分布于喀什、帕米尔高原、伊犁河以及准噶尔盆地等地；针尾沙锥分布于叶城、巴音布鲁克及阿勒泰地区；大沙锥曾见于喀纳斯湖；丘鹬分布于新疆塔什库尔干和伊犁地区；姬鹬罕见于新疆喀什和天山一带；黑腹滨鹬分布于新疆和田、喀什、塔里木河、巴州、赛里木湖及昌吉回族自治州区域；弯嘴滨鹬分布于新疆西部和北部；三趾滨鹬分布于新疆民丰、莎车、艾比湖和准噶尔盆地区域；阔嘴鹬分布于新疆喀什、阿克苏、博斯腾湖以及天山等区域；中杓鹬分布于中天山及塔里木盆地；小勺鹬曾见于五家渠八一水库；翻石鹬见于西部和北部的塔什库尔干、帕米尔高原、博斯腾湖和青格达湖等地；半蹼鹬偶见于奎屯水域；红胸滨鹬新疆西部和北部的阿克苏、塔里木盆地、博斯腾湖和五家渠等地；小滨鹬，旅鸟，分布于博斯腾湖、赛里木湖和阿勒泰等地；长趾滨鹬曾见于奎屯、克拉玛依和卡拉麦里；尖尾滨鹬见于柴窝堡湖。

反嘴鹬科有2种。黑翅长脚鹬和反嘴鹬均为夏候鸟，广泛分布于新疆各地，较为常见。

瓣蹼鹬科有2种。红颈瓣蹼鹬为旅鸟，分布于昌吉和阿勒泰地区；灰瓣蹼鹬为罕见旅鸟，分布于塔里木盆地。

2.1.9 鸥形目

鸥形目有3科16种。

贼鸥科有1种。短尾贼鸥，海洋性鸟类，曾见于沙湾安集海。

鸥科有5种。海鸥分布于新疆天山北麓，从伊犁河到五家渠一带；渔鸥、红嘴鸥和银鸥，广泛分布于新疆各地的河流、湖泊、水田；棕头鸥是青藏高原特有种，主要分布于昆仑山、阿尔金山等地。

燕鸥科10种。普通燕鸥，夏候鸟，广泛分布于新疆各地的河流、湖泊、水田；白额燕鸥、须浮鸥见于新疆各地水域；细嘴鸥为夏候鸟，分布在艾比湖和阜康沿天山北麓一带；遗鸥为夏候鸟，见于新疆西北部；小鸥分布于新疆西部和北部，塔里木河、博斯腾湖、伊犁河谷、赛里木湖、博州和艾比湖等地；鸥嘴噪鸥、白翅浮鸥分布于新疆西北部的大部分区域；红嘴巨鸥和黑浮鸥分布于新疆北部。

2.1.10 佛法僧目

佛法僧目仅1科1种。普通翠鸟，夏候鸟，分布于新疆各地。

2.2 数量状况

2.2.1 国家重点保护鸟类的数量状况

根据本次野外调查，记录到国家Ⅰ级保护鸟类2种，分别是黑鹳和黑颈鹤；国家Ⅱ级保护鸟类5种，分别是大天鹅、小天鹅、白琵鹭、蓑羽鹤、灰鹤。在对巴里坤湖湿地调查时，因处于蓑羽鹤的迁徙期，超过600只的蓑羽鹤在沼泽湿地旁收割的稻田中觅食；在团结水库看见3只白琵鹭在水中觅食。黑颈鹤为青藏高原特有种，在阿尔金山保护区依协克帕提沼泽看见15只黑颈鹤。在巴音布鲁克草原看见4只灰鹤。野外调查期间各水域发现天鹅31只，2011年11月7日，有20只大天鹅在孔雀湖停留。

本次调查由于时间较短，湿地动物调查时间大多不在鸟类的迁徙期或者繁殖季节。由于新疆鸟类中有相当一部分为旅鸟，因此发现的鸟类种类和数量有限，多为较常见鸟类。

2.2.2 非国家重点保护湿地鸟类状况

由于调查时间和季节有限，湿地鸟类二次调查由各重点调查湿地所在自然保护区、湿地公园或所在县林业局组织人员进行调查。根据调查数据统计汇总，非国家重点保护湿地鸟类中，雁形目的鸭科和鸥形目的鸥科种群数量占绝对优势，其次是鹈形目的䴙䴘科和鸻形目的鹬科和反嘴鹬科。

2.3 栖息地及其保护状况

新疆湿地鸟类资源丰富，保护的珍稀濒危种类较多，主要栖息在北疆的赛里木湖国家湿地公园、伊犁河湿地、额尔齐斯河湿地、艾比湖湿地等地；南疆的博斯腾湖湿地、巴音布鲁克沼泽湿地、阿克苏河流域湿地和孔雀河流域湿地等湿地以及东疆的巴里坤湖湿地等区域。

为了更好地保护野生动物及其栖息生境，保护典型的生态系统类型，新疆已建立了49个自然保护区。其中国家级自然保护区9个，自治区级自然保护区28个(其中兵团8个)，县级自然保护区12个。属于林业系统管辖的自然保护区有35个，国家级自然保护区7个，均有湿地资源分布，其中湿地类型国家级自然保护区有巴音布鲁克国家级保护区、新疆艾比湖湿地国家级自然保护区。自治区级自然保护区有24个，大多有湿地资源分布，其中湿地类型自治区级自然保护区有新疆阿尔泰科克苏湿地自然保护区、新疆帕米尔高原湿地自然保护区和新疆额尔齐斯河科克托海湿地自然保护区。县级自然保护区12个，大多有湿地资源分布，湿地类型的县级自然保护区有孔雀河湿地自然保护区、沙雅县塔里木上游湿地自然保护区、温宿县库玛里克河湿地自然保护区、新和县依干库勒湿地自然保护区、库车县大小龙池自然保护区、库车县塔里木河中游湿地自然保护区、木扎尔特河湿地自然保护区、托什干河湿地自然保护区等。

另外，通过建立国家湿地公园，对湿地及其区域物种也可起到很好的保护。目前新疆已获批建国家湿地公园6处，分别为赛里木湖国家湿地公园、柴窝堡湖国家湿地公园、克兰河国家湿地公园、乌齐里克河源国家湿地公园、玛纳斯河国家湿地公园、多浪河国家湿地公园。湿地公园建设可以更好的保持湿地区域独特的近自然景观特征，保护湿地这种生态系统类型，促进系统内部不同动植物物种的协调发展，维持生态平衡。

3 鱼 类

3.1 种类和主要分布

新疆共有鱼类 87 种，分隶于 9 目 19 科，见表 3-6。

表 3-6 新疆鱼类种类组成

序号	目　　名	科　数	物种数	所占比例%
1	鲟形目(ACIPENSERIFORMES)	1	3	3.5
2	鲑形目(SALMONOIFORMES)	5	8	9.2
3	鲤形目(CYPRINIFORMES)	2	57	65.5
4	鲇形目(SILURIFORMES)	1	2	2.3
5	鳉形目(CYPRINODONTIFORMES)	1	1	1.1
6	鳕形目(GADIFORMES)	1	1	1.1
7	合鳃目(SYNBRANCHIFORMES)	1	1	1.1
8	鲈形目(PERCIFORMES)	6	13	15
9	鲉形目(SCORPAENIFORMES)	1	1	1.1
合　计		19	87	100.0

3.1.1 物种组成

新疆鱼类 87 种，隶属于 9 目 19 科，占本区鱼类总数的 100%。均为硬骨鱼类，大多种类具有一定经济价值。

其中鲤形目种类最多，达 57 种，为本区鱼纲总数的 65.5%，其中一部分为土著鱼类，大多为移入种，具较高的经济价值；鲈形目次之，有 13 种，占鱼纲总数的 15%，大多数具一定的经济价值；鲑形目占第三，有 8 种，占鱼纲总数的 9.2%。

3.1.2 区系分布

新疆现代鱼类区系的最大特征是其区系的古老性，大部分是上新世、中新世、甚至渐新世即已有的化石记录属种。这是由于从内蒙古南部到新疆广大地区，自白垩纪起已成为大湖区等内陆水系，到第三纪尚有些湖，至第三纪中后期因受喜马拉雅造山运动影响，气候才变为大陆性很强的干寒高原，因此这里的鱼类区系被孤立很早。

新疆有不少的土著鱼种。其中新疆大头鱼、隆额高原鳅、塔里木裂腹鱼和叶尔羌高原鳅等鱼类仅分布于塔里木河水系；长颌白鲑(北鲑)和高体雅罗鱼等鱼类仅分布于额尔齐斯河；湖拟鲤、白斑狗鱼、阿勒泰鲂、准噶尔雅罗鱼等鱼类中国仅新疆有分布。

新疆土著鱼类由 5 个复合体组成。①中亚高山复合体，有新疆大头鱼、裂腹鱼和高原裸裂尻鱼等。②北方平原复合体，有 3 种雅罗鱼、湖拟鲤、白斑狗鱼、河鲈和伊犁鲈等。③北方山麓复合体。在新疆有哲罗鲑、细鳞鲑、北极茴鱼、北方条鳅和西伯利亚杜父鱼等。④第三纪节期复合体。有西伯利亚鲟、小体鲟和鲫等。⑤北极淡水复合体有长颌白鲑和江鳕等。

新疆的鱼类资源可以划分为四个区，即额尔齐斯河区、塔里木区、伊犁河区、准噶尔区。将四个区的鱼类资源分布情况对比可以发现以下两点。

(1)极富地区性：①只有一个属(条鳅属)是四区均有的，而没有一个种是四区均有的。②各区都有自己的特有种：塔里木区有新疆大头鱼、叶尔羌条鳅及隆额高原鳅；准噶尔区有准噶尔雅罗鱼和小眼条鳅；伊犁河区有波氏栉鰕虎鱼、褐栉鰕虎鱼、伊犁鲈和伊犁裂腹鱼；额尔齐斯区有阿尔泰鲂及西伯利亚杜父鱼等。

(2)各区间种、属相同程度不均。塔里木区、准噶尔区、伊犁地区较相近，因具有中亚高山复合体成分，属于全北区的中亚高山亚区。额尔齐斯区完全不具有中亚高山种类，而以北方性种类为主，属全北区的西伯利亚亚区。

3.2　经济种类的利用情况

新疆境内有几个大湖泊和几条大河，水面广阔，自然条件优越，浮游植物、浮游动物、水生维管束植物(水草)等饵料生物资源十分丰富，作为淡水鱼类最为重要的动物性蛋白饵料生物——底栖动物也十分丰富，为鱼类提供了很好的生存繁衍环境。

新疆现有经济鱼种近 50 种，其中土著鱼类近 30 种，如哲罗鲑、细鳞鲑、丁鲹、贝加尔雅罗鱼、东方欧鳊、河鲈、阿勒泰鲂、新疆大头鱼等。引进的鱼种有鲢鱼、鳙鱼、草鱼、池沼公鱼、莫桑比克罗非鱼、尼罗罗非鱼等。近多年来，土著鱼数量和产量下降，引入的经济鱼种成为鱼产量的主要部分，在博斯腾湖、乌伦古湖等主要湖泊水面的经济鱼类的养殖占整个新疆鱼类养殖业的 50% 以上。

新疆经济鱼种主要分布在以下五个水域：

(1)额尔齐斯河：主要产鲤鱼、鲫鱼、湖拟鲤、白斑狗鱼、东方欧鳊、北极茴鱼、细鳞鲑、哲罗鲑等鱼种，鱼产量每年在 400 吨以上。

(2)乌伦古河及乌伦古湖：主要经济鱼类有东方欧鳊、高体雅罗鱼、鲤鱼、河鲈、鲫鱼等。年产鱼量可达 4000 吨。

(3)伊犁河：主要以鲤鱼为主，还有伊犁裂腹鱼、赤梢鱼、裸腹鲟、东方欧鳊、伊犁鲈、新疆裸重唇鱼、贝加尔雅罗鱼等。

(4)博斯腾湖：过去以盛产新疆大头鱼而闻名，由于进行了鱼类的引种移殖驯化工作。在人为的影响下，鱼类种群组成改变，目前以生产池沼公鱼、鲫鱼、鲤鱼、贝加尔雅罗鱼等为主，年产量 3000 吨以上。

(5)塔里木河：随着水库和其他水利工程的建成，鱼类资源产量有所提高，鱼类有鲫鱼、细鳞斜颌鲴、塔里木裂腹鱼、斑重唇鱼、鳙鱼等，年产在 500 吨以上。

由于一些湖泊上游建闸建库，阻断草鱼、鲢鱼、鳙鱼等半洄游性鱼类幼苗入湖，而这些鱼仅在湖区又不能繁殖，再加上过度捕捞和环境污染，野生资源严重枯竭。

草鱼为以水草为主食的中层鱼类，是新疆主要的淡水养殖种类。草鱼养殖多以湖泊和池塘为主，博斯腾湖，乌伦古湖，额尔齐斯河、塔里木河和伊犁河两岸的鱼塘多有养殖，利用人工饵料资源，或与鲫鱼、鲤鱼同时作为主养鱼类。近些年来，由于天然螺、蚬资源衰退，养殖产量受到限制。草鱼通常与团头鲂同时作为主养鱼类，在池塘和大水面网围、网箱中与鲢鱼、鳙鱼等配养鱼类混养。

鲢鱼是以浮游植物和浮游动物为主要饵料的滤食性鱼类，在能量金字塔中等级较低，因此能量转换效率较高，为新疆淡水养殖的主体种类。鲢鱼养殖的经济效益随着市场的需求有一定的波动和下滑，但近些年来开展养鱼治藻的研究，利用滤食藻类，可以取得较好的环境和经济效益。

鲤鱼和鲫鱼为杂食性底层鱼类，在湖泊鱼类资源中所占比例很大。由于部分滩涂被围垦和水生植物的衰落，大、中型湖泊鲤鱼和鲫鱼资源大大减少，现已大部分靠人工放养。

移入鱼类资源利用。随着近些年来新疆水产品种更新工程的实施，野生鱼类引种驯化养殖步伐加快，引进了大量有经济价值的鱼类。

4 两栖类、爬行类、哺乳类

4.1 两栖类

4.1.1 两栖动物种类

新疆湿地自然分布的两栖动物隶属 2 目 3 科，共 8 种，分别为中亚北鲵、绿蟾蜍、帕米尔蟾蜍、大蟾蜍、中国林蛙、阿尔泰林蛙、中亚林蛙和湖蛙，见表 3-7。

表 3-7 新疆两栖类物种组成表

序号	目 名	科 数	物种数	所占比例(%)
1	有尾目(CAUDATA)	1	1	12.5
2	无尾目(ANURA)	2	7	87.5
总 计		3	8	100.0

在这 8 种湿地两栖动物中，有尾目有 1 科 1 种，占湿地两栖动物种数总数的 12.5%；无尾目种类 2 科 7 种，占湿地两栖动物种数总数的 87.5%。在 3 个科中，蛙科的种类最多，有 4 种，占湿地两栖动物种类总数的 50%；蟾蜍科 3 种，占湿地两栖动物种类总数的 37.5%；小鲵科 1 种，占湿地两栖动物种类总数的 12.5%。

4.1.2 两栖动物的分布

有尾目仅 1 科 1 种。为小鲵科中亚北鲵，主要分布于塔城、温泉霍城一带。

无尾目 2 科 7 种。

蟾蜍科 3 种，绿蟾蜍，在全疆广泛分布；帕米尔蟾蜍仅分布在帕米尔高原地区，原为绿蟾蜍的一个亚种，后将其升格为种；大蟾蜍曾见于新疆阿勒泰哈巴河县。

蛙科 4 种。中国林蛙在北疆及博斯腾湖有分布；阿尔泰林蛙分布在阿尔泰山地区；中亚林蛙见于北疆；湖蛙分布在伊犁河谷及艾比湖南部，也曾见于博斯腾湖附近。

4.2 爬行类

4.2.1 爬行动物种类

新疆湿地自然分布的爬行动物共 4 种，均属有鳞目，共 2 科 4 种，其中蜥蜴科 2 种，游蛇科

2 种。分别为捷蜥蜴、胎生蜥蜴、水游蛇和棋斑游蛇，见表 3-8。

表 3-8　新疆爬行类物种组成表

序号	目　名	科　名	物种数	所占比例(%)
1	有鳞目(SQUAMATA)	蜥蜴科(Lacertidae)	2	50
		游蛇科(Colubridae)	2	50
总　计		2	4	100

4.2.2　湿地爬行动物分布

新疆爬行动物共 50 种，其中在湿地分布有 4 种，占区内爬行动物种数的 8%。新疆湿地分布的爬行动物隶属于 1 目 2 科，即有鳞目的蜥蜴科和游蛇科。其中蜥蜴科的捷蜥蜴和胎生蜥蜴属于近水生物种，捷蜥蜴分布于阿勒泰地区、伊犁谷底，准噶尔地区和塔城地区；胎生蜥蜴仅见于喀纳斯湖附近。游蛇科 1 属 2 种，即水游蛇和棋斑游蛇，两种均为仅见于新疆的物种，分布在水域河岸附近。

4.3　湿地哺乳类

4.3.1　湿地哺乳类种类

新疆湿地分布的哺乳动物隶属于 3 目 4 科 14 种，3 目分别为食虫目、食肉目和啮齿目，见表 3-9。

表 3-9　新疆哺乳类物种组成表

序号	目　名	科　数	物种数	所占比例(%)
1	食虫目(INSECTIVORA)	1	6	43
2	食肉目(CARNIVORA)	1	3	21
3	啮齿目(RODENTIA)	2	5	36
合　计		4	14	100

4.3.2　湿地哺乳类分布

食虫目 1 科 6 种。鼩鼱科的小鼩鼱、中鼩鼱、小麝鼩、西伯利亚麝鼩、水麝鼩和白腹麝鼩。小鼩鼱分布在伊犁、塔城、阿克苏、库车、拜城等区域；中鼩鼱分布在阿勒泰地区、昌吉地区以及哈密、巴里坤等区域；小麝鼩分布在塔里木河、叶尔羌河和伊犁河湿地；西伯利亚麝鼩目前记录仅限于若羌、库尔勒以及奎屯等地区；水麝鼩分布在塔城和阿勒泰以及准噶尔的部分区域；白腹麝鼩布在巴里坤、库尔勒、乌鲁木齐以及伊犁等区域。其中除了水麝鼩营水生生活外，其余均为近水生生活的物种。

食肉目 1 科 3 种，鼬科的欧水貂、美水貂和水獭。欧水貂、美水貂在南北疆广泛人工养殖，水獭曾有在新疆伊犁、额尔齐斯河和喀什地区的记载。3 个物种均营水生生活。

啮齿目 2 科 5 种。河狸科 1 种，河狸，主要分布在阿勒泰地区青河县。仓鼠科 4 种，为普通斑仓鼠、藏仓鼠、麝鼠和水鼠平。其中普通斑仓鼠仅见于塔城、额敏一带；藏仓鼠分布在新疆的昆仑山以及帕米尔高原一带；麝鼠在全疆广泛分布；水鼠平分布在伊犁、塔城以及阿勒泰的部分区域。

4.4 经济种类的利用情况

4.4.1 两栖类

由于自然栖息地减少、退化或过度捕捉，特别是水产养殖破坏了两栖动物的繁殖链，使近些年两栖动物的自然种群数数量急剧下降。在新疆两栖动物的利用上，主要表现为生物防治。阿尔泰林蛙都是捕虫能手，一只阿尔泰林蛙一年能消灭害虫1万多只。因此，养蛙治虫是生物防治的一个重要方面，既不费工，又可减轻农药污染。

湿地两栖动物对人类生存环境、生活生产等方面都极其有益，应大力保护，除防止乱捕滥杀外，最重要的是保护它们的湿地生境，特别是在繁殖季节，对其繁殖场地的保护尤为重要。水体污染是导致蝌蚪大批减少的重要原因，尤其是临近变态的蝌蚪对外界不良环境刺激极其敏感，最易死亡和受到攻击。因此，控制环境污染是保护湿地两栖类的重要措施。

4.4.2 爬行类

大多数湿地爬行动物对人类是有益的，在维持湿地生态系统的稳定中有着重要意义。有些种类对畜牧业、养殖业甚至于人身安全带来一些危害，但通过合理措施可变害为利。

4.4.3 哺乳类

(1)毛皮动物。新疆湿地哺乳动物中食肉目鼬科的欧水貂、美水貂和水獭，啮齿目的麝鼠和河狸都是珍贵的毛皮动物。其皮毛不但外观美丽，而且特别厚，绒毛厚密而柔软，几乎不会被浸湿，保温抗冻作用极好。

新疆发展水貂饲养有极为有利的自然条件，但由于重视程度不够，饲养管理技术人员欠缺，饲养及产品加工技术都很落后，养貂场兴办不起来，原来的养貂场由于连年亏损，都被迫停办。现阶段对湿地动物资源采取的对策主要是加强保护管理工作，减少对动物栖息地及其他生态因子的破坏，使动物能够得到很好的繁衍生息。

(2)香料产业。河狸香腺分泌物的名贵香料——河狸香，是世界上四大动物香料之一，具有很高的经济价值。雄性麝鼠在4~9月繁殖期间能通过生殖系统的麝鼠腺分泌出麝鼠香，具有浓裂的芳香味，是制作高级香水的原料。

(3)药用价值。河狸分泌的河狸香可用作医药中的兴奋剂；麝鼠分泌的麝鼠香中含有降麝香酮、十七环烷酮等成分，除具有与天然麝香相同的作用外，还能延长血液凝固的时间，可防治血栓性疾病。

(4)科研价值。哺乳类因与人类亲缘关系最近，因而是理想的科研和临床实验材料，湿地哺乳类也不乏其种类。数量稀少的湿地兽类，在研究物种演化、仿生学、生物物理和生态恢复等方面都具有重要的意义。河狸在200万年前广泛分布，因此又被称为古脊椎动物的一种活化石，具有较高的研究价值。

第四章
湿地资源利用

第一节
湿地资源利用现状

1 资源利用现状

新疆湿地资源分布广泛，资源种类丰富，有水资源、土地资源、生物资源、景观资源、矿产资源、能源资源、人文资源等。各类湿地资源在新疆生态环境保护、国民经济建设和社会繁荣发展等方面发挥着巨大的生态、社会和经济效益。

1.1 水资源

新疆水资源包括河流、湖泊、水库以及地下水资源。新疆的地表径流总量793亿立方米，地表径流的补给来源是自然降水(包括降雨和降雪)。年径流在地区上的分布极不均匀，但有明显规律。

新疆的河流绝大部分属于内陆河，除北部的额尔齐斯河流入哈萨克斯坦，最终注入北冰洋；西南部喀喇昆仑山的奇普恰普等河流入印度河，最后注入印度洋外，其余均属内陆河。额尔齐斯河是我国唯一的北冰洋水系河流。全疆共有大小河流721条，其中大部分是流程短、水量小的河流。河流主要分布在天山南北坡、阿尔泰山西南坡，其次分布在昆仑山北坡和帕米尔高原东坡。河流、水源主要依赖山地降水和高山冰雪，主要有塔里木河、伊犁河、额尔齐斯河三大河流。

新疆除额尔齐斯河流域有外流湖外，其余均属内陆湖。除博斯腾湖、乌伦古湖等大型淡水湖外，其余多属咸水湖，新疆是一个湖泊分布较多的地区，面积大于5平方公里的天然湖泊有52个，其中较大的如乌伦古湖、艾比湖、赛里木湖、博斯腾湖。

据统计，新疆各山体共有大小冰川18.6万多条，总面积2.4万平方公里，占全国冰川面积的42%。冰川储水量2.58万亿立方米，新疆的冰川融水约占新疆总径流量的21%。冰川为下游提供了丰富的水源，同时对河流流量起着调节作用。

新疆疆地下水资源总量为572亿立方米，地下水可开采量为252亿立方米，主要分布在平原区。新疆地下水资源比较丰富，而且年际变化小，地下水埋藏分布规律性强，径流区富水性强，埋深浅，便于开采利用。

1.2　生物资源

新疆气温差异悬殊，宽大山体与广阔的盆地相间排列，沙漠、戈壁、洪积扇带多呈环状嵌合，动植物分布呈现南北向水平地带性更迭，并在盆地区域出现环带状分布。同时，地带与隐域相间分布，散布于其间的湿地受周围环境影响强烈，从而形成湿地类型和生态系统的多样性。即使属于同一类型的湿地，因处区域不同，其物种组成也存在较大差异。丰富的湿地生态系统决定了新疆湿地生物资源的多样性。

据本次调查统计，新疆共有湿地维管束植物1227种，隶属40目93科381属，约占全疆总种数的30.9%。湿地植物可以提供给人类粮食、蔬菜、医药、纸张、人造纤维、包装原料、手工编织原料、饲料、肥料等，并可以净化污水和美化环境，所以和人类关系密切。

据本次调查统计，新疆湿地脊椎动物有234种，隶属于5纲25目47科。其中，鱼纲9目19科87种；两栖纲2目3科8种；爬行纲1目2科4种；鸟纲10目19科121种；哺乳纲3目4科14种。湿地是新疆野生脊椎动物分布最为集中的地方之一，湿地不仅为鱼类和两栖类生存提供了必需的水环境，更为鸟类提供了很好的栖息环境，成为迁徙中鸟类必要的补给站点。因此，保护湿地对于维护新疆的生物多样性具有十分重要的意义。

1.3　土地资源

新疆地处我国西北干旱地区，国土面积大，人口稀少，是我国土地资源最为丰富的地区，土地总面积166万平方公里约占全国土地面积的六分之一，是全国土地面积最大的省区。其中，大部分为山地、沙漠和戈壁，绿洲仅占总面积的4.25%和平原(盆地)面积的8.37%。目前，已利用土地7651.69万公顷，占总面积的46.01%，其中耕地407.8万公顷，园地15.18万公顷，林地700万公顷，草地5938.15公顷，居民点和工矿用地63.83万公顷，交通用地25.49万公顷，水域50.12万公顷。尚有8979.59万公顷的土地未利用，主要是沙漠、裸岩、砾石地、沼泽地、盐碱滩等，质量低下，利用难度大。

1.4　景观资源

湿地具有自然观光、旅游、娱乐等美学方面的功能，新疆有许多重要的旅游风景区、自然保护区、森林公园都分布在湿地区域，成为重要的景观资源。

新疆目前已建立了49个不同类型的国家级、自治区级和县级自然保护区，保护区总面积达2283.68万公顷，占新疆国土面积的13.76%。其中44个自然保护区内有自然湿地分布，湿地总面积109.52万公顷。自然保护区是新疆保护自然生态环境、各种类型生态系统及各种野生动植物的重要基地。不但在生物多样性保护及科研中有重要科学价值．也是科普教育和生态旅游的理想基地。阿尔金山国家级自然保护区、卡拉麦里山有蹄类自然保护区、塔什库尔干自然保护区、巴音布鲁克国家级自然保护区、天池自然保护区、托木尔峰国家级自然保护区、哈纳斯国家级自然保护区、塔里木胡杨林国家级自然保护区、西天山国家级自然保护区等不仅是野生动植物的乐园，也在不同程度上开发为旅游景区，成为国内外旅游者向往的目的地。

新疆目前已建立森林公园 58 个，总面积 147 万公顷。其中国家级森林公园 19 个，总面积 98.16 万公顷，自治区级森林公园 31 个，总面积 48.67 万公顷，县级森林公园 8 个，总面积 0.19 万公顷。新疆的森林公园建设和森林旅游发展已经形成了以照壁山、天池、那拉提等国家级森林公园为龙头，以自治区和县级森林公园为框架，辐射到新疆十二个地州(市)的 40 多个县(市)，形成了包括各种类型的森林景观资源和湿地资源在内，并与众多历史遗迹，人文景观和民俗风情相辉映，具有鲜明特色的森林生态旅游热线，逐步建立了森林资源保护、开发、建设相统一的运作机制。新疆森林旅游正逐步成为林业产业中最具活力和最有希望的新型产业，真正可称为"朝阳产业"。

截止 2010 年，新疆已建立各级风景名胜区 143 处，其中 5A 级景区 5 处，4A 级景区 10 处，3A 级景区 58 处，2A 级景区 45 处，1A 级景区 25 处。新疆既有亚洲大陆气候最干燥、面积最大、荒凉而神奇的戈壁、沙漠和千奇百怪的风蚀丹霞地形，也有绿草如茵的草原、绿洲、湖泊和胜似江南鱼米之乡的伊犁河谷。既有海拔 8611 米的世界第二高峰——乔戈里峰，也有低于海平面 154 米的世界第二低地——吐鲁番盆地的艾丁湖。既有中国唯一流入北冰洋的水系——额尔齐斯河和最长的内陆河流——塔里木河，也有国内最大的冷杉、云杉原始森林和唯一延伸到中国境内的西伯利亚泰加林带。塔里木河、伊犁河、额尔齐斯河秀美的景色是新疆重要的旅游资源，还有不少湖泊因自然景色壮观秀丽而吸引人们向往，辟为旅游和疗养胜地，成为人们观光旅游的好地方，如博斯腾湖、乌伦古湖等都是著名的风景区，除可创造直接的经济效益外，还具有重要的文化价值。尤其是城市中的水体，在美化环境、调节气候、为居民提供休憩等方面有着重要的社会效益。

1.5　矿产品及工业原料

1.5.1　石油天然气资源

新疆众多湖泊、沼泽湿地是石油天然气资源的重要产区，蕴藏着大量的石油天然气资源，具有广阔的勘探、开发前景。据统计，新疆沉积盆地为 49 个，总面积约为 95 万平方公里，除塔里木、准噶尔、吐鲁番哈密等三大盆地已肯定为含油气盆地外，尚有柴窝堡、伊宁、三塘湖、焉耆、库木库里等 5 个沉积盆地极有远景，其余盆地的情况尚待勘查。根据全国第三次资源评价的初步结果，新疆三大盆地的石油资源量占全国陆上资源量的 26%，天然气资源量大约占全国陆上资源量的 28%。总体来讲，新疆石油天然气资源丰富，原油和天然气的总资源量的累积探明量在全国居于领先地位。如艾丁湖湿地也是重要的石油、煤炭产地，年产量 157.00 万吨以上。

新疆石油产业经过多年的发展，目前已经具备了一定的规模。2008 年新疆规模以上工业企业原油产量为 2715.13 万吨，居全国第三，实现增长率 4.2%。天然气产量 236.03 亿立方米，居全国第一。石油和天然气开采业完成工业增加值 1086.53 亿元，增长 12.8%；石油加工业实现工业增加值 28.57 亿元，增长 15.1%；化学原料和化学制品制造业完成工业增加值 85.44 亿元，增长 19.7%。丰富的石油天然气资源为新疆石油产业发展奠定了基础，新疆已成为我国西部最重要的石油化工基地和 21 世纪中国重要的能源战略接替区。

1.5.2　矿物质资源

湿地中有各种矿砂和盐类资源，很多具有工业开采价值。随着现代技术的发展，湿地矿物资源生产已从单一产品向多种类过渡，矿产资源的利用率得到大大提高。

新疆地大物博，面积占我国总面积的1/6，已查明的盐湖有50余个，其中半数以上是沙下湖和干盐湖，它们大都属硫酸盐型。盐湖中分布有多种矿物质，是重要的工业原料。以巴里坤湖为例，巴里坤盐湖地处东天山北麓断陷盆地的西南隅，是一个常年性固、液并存的硫酸盐型盐湖，冬季析出硫酸钠，夏季析出食盐；盐湖中还分布有丰富的卤虫资源。芒硝在盐湖中分布极为广泛，是主要的矿石矿物。与无水芒硝、石盐、石膏共生，湖表可见菊花状集合体。巴里坤湖的碳酸盐矿物主要为方解石、文石和菱镁矿，呈隐晶质或显微晶质状分布在湖相沉积物中。通常与黏土矿物组成黏土层或淤泥层，尤其是在芒硝矿层的底部含膏黏土中，常发育成0.1~2.0毫米厚的主要由碳酸盐组成的纹层。

我国是一个钾盐资源严重缺乏的国家，钾肥供需矛盾十分突出，目前国内钾肥年需求量已超过500万吨，而国内产量仅为80万~100万吨，自给率仅为16%左右。由于我国可溶性钾资源严重匮乏，制约了我国钾肥工业的发展，长期以来，国家花大量外汇从国外进口，尤其是随着高效农业、特色农业的兴起，农用钾肥的市场前景将愈加广阔。硫酸钾是主要的无氯钾肥品种，广泛用于经济作物及忌氯作物，尤其施用于高附加值作物，成本低、肥效好，经济效益明显。新疆罗布泊盐湖赋存有丰富的钾资源，据地质勘探资料和有关研究报告显示，罗北区段和东西台地钾资源量达至2.99亿吨。罗布泊盐湖的钾资源主要以硫酸镁亚型卤水的形式赋存于钙芒硝和石盐层中，这种卤水是生产硫酸钾的理想原料。

艾比湖的卤虫卵年现存资源量波动在200~400吨之间。巴里坤湖在正常的年景下，卤虫资源量约为1000吨/年，卤虫卵资源量为100吨/年。每年可开发利用20吨。

1.6 休闲/旅游

新疆属干旱区，阿尔泰山、天山、昆仑山等山系是这一区域中的湿岛，降水比较丰富。山体峰端积雪成冰，汇为冰川，径流下切基岩形成峡谷，山回水转，沿途分布跌水瀑布，又有诸多泉水出露，河水流经途中和尾闾，形成面貌截然不同的高位、中位和低位湖泊，尤其是冰川和湖泊是新疆最有特色的基本类型。喀喇昆仑和天山冰川区是中国最大的冰川区，乔戈里北坡的音苏盖提冰川是中国最长的冰川，塔克拉玛干沙漠和古尔班通古特沙漠是中国最大的沙漠，中国最长的内陆河是塔里木河，最大的内陆淡水湖是博斯腾湖。

新疆旅游业发展迅速，大多是具有代表性的景观类型，其中湍河涧溪代表性景观有塔里木河、伊犁河，瀑布代表性景观有库车县龙池瀑布、特克斯县呼道萨拉瀑布、新源县恰合普瀑布、阜康市天池瀑布，乌鲁木齐西白杨沟、伊犁恰西风景区、果子沟，峡谷代表性景观有乌鲁木齐大西沟后峡大峡谷，构造断陷湖代表性景观赛里木湖、博斯腾湖，冰蚀冰碛湖代表性景观喀纳斯湖、天池、风蚀湖代表性景观罗布泊，高山湖代表性景观库车县大龙池、阿克陶县喀拉库里湖（黑湖）、博尔塔拉蒙古自治州赛里木湖；冰川科学考察旅游代表性景观天山一号冰川，高山冰川登山旅游代表性景观天山托木尔峰冰川、博格达峰冰川、西昆仑的慕士塔格羊布拉克冰川、昆仑山的木孜塔格峰冰川，坎儿井代表性景观吐鲁番坎儿井，泉水代表性景观乌鲁木齐水磨沟，热气泉代表性景观昌吉市硫磺沟，温泉代表性景观喀什市塔合曼温泉、沙湾县温泉、福海县哈龙阿拉善温泉。

1.7 水力发电

新疆水能资源较为丰富，全疆共有大小河流570多条，其中年径流量10亿立方米以上的共有18条，冰川储量2.58万亿立方米(占全国冰川储量50%)，地表水年径流量884亿立方米，地下水年平均补径量395亿立方米，可开采量2524立方米，水能资源理论蕴藏量超过3350万千瓦，其中近期可供经济开发的资源量达1796万千瓦，位居全国第四。目前，已建成的发电设备装机容量仅占可开发资源量的4.5%，水力资源开发潜力很大。“十一五”期间，新疆水利工程基本建设计划投资418亿元，新增水力发电装机402万千瓦。如伊犁河湿地每年水力发电量达81万千瓦时以上。

2 存在问题

长期以来，由于人们对湿地重要性的认识还不够，随着各种农业生产、工业生产和人口的急剧增加，人们对湿地持续的开发和破坏，导致新疆自然湿地质量下降，水土污染日趋严重，生物多样性逐渐丧失，功能和效益整体有所下降。

2.1 过度开发利用湿地

农用地开垦和城市开发占用自然湿地，直接削减了湿地面积；工农业用水增加，使湿地得不到足量水的补给而退化甚至消失；对湿地生物资源的过度开发也严重破坏了湿地的生态平衡。由于水资源时空分布不均匀，造成湿地利用在上游和下游地区存在严重的不平衡现象，上游湿地资源的过度开发利用或水利设施的建设，直接导致下游湿地质量下降和天然植被萎缩。这一现象在叶尔羌河、和田河、孔雀河等河流尤为突出。

新疆现有自然湿地的30%仍面临着被开垦和改造的威胁，许多原有的自然湿地演变为人工湿地或消失，许多沼泽湿地和芦苇湿地已被开垦为耕地，稻田湿地变成了水浇地。如和静县的阿尔勒湿地，一次调查时有2万余公顷，二次调查时只有3000余公顷，周围全部被农田包围。在渭干河流域、叶尔羌河流域，由于长期农田对湿地的蚕食，湿地面积日益萎缩，湿地质量下降。

2.2 湿地污染加重

工业污水和生活用水的大量排放，废气、废渣等污染物的无组织排放，不仅使湿地水质恶化，而且对湿地的生物多样性造成严重危害。湿地面积减少和严重污染，造成湿地生物多样性衰退。据调查，新疆40%以上的湿地遭到不同程度的污染，致使大量动植物失去了生存条件而濒临灭绝。另外由于对湿地用水考虑不足，破坏了湿地生态系统，湿地大面积减少。如孔雀河湿地在博斯腾湖出水口时水质良好，在流经库尔勒市、尉犁县的农区后，沿途大量生产生活用水的排放导致水质严重恶化，湿地污染严重，在流出尉犁县城后，水质已不能满足农业生产用水。

2.3 水利工程对湿地的影响

水利工程人为地切断了湿地中洄游鱼类的通道，切断了湿地汛期洪水的补给，使湿地生物群落发生变化，湿地沼泽化进程加快，出现盐碱化甚至干涸的现象。如布尔根河狸保护区修建了一河两坝工程后，对河狸的栖息地造成严重影响和破坏。

2.4 自然因素的变化对湿地的影响

随着全球气候变暖，新疆许多地区持续高温、干旱，使巴里坤湖、艾比湖、艾丁湖等永久性咸水湖面积萎缩，矿物质富集，形成大片内陆盐沼湿地。罗布泊湿地，由于多年无固定水源补给，原先的湖区已形成大片的盐碱地，地表寸草不生。

3 合理利用建议

3.1 新疆湿地开发利用现状

3.1.1 湿地改造和人工湿地建设

因引流灌溉和水库蓄水，新疆主要河流的流程均已缩短，出现上游绿洲扩大，下游绿洲收缩，甚至消失。依赖河水供给的沼泽、湖泊均呈现水位下降、面积缩小的趋势。同时，水稻种植业和人工池塘养殖业的发展又出现了新的人工湿地。因此，新疆的湿地整体状况呈现从自然转为人工的趋势。

3.1.2 自然水体捕捞业

新疆天然捕捞业主要靠两湖（博斯腾湖、乌伦古湖）和三河（额尔齐斯河、伊犁河、塔里木河），其鱼产量约占全疆的60%～70%。自20世纪60年代从内地引入“四大家鱼”（鲤鱼、草鱼、鲫鱼、鲢鱼）及其他鱼类，原产鱼种数量和产量下降，人工引种已成为鱼获物的主要部分，较大自然水体也由人工投放鱼种，如赛里木湖，已形成产鱼渔业水体。

3.1.3 养殖业

新疆鱼类养殖业发展较晚，但近些年进展很快，人工池塘养殖、水库养殖、稻田养鱼及电厂余热水体养鱼均取得成效。目前，养殖鱼产量约占总产量的50%以上。

3.1.4 芦苇及其他水生动植物

以博湖为例，芦苇生产已由简单的原料输出与手工编织业，发展为以芦苇为原料的纤维生产。以芦苇、香蒲等水生植物基地的麝鼠和牛蛙生产，亦一度中兴。

此外，不少地区在天然湖泊、水库及河段建立了旅游设施，以湿地为基础的旅游业得到迅猛发展。

在上述湿地利用中，尚存水面利用率及单产低、养殖种类贫乏、水体综合效益偏低等问题。同时，水产科技力量薄弱、管理体制不完善，缺乏湿地利用的统一规划。

第二节 湿地资源可持续利用前景分析

如何针对新疆的湿地，因地制宜，保护和开发兼顾，并获取最适生产力，最终达到人与自然物种和谐共存，是当前紧迫的任务。

1 合理开发利用湿地野生动植物资源，发展湿地植物种植和湿地动物养殖

选择适宜区域，试验引进莲藕、菱角、茭白、芋头等水生经济作物，为实施“菜篮子工程”，改善边疆生活条件作贡献。

着重引进经济价值较高的虾、蟹和螺蚌类，进行水土驯化与人工养殖，发展珍稀珠蚌养殖，在获取经济效益的同时，亦可为实施青鱼、鲟类养殖提供食物基础。

推广发展古巴牛蛙养殖，试验经济价值很高的东北林蛙等在新疆养殖与风土驯化。

充分利用热源发展中华鳖和山瑞鳖人工养殖，促进其在新疆自然水体风土驯化。

采取有效措施，进一步提高自然水体鱼产量。建立大规模经济鱼种基地，以排除河鲈对渔业的侵扰；利用各种水体，大力发展高密度网箱养鱼；着力对新疆地产名贵鱼种在养殖业上的应用。

发展新疆特有水禽新疆鹅、鸿雁和水鸡以及多种雁鸭类的饲养。引进内地优良品种与养殖技术，充分利用新疆广大湿地，改变水禽养殖业的滞后局面。

试验发展规划化围养补饲技术，实现麝鼠资源复兴。进一步试验海狸鼠、水貂和水獭等珍贵毛皮兽在新疆自然水体风土驯化途径。

2 大力发展湿地生态旅游，推动新疆湿地公园建设

建立湿地公园是保护湿地生态系统、维护湿地生态系统服务功能的手段，也是发挥湿地经济效益，合理利用湿地资源的重要措施。因此，今后要加大湿地公园建设力度，建立新疆湿地公园网络体系，充分挖掘、展示、利用源于湿地的人文资源，使各湿地公园成为公众领略湿地自然风光、认识湿地、提高公众生态意识的教育基地。通过社会参与和科学经营管理，达到改善新疆生态状况，促进新疆社会经济可持续发展，实现人与自然和谐共处的目的。

3 合理利用土地资源，推动湿地可持续利用示范工程建设

选择具有广泛代表意义的典型湿地，如巴里坤湖、伊犁河湿地、博斯腾湖等，建立生物多样性保护与持续利用示范基地，既有保护较好的原生生态系统，也有不同演替系列的次生态系统和人工生态系统。根据最大持续产量理论，进行必要的湿地保护工程建设，对物种的生态系统实行科学管理，探讨湿地保护利用的优化模式。探索切实可行的湿地可持续利用模式，在一些生态脆弱区域实施退耕还湿工程，并探索湿地资源集约化经营、湿地生态旅游、湿地科普宣传等湿地经营利用模式。总结出若干个适合于不同湿地特点的、科学的、具有推广意义的湿地保护利用规划、管理技术与组织体系，以期形成全疆湿地有效管理与保护网络，实现新疆湿地的有效保护和湿地资源的可持续利用。

第五章 湿地资源评价

第一节 湿地生态状况

湿地是生物圈中一种重要的过渡生态系统，与人类的生存、发展、繁衍息息相关，是自然界最富生物多样性的生态景观，也是人类最重要的生存环境之一。湿地生态安全是指维持湿地生态过程的连续性、湿地生态系统结构的稳定性和湿地生态系统功能的完整性。足够的湿地面积、多样化的湿地类型、丰富的物种、较少的人类干扰和完善的法律制度等是湿地安全的基础和湿地功能得以发挥的条件。

新疆是我国内陆干旱区，湿地更具有其特殊的价值，是不可替代的宝贵资源。湿地维系着新疆的绿洲，是新疆各族人民生存的依托，是关系人类生存和社会经济持续发展的首要自然因素。人类的生存及经济活动离不开水，水资源贯穿人类的一切生产过程，水资源是干旱区人群赖以生存的根本保障。随着新疆经济的发展，凡是有水的区域，即湿地区，基本都形成了人群居住区、垦殖区和工业区。

1　水质状况

新疆第二次湿地资源调查显示，新疆重点湿地水质总体处于轻度污染。重点湿地水分 pH 值分为 5 级，pH 值呈碱性的湿地为 20 个，强碱性的湿地为 5 个，弱碱性的湿地为 41 个，微酸性的湿地为 1 个，中性的湿地为 19 个。水分透明度分为 2 级，透明度清的湿地为 56 个，浑浊的湿地为 30 个。无主要污染因子的湿地为 45 个，主要污染因子为工农业、生活污水的湿地为 1 个，主要污染因子为工业废水的湿地为 9 个，主要污染因子为农业废水的湿地为 13 个，主要污染因子为农业废水、工业污水的湿地为 2 个，主要污染因子为农业废水、生活污水的湿地为 16 个。湿地水质级别分为 5 级，水质 Ⅰ 级的湿地为 6 个，Ⅱ 级的湿地为 57 个，Ⅲ 级的湿地为 10 个，Ⅳ 级的湿地为 9 个，Ⅴ 级的湿地为 4 个，见表 5-1。

表 5-1 新疆 86 个重点湿地水质状况一表

序号	湿地名称	pH 分级	透明度等级	主要污染因子	水质级别
1	阿尔金山国家级自然保护区	弱碱性	浑浊	无	Ⅱ
2	阿尔泰山东南部湿地	微酸性	清	无	Ⅱ
3	阿尔泰山两河源头自然保护区	中性	清	无	Ⅰ
4	阿克萨伊湖湿地 •	碱性	清	无	Ⅱ
5	阿克苏湿地	中性	清	农业废水、生活污水	Ⅱ
6	阿克苏市阿克苏河湿地自然保护区	中性	清	农业废水、生活污水	Ⅱ
7	阿勒泰科克苏湿地自然保护区	碱性	清	无	Ⅱ
8	阿其克库木湖湿地	碱性	浑浊	无	Ⅱ
9	阿瓦提县胡杨林野生动物自然保护区	碱性	清	农业废水	Ⅲ
10	阿苇滩水库	弱碱性	浑浊	无	Ⅲ
11	阿牙克库木湖湿地	碱性	浑浊	无	Ⅱ
12	艾比湖湿地国家级自然保护区	弱碱性	清	农业废水、生活污水	Ⅲ
13	艾丁湖湿地	强碱性	浑浊	农业废水	Ⅴ
14	巴里坤湖湿地	强碱性	浑浊	农业废水、生活污水	Ⅴ
15	巴音布鲁克国家级自然保护区	弱碱性	清	无	Ⅰ
16	巴音沟河湿地自然保护区	弱碱性	浑浊	无	Ⅱ
17	白杨河湿地	弱碱性	清	农业废水、生活污水	Ⅱ
18	拜城县木扎提河湿地自然保护区	中性	清	农业废水	Ⅱ
19	博斯腾湖湿地	弱碱性	清	农业废水	Ⅲ
20	布尔根河狸自然保护区	弱碱性	清	农业废水、生活污水	Ⅱ
21	布伦口湖群湿地	碱性	清	无	Ⅱ
22	柴窝堡湖国家湿地公园	碱性	浑浊	工业污水	Ⅱ
23	顶山水库	弱碱性	浑浊	无	Ⅱ
24	东方红水库	碱性	浑浊	无	Ⅱ
25	多浪河国家湿地公园	中性	清	农业废水、生活污水	Ⅱ
26	额尔齐斯河科克托海湿地自然保护区	中性	清	无	Ⅱ
27	额尔齐斯河湿地	中性	清	无	Ⅱ
28	额尔齐斯河与乌伦古湖平原湿地自然保护区	弱碱性	浑浊	无	Ⅱ
29	额敏河湿地	弱碱性	清	农业废水、生活污水	Ⅱ
30	甘家湖梭梭林国家级自然保护区	弱碱性	清	工农业、生活污水	Ⅱ

（续）

序号	湿地名称	pH 分级	透明度等级	主要污染因子	水质级别
31	哈密东天山生态功能自然保护区	碱性	清	工业污水	Ⅱ
32	哈纳斯国家级自然保护区	中性	清	无	Ⅱ
33	和布克河湿地	弱碱性	清	农业废水、生活污水	Ⅱ
34	鲸鱼湖湿地	碱性	浑浊	无	Ⅳ
35	喀纳斯湖湿地	中性	清	无	Ⅱ
36	卡拉麦里山有蹄类自然保护区	碱性	清	工业污水	Ⅳ
37	克拉玛依湖湿地	碱性	清	工业污水	Ⅳ
38	克兰河国家湿地公园	弱碱性	清	农业废水、生活污水	Ⅱ
39	克孜勒海英沼泽湿地	弱碱性	浑浊	无	Ⅱ
40	孔雀河湿地自然保护区	碱性	清	农业废水、工业污水	Ⅴ
41	库车县大小龙池自然保护区	弱碱性	清	无	Ⅱ
42	库车县塔里木河中游湿地自然保护区	弱碱性	清	无	Ⅱ
43	奎屯河流域湿地自然保护区	中性	浑浊	工业废水	Ⅱ
44	罗布泊湿地	强碱性	浑浊	无	Ⅴ
45	罗布泊野骆驼国家级自然保护区	碱性	浑浊	无	Ⅳ
46	玛纳斯河国家湿地公园	弱碱性	清	农业废水	Ⅲ
47	玛纳斯河流域中上游鸟类湿地自然保护区	弱碱性	浑浊	工业废水	Ⅳ
48	玛纳斯湖湿地	强碱性	清	农业废水	Ⅳ
49	玛依格勒自然保护区	碱性	清	工业污水	Ⅲ
50	米兰河湿地	弱碱性	浑浊	无	Ⅱ
51	木扎尔特河湿地自然保护区	弱碱性	浑浊	无	Ⅱ
52	帕米尔高原湿地自然保护区	中性	清	无	Ⅰ
53	青格达湖鸟类湿地自然保护区	弱碱性	浑浊	工业废水	Ⅱ
54	赛里木湖国家湿地公园	弱碱性	清	农业废水	Ⅲ
55	沙雅县塔里木河上游湿地自然保护区	中性	清	无	Ⅱ
56	塔城巴尔鲁克山自然保护区	弱碱性	清	无	Ⅱ
57	塔城北山湿地	弱碱性	清	农业废水、生活污水	Ⅱ
58	塔里木河上游三河汇流处湿地自然保护区	弱碱性	浑浊	无	Ⅱ
59	塔里木河下游尉犁湿地	碱性	清	农业废水	Ⅱ
60	塔里木胡杨林国家级自然保护区	碱性	清	农业废水	Ⅱ

（续）

序号	湿地名称	pH 分级	透明度等级	主要污染因子	水质级别
61	塔什库尔干自然保护区	弱碱性	清	无	Ⅰ
62	台特玛湖湿地	碱性	浑浊	农业废水	Ⅳ
63	天池自然保护区	弱碱性	清	无	Ⅰ
64	托木尔峰国家级自然保护区	中性	清	无	Ⅱ
65	渭干河流域湿地	中性	清	农业废水、生活污水	Ⅱ
66	温泉中亚北鲵自然保护区	弱碱性	清	无	Ⅱ
67	温宿县库玛里克河湿地自然保护区	弱碱性	清	农业废水	Ⅲ
68	乌拉斯台水库	弱碱性	浑浊	无	Ⅱ
69	乌鲁木齐河湿地	中性	清	农业废水、工业污水	Ⅱ
70	乌伦古河湿地	弱碱性	浑浊	无	Ⅱ
71	乌伦古湖和吉力湖湿地	弱碱性	清	农业废水、生活污水	Ⅲ
72	乌奇里克河源国家湿地公园	中性	清	无	Ⅰ
73	乌什水水库	弱碱性	浑浊	无	Ⅱ
74	乌什县托什干河湿地自然保护区	中性	清	农业废水	Ⅱ
75	乌尊硝湿地	强碱性	浑浊	工业污水	Ⅳ
76	西昆仑藏羚羊自然保护区	弱碱性	清	无	Ⅱ
77	西天山国家级自然保护区	中性	清	农业废水、生活污水	Ⅱ
78	夏尔希里自然保护区	弱碱性	清	无	Ⅱ
79	新和县依干库勒湿地自然保护区	碱性	清	农业废水	Ⅲ
80	新井子水库湿地	弱碱性	浑浊	无	Ⅱ
81	叶尔羌河流域湿地	弱碱性	清	农业废水、生活污水	Ⅳ
82	叶尔羌河中下游湿地自然保护区	弱碱性	浑浊	无	Ⅱ
83	伊犁河湿地	弱碱性	清	农业废水、生活污水	Ⅱ
84	伊犁小叶白腊自然保护区	中性	清	无	Ⅱ
85	于什盖水库	弱碱性	浑浊	无	Ⅱ
86	中昆仑自然保护区	碱性	浑浊	无	Ⅱ

2 生态状况

2.1 湿地资源评价方法

湿地生态状况直接反映湿地生态系统的健康水平，也是评价湿地生态功能是否正常发挥和满足人类需要的重要依据。依据新疆第二次湿地资源调查成果数据，综合利用反映湿地生态状况的自然湿地面积、生物多样性、水环境及湿地利用和受威胁状况等方面指标，对本次确定的86个重点调查湿地进行湿地生态状况综合评价，见表5-2。

表5-2 评价指标体系一览表

一 级	二 级	三 级	因 子
自然指标	景观指标	自然湿地率	自然湿地面积/湿地总面积
		湿地密度	平均斑块面积/湿地总面积
		湿地斑块密度	湿地斑块数/湿地总面积
	生物多样性指标	单位面积物种多度	物种数/湿地总面积
		植物覆盖度	植被面积/湿地总面积
		外来物种入侵	有、无
	水环境指标	污染物	有、无
		富营养	贫、中、富3级
		水质级别	Ⅰ、Ⅱ、Ⅲ、Ⅳ、Ⅴ5级
人为干扰指标	社会指标	人口密度	人口数量/重点调查面积
		利用情况	工(旅游)、农、水、未4级
	威胁指标	威胁因子数量	数量
		威胁程度	安全、轻、重3级

采用层次分析方法(AHP)，对评价指标进行分级和赋值，确定指标权重。各指标标准值计算：

自然湿地率、湿地密度、湿地斑块密度、单位面积物种多度、植被覆盖度、人口密度六个指标根据大小分为五级，分别赋值1、3、5、7、9，指标值越高反映的生态状况越好；

外来物种入侵、污染物两个指标，分两个等级，“有”赋值2，“无”赋值8；

营养状况分三级，贫营养赋值8，中营养赋值5，富营养赋值2；

水质级别分五级，分别赋值9、7、5、3、1；

利用情况分四级，工业(旅游)赋值3，农业(种植、牧业、林业)赋值5，水源地赋值7，未利用赋值9；

威胁因子数量，分为十级，采用“10－数量”来赋值；

威胁程度分为三级，安全赋值8，轻度赋值5，重度赋值2。

采用国家林业局确定的指标权重体系(表 5-3)：

表 5-3　指标体系权重表

一　级	赋值比列	二　级	赋值比列	三　级	权　重
自然指标	0.6	景观指标	0.10	自然湿地率	0.030
				湿地密度	0.012
				湿地斑块密度	0.018
		生物多样性指标	0.45	单位面积物种多度	0.108
				植物覆盖度	0.108
				外来物种入侵	0.054
		水环境指标	0.45	污染物	0.054
				富营养	0.081
				水质级别	0.135
人为干扰指标	0.4	社会指标	0.40	人口密度	0.064
				利用情况	0.096
		威胁指标	0.60	威胁因子数量	0.084
				威胁程度	0.156

根据统计学累计求和公式，计算新疆查湿地生态状况综合得分。

综合得分 = $\sum$ 指标值 × 指标权重

2.2　评价结果与分析

将新疆湿地的生态状况按照好、中、差三个档次进行分类，总体上处于中等水平。通过对新疆重点湿地调查发现，整个区域的湿地综合得分在 1.01 ~ 1.75 之间，平均值为 1.34。生态状况评级为“好”的湿地有 32 个，得分在 1.40 ~ 1.75 之间，占重点湿地总数的 37.21%；评级中等档次的湿地有 37 个，得分在 1.20 ~ 1.40 之间，占重点湿地总数的 43.02%；获得“差”等级的湿地有 17 个得分在 1.00 ~ 1.20 之间，占重点湿地总数的 19.77%(表 5-4 和表 5-5)。

表 5-4　新疆重点湿地评价得分表

重点湿地综合得分分级	综合得分区间	湿地个数(个)	面积百分比(%)
好	1.40 ~ 1.75	32	37.21
中	1.20 ~ 1.40	37	43.02
差	1.00 ~ 1.20	17	19.77

表 5-5 新疆 86 个重点调查湿地生态状况综合评价得分表

序号	重点调查湿地名称	得分	序号	重点调查湿地名称	得分
1	阿尔金山国家级自然保护区	1.40	33	和布克河湿地	1.31
2	阿尔泰山东南部湿地	1.18	34	鲸鱼湖湿地	1.57
3	阿尔泰山两河源头自然保护区	1.55	35	喀纳斯湖湿地	1.43
4	阿克萨伊湖湿地	1.71	36	卡拉麦里山有蹄类自然保护区	1.23
5	阿克苏湿地	1.33	37	克拉玛依湖湿地	1.19
6	阿克苏市阿克苏河湿地自然保护区	1.35	38	克兰河国家湿地公园	1.32
7	阿勒泰科克苏湿地自然保护区	1.30	39	克孜勒海英沼泽湿地	1.27
8	阿其克库木湖湿地	1.75	40	孔雀河湿地自然保护区	1.04
9	阿瓦提县胡杨林野生动物自然保护区	1.15	41	库车县大小龙池自然保护区	1.29
10	阿苇滩水库	1.45	42	库车县塔里木河中游湿地自然保护区	1.25
11	阿牙克库木湖湿地	1.47	43	奎屯河流域湿地自然保护区	1.55
12	艾比湖湿地国家级自然保护区	1.36	44	罗布泊湿地	1.31
13	艾丁湖湿地	1.01	45	罗布泊野骆驼国家级自然保护区	1.30
14	巴里坤湖湿地	1.03	46	玛纳斯河国家湿地公园	1.16
15	巴音布鲁克国家级自然保护区	1.37	47	玛纳斯河流域中上游鸟类湿地自然保护区	1.40
16	巴音沟河湿地自然保护区	1.48	48	玛纳斯湖湿地	1.25
17	白杨河湿地	1.40	49	玛依格勒自然保护区	1.18
18	拜城县木扎提河湿地自然保护区	1.41	50	米兰河湿地	1.57
19	博斯腾湖湿地	1.25	51	木扎尔特河湿地自然保护区	1.42
20	布尔根河狸自然保护区	1.24	52	帕米尔高原湿地自然保护区	1.32
21	布伦口湖群湿地	1.19	53	青格达湖鸟类湿地自然保护区	1.34
22	柴窝堡湖国家湿地公园	1.38	54	赛里木湖国家湿地公园	1.47
23	顶山水库	1.52	55	沙雅县塔里木河上游湿地自然保护区	1.31
24	东方红水库	1.52	56	塔城巴尔鲁克山自然保护区	1.30
25	多浪河国家湿地公园	1.22	57	塔城北山湿地	1.17
26	额尔齐斯河科克托海湿地自然保护区	1.38	58	塔里木河上游三河汇流处湿地自然保护区	1.57
27	额尔齐斯河湿地	1.41	59	塔里木河下游尉犁湿地	1.17
28	额尔齐斯河与乌伦古湖平原湿地自然保护区	1.51	60	塔里木胡杨林国家级自然保护区	1.10
29	额敏河湿地	1.35	61	塔什库尔干自然保护区	1.41
30	甘家湖梭梭林国家级自然保护区	1.34	62	台特玛湖湿地	1.15
31	哈密东天山生态功能自然保护区	1.21	63	天池自然保护区	1.31
32	哈纳斯国家级自然保护区	1.38	64	托木尔峰国家级自然保护区	1.34

（续）

序号	重点调查湿地名称	得分	序号	重点调查湿地名称	得分
65	渭干河流域湿地	1.11	76	西昆仑藏羚羊自然保护区	1.44
66	温泉中亚北鲵自然保护区	1.28	77	西天山国家级自然保护区	1.20
67	温宿县库玛里克河湿地自然保护区	1.29	78	夏尔希里自然保护区	1.43
68	乌拉斯台水库	1.43	79	新和县依干库勒湿地自然保护区	1.11
69	乌鲁木齐河湿地	1.41	80	新井子水库湿地	1.48
70	乌伦古河湿地	1.38	81	叶尔羌河流域湿地	1.18
71	乌伦古湖和吉力湖湿地	1.39	82	叶尔羌河中下游湿地自然保护区	1.61
72	乌奇里克河源国家湿地公园	1.42	83	伊犁河湿地	1.19
73	乌什水水库	1.46	84	伊犁小叶白腊自然保护区	1.38
74	乌什县托什干河湿地自然保护区	1.31	85	于什盖水库	1.46
75	乌尊硝湿地	1.21	86	中昆仑自然保护区	1.48

第二节 湿地受威胁状况

1　受威胁状况

调查结果显示，86 个重点调查湿地人为破坏为轻微的 81 个、中等的 5 个，工业污染为无的 47 个、中等的 1 个、轻微的 38 个，受威胁状况等级安全的 4 个、轻度的 81 个、重度的 1 个，破坏面积 2527.96 公顷、占重点调查湿地面积 2471139.27 公顷的 0.10%，见表 5-6。

表 5-6　新疆 86 个重点调查湿地受威胁状况一览表

序号	湿地名称	湿地总面积（公顷）	人为破坏情况	工业污染情况	湿地受威胁状况	破坏面积（公顷）	面积比例（%）
1	阿尔金山国家级自然保护区	127697.91	轻微	无	轻度	127.70	0.10
2	阿尔泰山东南部湿地	2471.66	轻微	无	轻度	0.00	0.00
3	阿尔泰山两河源头自然保护区	12646.23	轻微	无	轻度	12.80	0.10
4	阿克萨伊湖湿地	23013.47	轻微	无	安全	0.00	0.00
5	阿克苏湿地	29210.39	轻微	轻微	轻度	58.00	0.20
6	阿克苏市阿克苏河湿地自然保护区	10925.77	轻微	轻微	轻度	21.00	0.19

（续）

序号	湿地名称	湿地总面积（公顷）	人为破坏情况	工业污染情况	湿地受威胁状况	破坏面积（公顷）	面积比例（%）
7	阿勒泰科克苏湿地自然保护区	40047.88	轻微	无	轻度	40.00	0.10
8	阿其克库木湖湿地	59279.47	轻微	无	安全	0.00	0.00
9	阿瓦提县胡杨林野生动物自然保护区	24045.22	轻微	轻微	轻度	24.00	0.10
10	阿苇滩水库	717.68	轻微	轻微	轻度	0.00	0.00
11	阿牙克库木湖湿地	114731.78	轻微	无	轻度	0.00	0.00
12	艾比湖湿地国家级自然保护区	125005.99	轻微	无	轻度	125.00	0.10
13	艾丁湖湿地	19369.53	轻微	轻微	重度	38.70	0.20
14	巴里坤湖湿地	54874.15	轻微	轻微	轻度	109.70	0.20
15	巴音布鲁克国家级自然保护区	133008.67	轻微	无	轻度	133.00	0.10
16	巴音沟河湿地自然保护区	2484.66	轻微	轻微	轻度	0.00	0.00
17	白杨河湿地	22980.17	轻微	无	轻度	22.90	0.10
18	拜城县木扎提河湿地自然保护区	17575.83	轻微	轻微	轻度	34.00	0.19
19	博斯腾湖湿地	150558.80	轻微	轻微	轻度	301.10	0.20
20	布尔根河狸自然保护区	2099.68	轻微	无	轻度	2.10	0.10
21	布伦口湖群湿地	4869.97	轻微	无	轻度	9.70	0.20
22	柴窝堡湖国家湿地公园	3300.15	轻微	轻微	轻度	0.60	0.02
23	顶山水库	1899.91	轻微	轻微	轻度	0.00	0.00
24	东方红水库	372.28	轻微	轻微	轻度	0.00	0.00
25	多浪河国家湿地公园	224.44	轻微	轻微	轻度	0.40	0.18
26	额尔齐斯河科克托海湿地自然保护区	20215.01	轻微	无	轻度	20.00	0.10
27	额尔齐斯河湿地	57175.67	轻微	无	轻度	114.30	0.20
28	额尔齐斯河与乌伦古湖平原湿地自然保护区	8072.56	中等	轻微	轻度	0.00	0.00
29	额敏河湿地	7420.71	轻微	无	轻度	14.60	0.20
30	甘家湖梭梭林国家级自然保护区	3579.13	轻微	无	轻度	3.60	0.10
31	哈密东天山生态功能自然保护区	8745.01	轻微	轻微	轻度	17.50	0.20
32	哈纳斯国家级自然保护区	4920.16	轻微	无	轻度	0.00	0.00
33	和布克河湿地	19229.81	轻微	无	轻度	19.20	0.10
34	鲸鱼湖湿地	30518.16	轻微	无	安全	0.00	0.00
35	喀纳斯湖湿地	4498.61	轻微	无	轻度	0.00	0.00
36	卡拉麦里山有蹄类自然保护区	19062.17	轻微	轻微	轻度	19.06	0.10

（续）

序号	湿地名称	湿地总面积（公顷）	人为破坏情况	工业污染情况	湿地受威胁状况	破坏面积（公顷）	面积比例（%）
37	克拉玛依湖湿地	215.24	轻微	无	轻度	0.00	0.00
38	克兰河国家湿地公园	2027.93	轻微	无	轻度	1.00	0.05
39	克孜勒海英沼泽湿地	1078.28	轻微	轻微	轻度	0.00	0.00
40	孔雀河湿地自然保护区	7382.47	轻微	轻微	轻度	14.80	0.20
41	库车县大小龙池自然保护区	1344.69	轻微	无	轻度	1.30	0.10
42	库车县塔里木河中游湿地自然保护区	17137.77	轻微	轻微	轻度	34.00	0.20
43	奎屯河流域湿地自然保护区	13618.23	轻微	轻微	轻度	0.00	0.00
44	罗布泊湿地	65947.09	轻微	轻微	轻度	131.80	0.20
45	罗布泊野骆驼国家级自然保护区	31443.67	轻微	轻微	轻度	62.00	0.20
46	玛纳斯河国家湿地公园	5233.39	轻微	无	轻度	5.20	0.10
47	玛纳斯河流域中上游鸟类湿地自然保护区	8971.08	轻微	中等	轻度	0.90	0.01
48	玛纳斯湖湿地	83107.53	轻微	无	轻度	0.00	0.00
49	玛依格勒自然保护区	15968.23	轻微	无	轻度	0.00	0.00
50	米兰河湿地	385.76	轻微	轻微	轻度	0.00	0.00
51	木扎尔特河湿地自然保护区	9397.76	轻微	轻微	轻度	0.00	0.00
52	帕米尔高原湿地自然保护区	31671.14	轻微	无	轻度	63.00	0.20
53	青格达湖鸟类湿地自然保护区	4073.55	中等	轻微	轻度	4.00	0.10
54	赛里木湖国家湿地公园	47288.22	轻微	无	轻度	0.00	0.00
55	沙雅县塔里木河上游湿地自然保护区	86715.65	轻微	轻微	轻度	86.70	0.10
56	塔城巴尔鲁克山自然保护区	569.05	轻微	无	轻度	0.00	0.00
57	塔城北山湿地	1805.29	轻微	无	轻度	1.80	0.10
58	塔里木河上游三河汇流处湿地自然保护区	32703.87	中等	轻微	轻度	0.00	0.00
59	塔里木河下游尉犁湿地	86971.90	轻微	无	轻度	86.90	0.10
60	塔里木胡杨林国家级自然保护区	57732.46	轻微	轻微	轻度	57.70	0.10
61	塔什库尔干自然保护区	78755.27	轻微	无	轻度	0.00	0.00
62	台特玛湖湿地	26937.47	轻微	轻微	轻度	53.90	0.20
63	天池自然保护区	431.36	轻微	无	轻度	0.00	0.00
64	托木尔峰国家级自然保护区	310.58	轻微	无	轻度	0.00	0.00
65	渭干河流域湿地	11998.52	轻微	轻微	轻度	23.00	0.19
66	温泉中亚北鲵自然保护区	113.02	轻微	无	轻度	0.00	0.00

（续）

序号	湿地名称	湿地总面积（公顷）	人为破坏情况	工业污染情况	湿地受威胁状况	破坏面积（公顷）	面积比例（%）
67	温宿县库玛里克河湿地自然保护区	8790.17	轻微	轻微	轻度	16.40	0.19
68	乌拉斯台水库	60.63	轻微	轻微	轻度	0.00	0.00
69	乌鲁木齐河湿地	15888.69	轻微	无	轻度	15.90	0.10
70	乌伦古河湿地	25611.50	轻微	无	轻度	51.20	0.20
71	乌伦古湖和吉力湖湿地	105934.55	轻微	无	轻度	10.50	0.01
72	乌奇里克河源国家湿地公园	5389.45	轻微	无	轻度	0.00	0.00
73	乌什水水库	604.18	轻微	轻微	轻度	0.00	0.00
74	乌什县托什干河湿地自然保护区	11123.52	轻微	轻微	轻度	22.00	0.20
75	乌尊硝湿地	13894.12	轻微	无	轻度	13.90	0.10
76	西昆仑藏羚羊自然保护区	23711.02	轻微	无	轻度	0.00	0.00
77	西天山国家级自然保护区	131.29	轻微	无	轻度	0.10	0.08
78	夏尔希里自然保护区	105.47	轻微	无	安全	0.00	0.00
79	新和县依干库勒湿地自然保护区	9295.28	轻微	轻微	轻度	18.00	0.19
80	新井子水库湿地	4995.29	轻微	轻微	轻度	0.00	0.00
81	叶尔羌河流域湿地	160870.44	轻微	无	轻度	321.70	0.20
82	叶尔羌河中下游湿地自然保护区	24188.96	中等	轻微	轻度	0.00	0.00
83	伊犁河湿地	102159.01	中等	无	轻度	102.00	0.10
84	伊犁小叶白腊自然保护区	1755.70	轻微	无	轻度	1.70	0.10
85	于什盖水库	790.34	轻微	轻微	轻度	0.00	0.00
86	中昆仑自然保护区	57654.50	轻微	无	轻度	57.60	0.10
合　计		2471139.27				2527.96	0.10

2　威胁因子

随着社会进步，人口增加，经济发展，未受人为干扰的自然资源、生态系统越来越少，湿地资源也受到人为活动的冲击，在绿洲区域尤为突出。

2.1　不合理的耕作灌溉方式

尽管新疆的土地资源非常丰富，但可利用土地资源匮乏，人均可利用土地资源也相对贫乏，因人口增长与经济发展所带来的水土资源需求压力非常巨大。新疆的大部分湿地维系着新疆绿洲的生态安全，也是新疆人口集中分布的区域和工业、农业生产的主要区域。由于无法可依，农业无序开发和自然湿地用途改变对自然湿地的占用是造成新疆自然湿地在绿洲区域面积减少，质量下降的主要原因，新疆现有自然湿地的30%仍面临着被开垦和改造的威胁。这一现象在传统农业灌溉区，如叶尔羌河流域、塔里木河流域、伊犁河流域、额尔齐斯河流域、阿克苏河流域尤为突出。湿地植被破坏后，使得湿地调洪蓄水能力减弱。由于植被破坏，造成新的水土流失，风沙移动，致使湿地泥沙淤积，加速湖区的沼泽化，以至干涸，如由于上游地区大面积的农业开发，导致玛纳斯河下流的玛纳斯湖湖面逐年萎缩，传统湖区已演替为内陆盐沼，湿地生态环境恶化。

2.2 不合理的湿地资源利用方式

湿地是自然界最富生物多样性的生态景观，对于维持生物的生存和发展有着重要意义。当前，湿地资源过度开发、湿地生态环境破坏是导致湿地资源衰退、生物多样性受损的重要原因。为了最大限度获利，人们将目光投向湿地，但许多利用方式却是不合理的，甚至是具有破坏性的。由于围垦湿地，对湿地的蚕食，造成绿洲区的自然湿地面积不断减少，挖沟排碱，将农业废水直接排放入河流湖泊中，造成水质恶化。巴音布鲁克沼泽湿地、和布克河湿地、巴里坤湖湿地等传统牧区，由于长期过牧对造成湿地天然植被的破坏，造成湿地生态环境质量下降。一些湖泊水域，如博斯腾湖、乌伦古湖，由于长年大量捕捞，造成鱼类产量下降，濒危物种面临灭绝危险。如博斯腾湖有国家一级保护动物新疆大头鱼在内的6种鱼类绝迹。水域生物种类和数量的减少，使生态系统的结构向着更简化和脆弱的方向发展。另外由于对湿地用水考虑不足，破坏了湿地生态环境质量，湿地用水主要考虑工业、农业和生活用水，生态用水考虑较少，一些处于河流末端的湿地只有在洪水季节才能有水源补给，或在河流流经绿洲后就消失在沙漠中，如昆仑山北坡的策勒河、尼雅河等。

2.3 工业废弃物及生活废水的污染

污染是新疆湿地面临的最严重威胁之一。随着人口增长、工农业生产以及城市建设规模的扩大，大量生活污水、工业废水和农业退水不经处理直接被排入湿地中，这些污染物不仅对湿地的生物多样性造成严重危害，而且也对湿地生态与环境带来许多负面影响。一些工厂只重视生产却忽视对废弃物的处理，于是大量的废水废渣不经处理直接被排入河流、湖泊，造成污染。据调查，新疆40%以上的湿地遭到不同程度的污染，致使大量动植物失去了生存条件而濒临灭绝。

2.4 兴建水库与引水工程建设的影响

由于水位等发生变化，将改变库区周围的生态环境引入许多人为因素，对生态系统造成危害，特别是对一些有洄游习性的鱼类的危害可能是致命的，堤坝建成后阻断了鱼类洄游的通道，切断了湿地汛期洪水的补给，使湿地生物群落发生变化，湿地沼泽化进程加快，出现盐碱化甚至干涸的现象。如布尔根河上游的一坝两渠工程建成后，洄游鱼类的数量明显减少，国家Ⅰ级重点保护野生动物河狸的生活环境也受到很大的破坏。由于玛纳斯河上游蘑菇湖水库等中型水库拦蓄了多数来水，造成下流植被的消失和玛纳斯湖的干涸。

3 存在的主要问题

新疆地域辽阔，自然条件恶劣，经济基础薄弱，经济发展和资源保护矛盾突出。长期以来，由于农业开发、围垦、养殖业、工农业污染以及其他对湿地资源的不合理开发和利用，使新疆的湿地资源遭到严重的破坏，湿地生物资源过度利用，生物多样性持续减少，湿地污染加剧，生态环境质量下降，湿地功能不同程度退化。

3.1 法制体系不完善

在我国三大生态系统中，森林和海洋均已通过立法得到保护，唯独湿地无法可依，这是导致湿地问题形势严峻的主要原因之一，是制约湿地保护管理工作有效开展的重要因素。与湿地和湿地资源相关的法律和法规虽然不少，但没有一部是专门针对湿地保护的法规或条例。已有的法规和条例也有诸多不完善之处，在执行方面，操作难度大，造成了湿地保护与管理在具体操作中的困难。

3.2 湿地开发利用管理不协调

湿地的保护管理、开发利用涉及多个部门、单位，牵涉面较广，目前大多数湿地在利用上存在多部门多头管理，而在保护上却缺乏综合协调管理和利用监督机制，各部门在湿地保护管理上职责交叉、职责不清。不同地区和部门在湿地开发利用方面存在各行其是，各取所需的现象。旅游、捕鱼、造纸、采盐、开荒、养殖、狩猎等都在向湿地要资源，要效益，而出现问题又难以协调和解决。

3.3 湿地自然保护区、湿地公园建设亟待加强

新疆目前湿地类型自然保护区和湿地公园布局和类型尚不完善，布局还不尽合理。一些对当地生态保护和经济发展有重要战略意义的湿地还未列入湿地自然保护区建设中。现有保护区、湿地公园数量相对偏少，保护区、湿地公园的管理比较薄弱，管理人员少，设备、资金缺乏，无法实现对保护区内的湿地资源和野生动植物资源的有效管理和保护，也制约了湿地保护区的快速发展。此外，信息利用方面也存在一些问题。已收集的与湿地有关的基础信息，包括数据，参数标准不一，尚未形成数据库，难以共享。并且部门和单位之间许多资料缺乏共享机制。

3.4 湿地科学研究和技术支撑薄弱

湿地保护是一项系统工程，加强湿地保护管理，科技是基础，是根本。新疆湿地科学研究与资源监测能力十分薄弱，特别是对湿地的结构、功能、演替规律、价值和作用等方面缺乏系统、深入的研究。同时湿地保护、管理的技术手段也比较落后，缺乏现代化的管理技术和手段。

湿地科学是跨学科、多领域的新兴科学，新疆从事湿地研究的人员很少，缺乏合作研究、人才交流、信息交换的渠道，缺乏项目评估、专家决策咨询组织，制约了新疆湿地保护和管理工作进程。

3.5 湿地保护宣传教育滞后

湿地保护是新兴事业。目前全社会还普遍缺乏湿地保护意识，对湿地的价值和重要性缺乏认识。湿地保护和合理利用的宣传、教育工作滞后，宣传教育工作的广度、力度、深度都不够，一

些地方还存在重开发轻保护的现象。

3.6 资金缺乏

湿地保护与管理需要资金投入。当前湿地保护和开发的经费严重不足，已经成为制约湿地可持续发展的瓶颈。在湿地调查、保护区建设、基础设施建设、湿地监测、湿地研究、人员培训、执法手段与队伍建设等方面都需专门的资金支持。由于资金短缺，使许多湿地保护计划和行动难以实施；必要的湿地保护基础建设滞后。

第三节 湿地资源变化及其原因分析

1 第一次湿地资源调查概述

1.1 调查基本情况

1.1.1 调查时间

1997～2000年。

1.1.2 队伍组成

在自治区林业厅野生动物资源调查办公室的基础上成立野生动植物资源与湿地资源调查办公室，并由主管副厅长兼任办公室主任。成员由林业厅野生动植物保护管理办公室工作人员和设计院领导组成，由该办公室具体负责领导和组织实施这次湿地资源调查工作。新疆林业勘察设计院在新疆野生动物资源调查队的基础上组建了新疆湿地资源调查队，人员由新疆林业设计院和新疆林科院抽取部分专业技术人员共同组成，并聘请有关科研院校等部门的相关专业技术人员，共计28人。

1.1.3 调查方法

本次调查以实地调查和收集资料为主，收集最近10年来的各种数据资料，尽可能采用了最新的调查数据资料。主要收集水文、地质、环保等部门最新的统计资料及各种最新调查成果。野外调查主要采用样方调查法。采用实地调查和收集资料相辅助，调查各湿地的各项调查因子。

1.1.4 技术标准

原林业部调查规划设计院制定的《全国湿地资源调查与监测技术规程》。

1.2 主要调查结果

新疆湿地总面积141.93万公顷，面积大于100公顷的湿地有435个，其中河流湿地45个，湖泊湿地108个，沼泽湿地148个，人工湿地134个，湿地的垂直分布从－154米至山地4800米，形成了复杂多样的内陆湿地生态系统，与沿海地区相比，独具特色。

1.2.1 河流湿地

河流湿地包括主河道及两侧河漫滩。新疆河流湿地面积为20.57万公顷，占新疆湿地面积的13.9%，其中洪泛平原湿地2.23万公顷，占河流湿地面积的11.33%，永久性河流和季节性河流湿地18.34万公顷，占河流湿地的88.67%。新疆地处欧亚大陆腹地，地理环境闭塞，除额尔齐斯河外流北冰洋，其余河流均为内流河。南北疆共有大小河流721条，河流水源依赖于山地降水和高山融雪，大多源出山脉，出口经冲积、洪积扇入盆地，或没于戈壁沙漠、或注入湖泊、或散失形成沼泽、或入灌区形成人工湿地。河流湿地中新疆较大的水系有额尔齐斯河、乌伦古河、伊犁河、玛纳斯河、叶尔羌河、阿克苏河、塔里木河、孔雀河、开都河等。

1.2.2 湖泊湿地

湖泊湿地共有69.69万公顷，占新疆湿地总面积的47%，新疆大于100公顷以上的湖泊共有108个，其中永久性淡水湖46个，面积达20.08万公顷，占湖泊湿地的28.82%，永久性咸水湖60个，面积为49.53万公顷，占湖泊湿地的71.08%，季节性咸水湖2个面积为0.07万公顷(在福海)占湖泊湿地的0.1%。按湖泊成因可分为冰碛湖(喀纳斯湖)、地震堰塞湖(天池)、盆地积水湖(赛里木湖、阿牙克库木湖、鲸鱼湖等高原湖泊)、中间调节湖(博斯腾湖、吉力湖等)和河流终端湖(艾比湖、巴里坤湖、艾丁湖等)。

1.2.3 沼泽湿地

新疆沼泽湿地为148个，面积36.91万公顷，占新疆湿地面积的24%，其中草本沼泽131个，面积为34.57万公顷，占沼泽湿地的93.65%，灌木沼泽2个，面积为0.21万公顷，占沼泽湿地的0.57%，森林沼泽1块，面积为0.14万公顷，占沼泽湿地的0.42%，内陆盐沼14个，面积为1.99万公顷，占沼泽湿地的5.75%。沼泽湿地主要分布于各泉眼附近和湖河旁，由河滩地淹没和湖泊进、出水区淤积而成，以博斯腾湖西部，尤尔都斯盆地、伊犁河、额尔齐斯河和塔里木河上游分布最广。

1.2.4 库塘湿地

新疆共有水库湿地134个，面积14.76万公顷，占湿地总面积的9.95%，库塘对于调节气候、储存降水，提供农田灌溉及生活用水，渔业养殖防洪、防暴、节省能源等方面有重要作用。新疆在山区、平原均有水库存在，较为重要的水库湿地有福海水库、奎屯水库、红崖水库、蘑菇湖水库、大泉沟水库、猛进水库、大西海子水库、卡拉水库、喀拉玛水库、西克尔水库、胜利水库、上游水库等。平原水库的入库区和库外溢水区多有沼泽分布，为候鸟的繁殖地，明水区为渔业基地与水禽觅食地。山地水库岸形陡峭，生物多样性较贫乏。

重点调查湿地：第一次调查确定的重点调查湿地17块，包括阿牙克库木湖、鲸鱼湖、阿其克库勒湖 、罗布泊、艾比湖湿地、乌伦古湖和吉力湖、克拉玛依湖、巴音布鲁克自然保护区、巴里坤湖、布伦口湖群、阿尔泰山东南部湿地、喀纳斯湖、赛里木湖、博斯腾湖、塔里木河下游尉犁湿地、天池、艾丁湖。

2　第二次湿地资源调查概述

2.1　调查基本情况

2.1.1　调查时间

2011 年。

2.1.2　队伍组成

根据国家林业局的要求和相应的机构设置，自治区成立第二次新疆湿地资源调查工作领导小组(以下简称“领导小组”)，领导小组下设办公室，组建专家技术委员会和外业调查队伍，明确技术支撑单位。外业调查团队是此次湿地调查的中坚力量，由新疆林业科学院、林业规划院和新疆生产建设兵团林业调查规划设计院 30 多位专业技术人员组成野外调查团队，主要完成现场调查、野外动植物调查记录、标本采集、资料收集以及后勤保障等工作。

2.1.3　调查方法

一般调查：通过遥感解译获取湿地型、面积、分布(行政区、中心点坐标)、平均海拔、植被类型及其面积、所属三级流域等信息，以上工作主要由国家层面组织的技术支撑单位——清华大学 3S 研究中心完成。通过野外调查、现地访问和收集最新资料获取水源补给状况、主要优势植物种、土地所有权、保护管理状况等数据，以上工作由各县林业局完成并填写一般调查湿地斑块调查表，并由新疆林业科学院、林业规划院和新疆生产建设兵团林业调查规划设计院完成部分湿地斑块的验证工作和数据汇总工作。

重点调查：主要由新疆林业科学院、林业规划院和新疆全产建设兵团林业调查规划设计院湿地调查队伍共同承担，清华大学 3S 研究中心提供统一区划的图面资料以及湿地分布和面积等数据，供调查队伍使用，并进行技术指导。

2.1.4　技术标准

国家林业局制定的《全国湿地资源调查技术规程(试行)》。

2.2　主要调查结果

新疆分布的各类湿地总面积为 394.82 万公顷，其中自然湿地占绝大多数，面积为 367.83 万公顷，占全疆湿地总面积的 93.16%。人工湿地 26.99 万公顷，占全疆湿地总面积的 6.84%。

从湿地类来看新疆有湿地 4 类 17 型，其中自然湿地有河流湿地、湖泊湿地、沼泽湿地 3 类 13 型，人工湿地有库塘、运河(输水河)、水产养殖场、盐田 4 型。其中河流湿地 121.64 万公顷，占湿地总面积 30.81%；湖泊湿地 77.45 万公顷，占湿地总面积 19.62%；沼泽湿地 168.74 万公顷，占湿地总面积 42.74%；人工湿地 26.99 万公顷，占湿地总面积的 6.84%。

河流湿地面积 121.64 万公顷，其中永久性河流 68.17 万公顷，季节性或间歇性河流 14.53 万公顷，洪泛平原湿地 38.94 万公顷。

湖泊湿地面积 77.45 万公顷，其中永久性淡水湖 30.65 万公顷，永久性咸水湖 33.92 万公顷，季节性淡水湖 9.83 万公顷，季节性咸水湖 3.05 万公顷。

沼泽湿地面积 168.74 万公顷，其中草本沼泽 86.37 万公顷，灌丛沼泽 17.84 万公顷，森林沼泽6.82万公顷，内陆盐沼27.37万公顷，季节性咸水沼泽18.01万公顷，沼泽化草甸12.32万公顷。

人工湿地面积26.99万公顷，其中库塘18.46万公顷，输水河4.06万公顷，水产养殖场0.89万公顷，盐田3.58万公顷。

重点调查湿地：第二次调查确定的重点调查湿地86个，包括艾比湖湿地国家级自然保护区、阿牙克库木湖、巴音布鲁克国家级自然保护区、阿尔泰山东南部湿地等。

3 两次湿地调查结果比较

3.1 湿地面积有增有减，整体增加

本次湿地资源调查与上次调查结果比较(表5-7)显示，湿地总面积增加了252.88万公顷。

河流类型湿地变化：永久性河流增加50.34万公顷、季节性河流增加14.01万公顷、洪泛平原增加36.71万公顷，河流湿地型共计增加101.06万公顷。

湖泊类型湿地变化：永久性淡水湖增加10.57万公顷、永久性咸水湖减少15.61万公顷、季节性淡水湖增加9.83万公顷、季节性咸水湖增加2.98万公顷，湖泊湿地型共计增加7.77万公顷。

沼泽类型湿地变化：草本沼泽增加51.80万公顷、灌丛沼泽增加17.63万公顷、森林沼泽增加6.67万公顷、内陆盐沼增加25.39万公顷、季节性咸水沼泽增加18.01万公顷、沼泽化草甸增加12.32万公顷，沼泽湿地型共计增加131.83万公顷。

人工类型湿地变化：因第一次湿地调查将全部人工湿地划入库塘湿地型，因此，第二次调查人工湿地增加12.23万公顷。

3.2 湿地斑块数量整体有较大增多。

本次湿地资源调查湿地斑块数量与上次调查结果比较显示有较大增长，湿地斑块增加了8067块。

河流类型湿地斑块变化：永久性河流湿地斑块增加3847块，季节性河流湿地斑块增加1288块，洪泛平原湿地斑块增加227块，河流湿地型湿地斑块共计增加5362块。

湖泊类型湿地斑块变化：永久性淡水湖湿地斑块增加334块、永久性咸水湖湿地斑块增加111块、季节性淡水湖湿地斑块增加144块、季节性咸水湖湿地斑块增加58块，湖泊湿地斑块共计增加647块。

沼泽类型湿地斑块变化：草本沼泽湿地斑块增加538块、灌丛沼泽湿地斑块增加87块、内陆盐沼湿地斑块增加54块、季节性咸水沼泽湿地斑块增加211块、沼泽化草甸湿地斑块增加151块、森林沼泽湿地斑块增加13块，沼泽湿地湿地斑块共计增加1054块。

人工类型湿地变化：因第一次湿地调查将全部人工湿地划入库塘湿地型，因此，第二次调查人工湿地斑块增加1004块。

表 5-7 新疆第一、二次湿地调查各类湿地比较

湿地类型		湿地面积(公顷)			湿地斑块(块)		
湿地类	湿地型	2011 年	2000 年	增减数	2011 年	2000 年	增减数
河流湿地	永久性河流	681733.44	178297.20	503436.24	3877	30	3847
	季节性河流	145274.71	5142.70	140132.01	1301	13	1288
	洪泛平原	389371.47	22305.00	367066.47	228	1	227
	小 计	1216379.62	205744.90	1010634.72	5406	44	5362
湖泊湿地	永久性淡水湖	306525.44	200830.00	105695.44	380	46	334
	永久性咸水湖	339233.34	495307.00	-156073.70	171	60	111
	季节性淡水湖	98271.19		98271.19	144		144
	季节性咸水湖	30518.12	730.00	29788.12	60	2	58
	小 计	774548.09	696867.00	77681.09	755	108	647
沼泽湿地	草本沼泽	863708.70	345687.00	518021.70	669	131	538
	灌丛沼泽	178437.29	2116.00	176321.29	89	2	87
	内陆盐沼	273723.89	19855.00	253868.89	68	14	54
沼泽湿地	季节性咸水沼泽	180084.92		180084.92	211		211
	沼泽化草甸	123230.36		123230.36	151		151
	森林沼泽	68176.46	1445.00	66731.46	14	1	13
	小 计	1687361.62	369103.00	1318258.62	1202	148	1054
人工湿地	库 塘	184593.47	147608.00	36985.47	419		419
	输水河	40632.74		40632.74	626		626
	水产养殖场	8890.02		8890.02	66		66
	盐 田	35753.50		35753.50	27		27
	小 计	269869.73	147608.00	122261.73	1138	134	1004
合 计		3948159.06	1419323.90	2528836.16	8501	434	8067

注：不包括稻田面积。

3.3 面积变化原因分析

(1)调查方法和手段不同，导致两次调查斑块数和斑块面积有显著差异。

由于两次调查方法和手段不同，第一次调查主要采用收集资料为主，湿地斑块主要在地形图上进行勾画，野外调查和现地验证较少。第二次湿地调查面积上采用的是 3S 技术，采用最新的中巴地球资源卫星遥感数据，同时参考分辨率更高的 SPOT5 等遥感数据，并对重点和一般湿地斑块进行了现地验证，比第一次调查方法更为先进、调查手段更为科学，导致第二次调查湿地斑块数量比第一次湿地调查有显著增加，湿地斑块面积有较大变化，从而导致第二次湿地调查面积较第一次调查有显著变化。

如河流类型湿地2011年调查有5406块，2000年调查时只有44块，斑块数量增加了5362块，导致河流类湿地面积大幅增加。2000年河流类型湿地面积20.57万公顷，2011年河流类型湿地面积达121.64万公顷，增加了101.06万公顷。湖泊类型湿地2011年有755块，2000年调查时只有108块，斑块数量增加了647块，导致湖泊类湿地面积有所增加。2000年湖泊类型湿地面积69.69万公顷，2011年湖泊类型湿地面积77.45万公顷，增加了7.77万公顷。沼泽类型湿地2011年有1202块，2000年调查时只有148块，斑块数量增加了1054块，导致沼泽类湿地面积有所增加。2000年沼泽类型湿地面积36.91万公顷，2011年沼泽类型湿地面积168.74万公顷，增加了131.83万公顷(图5-1、图5-2)。人工湿地面积与一调面积相差不大。新增的人工湿地主要为近年来新增水库、输水渠系，减少的人工湿地主要为靠近农区的湿地开垦为耕地。

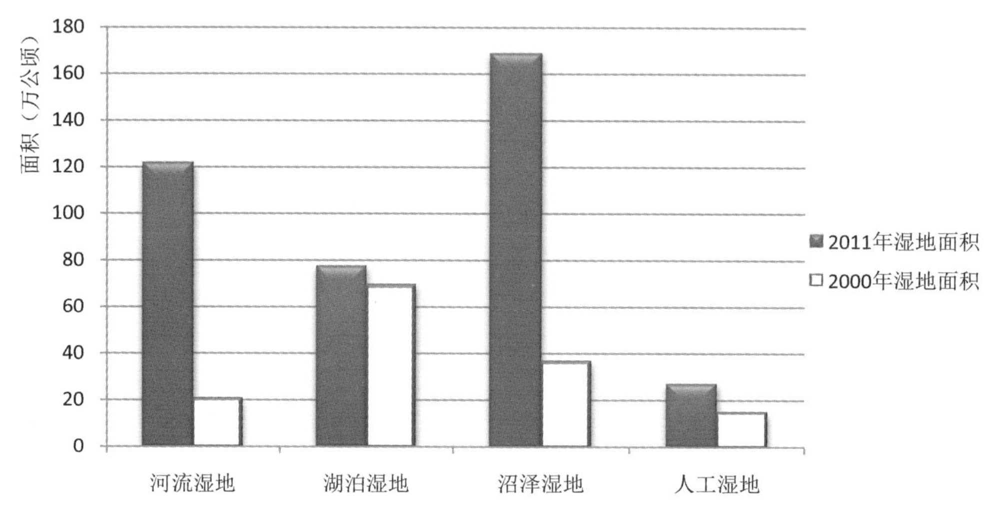

图5-1 两次湿地调查面积对比图

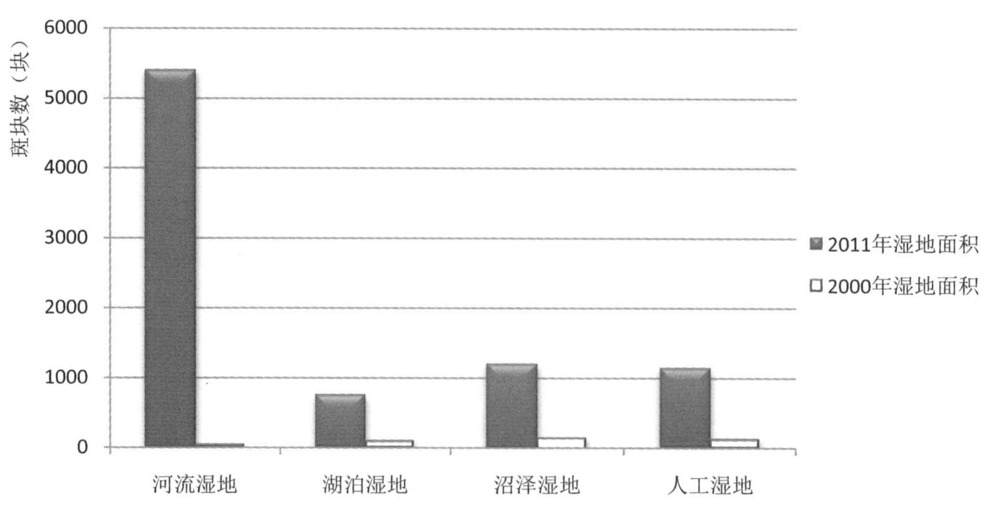

图5-2 两次湿地调查斑块数对比图

(2)气候变化导致湿地面积有所增加。新疆湿地的变化和区域气候的变化有很大的关系，近10年来新疆气候向暖湿变化，使大量永久积雪、冰川融化，加之降水增加，冰川下部的沼泽化草甸面积有所增加，冰川下游的河流、河滩地湿地面积有所增加，沿河的草本沼泽、灌丛沼泽、森林沼泽面积有所增加。永久性咸水湖干涸后变成内陆盐沼，导致内陆盐沼面积有所增加。

(3)起调面积不同。此次调查起始面积是8公顷，相对于第一次调查100公顷的起调面积，大大扩大了调查范围，将第一次调查许多未列入调查范围的湿地列入并统计面积。

4　两次调查100公顷以上湿地面积比较

4.1　100公顷以上湿地面积有增有减，整体增加

本次湿地资源调查与上次调查结果比较(表5-8)显示，100公顷以上湿地总面积增加了234.19万公顷。

表5-8　新疆第一、二次湿地调查100公顷以上各类湿地面积和斑块数比较

湿地类型		湿地面积(公顷)			湿地斑块(块)		
湿地类	湿地型	2011年	2000年	增减数	2011年	2000年	增减数
河流湿地	永久性河流	585487.10	178297.20	407189.90	518	30	488
	季节性河流	113314.20	5142.70	108171.50	178	13	165
	洪泛平原	387521.70	22305.00	365216.70	192	1	191
	小　计	1086323.00	205744.90	880578.10	888	44	844
湖泊湿地	永久性淡水湖	297904.60	200830.00	97074.56	128	46	82
	永久性咸水湖	335208.30	495307.00	-160098.70	77	60	17
	季节性淡水湖	94826.31		94826.31	69		69
	季节性咸水湖	29494.02	730.00	28764.02	35	2	33
	小　计	757433.23	696867.00	60566.19	309	108	201
沼泽湿地	草本沼泽	853424.00	345687.00	507736.98	445	131	314
	灌丛沼泽	177752.05	2116.00	175636.05	58	2	56
	内陆盐沼	272628.90	19855.00	252773.93	49	14	35
	季节性咸水沼泽	177396.10		177396.14	162		162
	沼泽化草甸	121428.80		121428.76	108		108
	森林沼泽	68099.10	1445.00	66654.10	13	1	12
	小　计	1670728.95	369103.00	1301625.96	835	148	687
人工湿地	库　塘	175477.90	147608.00	27869.92	201		201
	输水河	28934.98		28934.98	73		73
	水产养殖场	6999.94		6999.94	24		24
	盐　田	35303.06		35303.06	19		19
	小　计	246715.88	147608.00	99107.90	317		317
合　计		3761201.00	1419323.00	2341878.00	2349	300	2049

注：不包括稻田面积。

100公顷以上永久性河流增加40.72 万公顷、100公顷以上季节性河流增加10.82 万公顷、100公顷以上洪泛平原增加36.52 万公顷，100公顷以上河流湿地型共计增加88.06 万公顷。

100公顷以上永久性淡水湖增加9.71 万公顷、100公顷以上永久性咸水湖减少16.01 万公顷、100公顷以上季节性淡水湖增加9.48 万公顷、100公顷以上季节性咸水湖增加2.88 万公顷，100公顷以上湖泊湿地型共计增加6.06 万公顷。

100公顷以上草本沼泽增加50.77 万公顷、100公顷以上灌丛沼泽增加17.56 万公顷、100公顷以上内陆盐沼增加25.28 万公顷、100公顷以上季节性咸水沼泽增加17.74 万公顷、100公顷以上沼泽化草甸增加12.14 万公顷、100公顷以上森林沼泽增加6.67 万公顷，100公顷以上沼泽湿地型共计增加130.16 万公顷。

因第一次湿地调查将全部人工湿地划入库塘湿地型，因此，第二次调查100公顷以上人工湿地增加9.91 万公顷。

4.2　100公顷以上湿地斑块数量整体有较大增多。

本次湿地资源调查100公顷以上湿地斑块数量与上次调查结果比较显示有较大增长，湿地斑块增加了1857块。

100公顷以上河流类型湿地斑块变化：100公顷以上永久性河流湿地斑块增加488块，100公顷以上季节性河流湿地斑块增加165块，100公顷以上洪泛平原湿地斑块增加191块，100公顷以上河流湿地型湿地斑块共计增加844块。

100公顷以上湖泊类型湿地斑块变化：100公顷以上永久性淡水湖湿地斑块增加82块，100公顷以上永久性咸水湖湿地斑块增加17块，100公顷以上季节性淡水湖湿地斑块增加69块，100公顷以上季节性咸水湖湿地斑块增加33块，100公顷以上湖泊湿地斑块共计增加201块。

100公顷以上沼泽类型湿地斑块变化：100公顷以上草本沼泽湿地斑块增加314块，100公顷以上灌丛沼泽湿地斑块增加56块，100公顷以上内陆盐沼湿地斑块增加35块，100公顷以上季节性咸水沼泽湿地斑块增加162块，100公顷以上沼泽化草甸湿地斑块增加108块，100公顷以上森林沼泽湿地斑块增加12块，100公顷以上沼泽湿地斑块共计增加629块。

100公顷以上人工类型湿地变化：因第一次湿地调查将全部人工湿地划入库塘湿地型，因此，第二次调查100公顷以上人工湿地斑块增加183块。

4.3　面积变化原因分析

（1）调查方法和手段不同，导致两次调查100公顷以上湿地斑块数和斑块面积有显著差异。由于两次调查方法和手段不同，第一次调查主要采用收集资料为主，湿地斑块主要在地形图上进行勾画，野外调查和现地验证较少。第二次湿地调查面积上采用的是3S技术，采用最新的中巴资源卫星遥感数据，同时参考分辨率更高的SPOT5等遥感数据，并对重点和一般湿地斑块进行了现地验证，比第一次调查方法更为先进、调查手段更为科学，导致第二次调查100公顷以上湿地斑块数量比第一次湿地调查有显著增加，湿地斑块面积有较大变化，从而导致第二次湿地调查100公顷以上湿地面积较第一次调查有显著变化。

如100公顷以上河流类型湿地2011年调查有888块，2000年调查时只有44块，斑块数量增加了 844 块，导致 100 公顷以上河流类湿地面积大幅增加。2000 年河流类型湿地面积 20.57 万公顷(图 5-3)，2011 年 100 公顷以上河流类型湿地面积达 108.63 万公顷，增加了 88.06 万公顷。100 公顷以上湖泊类型湿地 2011 年有 309 块，2000 年调查时只有 108 块，斑块数量增加了 201 块，导致 100 公顷以上湖泊类湿地面积有所增加(图 5-4)。2000 年湖泊类型湿地面积 69.69 万公顷，2011 年 100 公顷以上湖泊类型湿地面积 75.74 万公顷，增加了 6.06 万公顷。100 公顷以上沼泽类型湿地 2011 年有 777 块，2000 年调查时只有 148 块，斑块数量增加了 629 块，导致 100 公顷以上沼泽类湿地面积有所增加。2000 年沼泽类型湿地面积 36.91 万公顷，2011 年 100 公顷以上沼泽类型湿地面积 167.07 万公顷，增加了 130.16 万公顷。人工湿地面积与一调面积相差不大。新增的人工湿地主要为近年来新增水库、输水渠系，减少的人工湿地主要为靠近农区的湿地开垦为耕地。

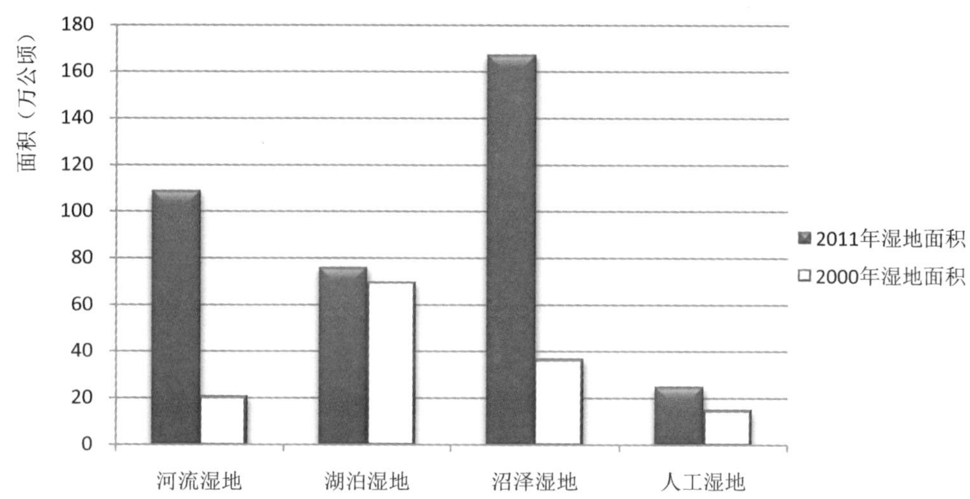

图 **5-3**　两次调查 **100** 公顷以上湿地面积对比图

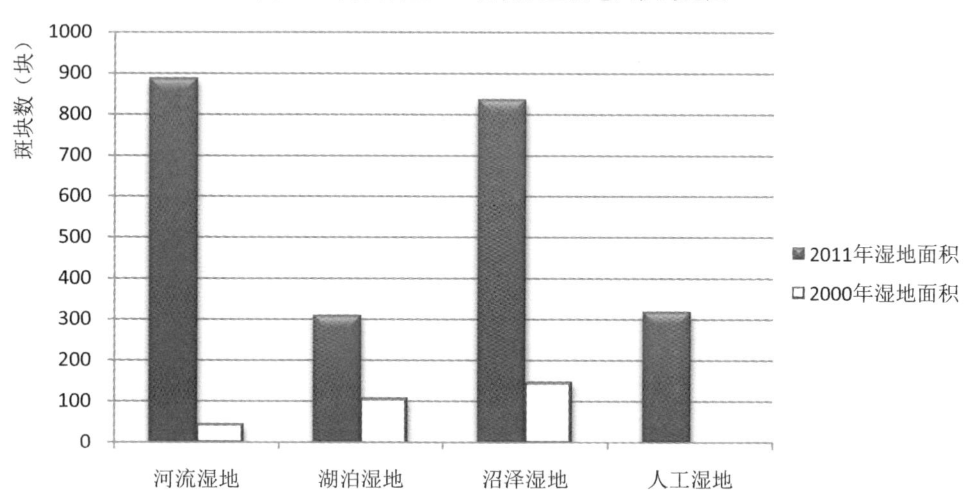

图 **5-4**　两次调查 **100** 公顷以上斑块数对比图

(2)气候变化导致 100 公顷以上湿地面积有所增加。新疆湿地的变化和区域气候的变化有很大的关系，近 10 年来新疆气候向暖湿变化，使大量永久积雪、冰川融化，加之降水增加，冰川下部的沼泽化草甸面积有所增加，冰川下游的河流、河滩地湿地面积有所增加，沿河的草本沼泽、灌丛沼泽、森林沼泽面积有所增加。永久性咸水湖干涸后变成内陆盐沼，导致内陆盐沼面积有所增加。

5 两次调查100公顷以上不同湿地类比较

5.1 100公顷以上河流湿地类面积比较

100公顷以上永久性河流增加40.72万公顷，100公顷以上季节性河流增加10.82万公顷，100公顷以上洪泛平原增加36.52万公顷，100公顷以上河流湿地型共计增加88.06万公顷(图5-5)。

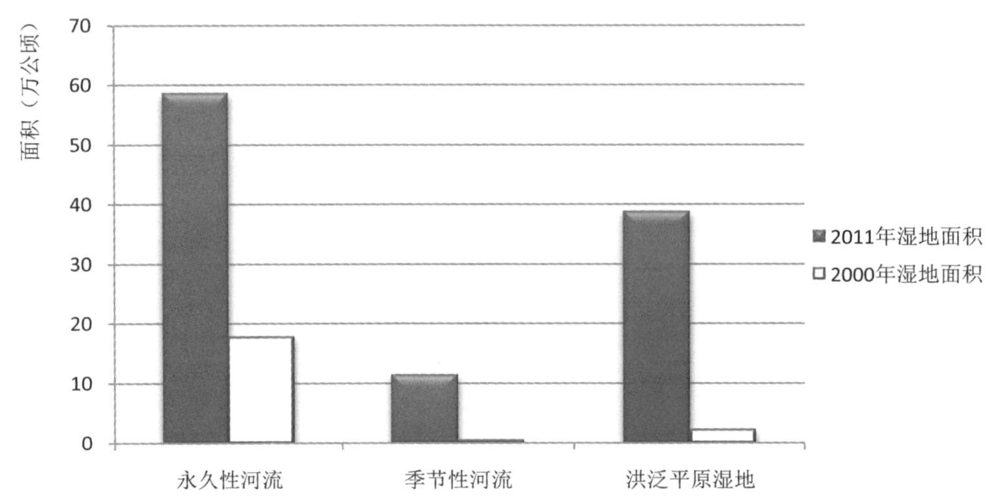

图5-5 两次调查100公顷以上河流湿地面积对比图

主要原因分析：

(1)100公顷以上河流类湿地斑块数量较第一次调查有较大的增长。如100公顷以上永久性河流湿地斑块488块，2000年调查时只有30块，增加了518块；季节性河流湿地斑块178块，2000年调查时只有13块，增加了165块；洪泛平原湿地斑块192块，2000年调查时只有1块，增加了191块。综合以上分析，100公顷以上河流类型湿地有888块，2000年调查时只有44块，斑块数量增加了844块，导致河流类湿地面积大幅增加(图5-6)。

(2)100公顷以上河流类湿地面积较第一次湿地资源调查有较大增长。

新疆第一次湿地资源调查显示：永久性和季节性河流43块，面积18.34万公顷，其中面积较大的有塔里木河湿地面积10.97万公顷，阿克苏河湿地面积1.40万公顷，伊犁河湿地面积1.00万公顷；洪泛平原湿地1块，面积2.23万公顷。

第二次湿地资源调查显示：河流湿地各类型湿地斑块面积较第一次湿地资源调查均有较大范围的增长。如永久性河流湿地中，叶尔羌河湿地面积3.80万公顷，喀拉喀什河湿地面积3.35万公顷，塔里木河湿地面积2.42万公顷，和田河湿地面积5.83万公顷，较上次面积有较大增长。季节性河流湿地中，若羌县的西喀夏克勒克河湿地面积1.17万公顷，且末县的乌鲁克苏湿地面积

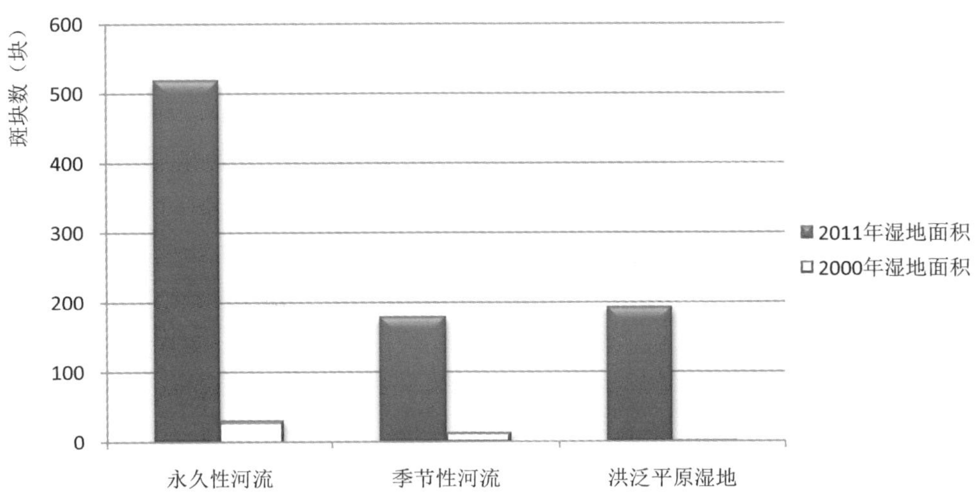

图 **5-6**　两次调查 **100** 公顷以上河流湿地斑块数对比图

0.74 万公顷，若羌县的塞斯克亚湿地面积 0.64 万公顷，较上次面积有较大增长。洪泛平原湿地中，叶尔羌河巴楚县西部洪泛平原湿地面积 3.07 万公顷，塔里木河河滩湿地 1.81 万公顷，哈巴河洪泛平原湿地面积 1.68 万公顷，较上次面积有较大增长。

(3)两次调查方法不同。本次调查面积上采用的是 3S 技术，采用最新的中巴资源卫星遥感数据，同时参考分辨率更高的 SPOT5 等遥感数据，比第一次调查方法更为先进、更为科学，将一调中野外调查无法到达区域的 100 公顷以上河流湿地统计计入面积。

(4)湿地分类更加科学。100 公顷以上河流湿地类型划分更为细致，如 100 公顷以上洪泛平原湿地面积由一调的 2.23 万公顷增加至 38.75 万公顷，增加了 36.52 万公顷。

(5)气候变化导致河流湿地面积有所增加。新疆湿地的变化和区域气候的变化有很大的关系，近 10 年来新疆气候向暖湿变化，使大量永久积雪、冰川融化，加之降水增加，使冰川下游的河流、河滩地湿地面积有所增加，如 100 公顷以上永久性河流面积由一调的 17.83 万公顷增加至 58.55 万公顷，增加了 40.72 万公顷。

5.2　100 公顷以上湖泊湿地面积比较

100 公顷以上永久性淡水湖增加 9.71 万公顷，100 公顷以上永久性咸水湖减少 16.01 万公顷，100 公顷以上季节性淡水湖增加 9.48 万公顷，100 公顷以上季节性咸水湖增加 2.88 万公顷，100 公顷以上湖泊湿地型共计增加 6.06 万公顷(图 5-7)。

本次调查 100 公顷以上湖泊湿地中面积变化最为显著的是 100 公顷以上永久性咸水湖，比上一次调查减少了 16.01 万公顷(图 5-7)。主要原因是气候变暖导致咸水湖蒸发量增加，湖面萎缩，湿地类型由湖泊向沼泽转化，导致永久性咸水湖面积减少。

主要原因分析：

(1)100 公顷以上湖泊类湿地斑块数量较第一次调查有一些变化。如 100 公顷以上永久性淡水湖湿地斑块 128 块，2000 年调查时只有 46 块，增加了 82 块；100 公顷以上永久性咸水湖湿地斑

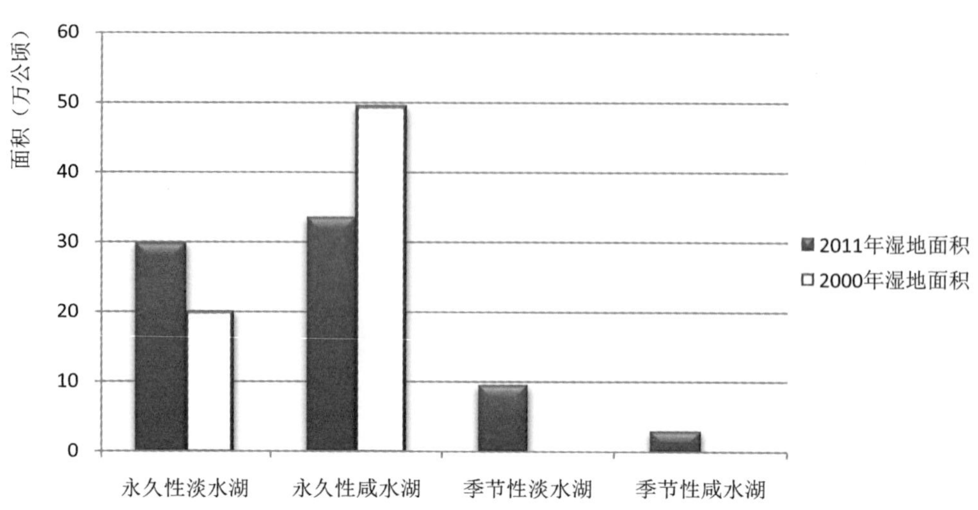

图 **5-7** 两次调查 **100** 公顷以上湖泊湿地面积对比图

块 77 块，2000 年调查时只有 60 块，增加了 17 块；100 公顷以上季节性淡水湖湿地斑块 69 块，2000 年调查时只有 0 块，增加了 69 块；100 公顷以上季节性咸水湖湿地斑块 35 块，2000 年调查时只有 2 块，增加了 33 块。综合以上分析，100 公顷以上湖泊类型湿地有 309 块，2000 年调查时只有 108 块，斑块数量增加了 201 块，导致 100 公顷以上湖泊类湿地面积大幅增加(图 5-8)。

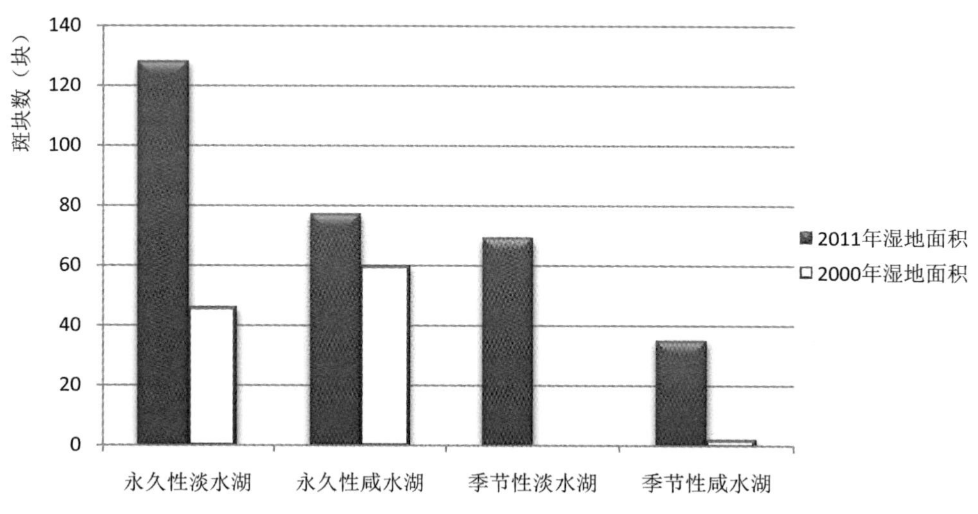

图 **5-8** 两次调查 **100** 公顷以上湖泊湿地斑块数对比图

(2)100 公顷以上湖泊类湿地面积较第一次湿地资源调查有一些变化。

第一次湿地调查显示：永久性淡水湖 46 块，面积 20.01 万公顷，其中面积较大的有依协克帕提湖 1.74 万公顷，博斯腾湖湿地面积 14.38 万公顷。永久性咸水湖 60 块，湿地面积 49.53 万公顷，面积较大的有艾比湖 11.84 万公顷，乌伦古湖面积 10.62 万公顷，阿牙克库木湖面积 9.60 万公顷，赛里木湖面积 4.68 万公顷。

第二次湿地调查显示：100 公顷以上永久性湖泊湿地中，博斯腾湖湿地面积 9.45 万公顷，乌伦古湖湿地面积8.53万公顷，台特玛湖湿地面积2.69万公顷。100公顷以上永久性咸水湖中，阿牙克库木湖面积8.74万公顷，艾比湖面积4.94万公顷，赛里木湖面积4.64万公顷，阿其克库勒湖面积4.43万公顷，较上次面积大大缩小。100公顷以上季节性淡水湖湿地中，塔里木盆地盐碱湖面积2.47万公顷，车尔臣河(且末河)盐碱湖面积0.94万公顷，较上次调查有较大的增长。100公顷以上季节性咸水湖湿地中，卡拉麦里保护区的喀腊干得喀克面积0.28万公顷，齐巴罗依面积0.28万公顷，博湖县的阿克达希面积0.26万公顷，较上次面积有所增加。

(3)两次调查方法不同。本次调查面积上采用的是3S技术，采用最新的中巴资源卫星遥感数据，同时参考分辨率更高的SPOT5等遥感数据，比第一次调查方法更为先进、更为科学，将一调中野外调查无法到达区域的100公顷以上湖泊湿地统计计入面积。

(4)湿地分类更加科学。100公顷以上湖泊湿地类型划分更为细致，如100公顷以上永久性淡水湖湿地面积由一调的20.08万公顷增加至29.79万公顷，增加了9.71万公顷。新增季节性淡水湖湿地，面积9.48万公顷。100公顷以上季节性咸水湖湿地面积由一调的0.07万公顷增加至2.95万公顷，增加2.88万公顷。100公顷以上永久性咸水湖湿地面积由一调的49.53万公顷减少至33.52万公顷，减少了16.01万公顷。

(5)气候变暖导致咸水湖蒸发量增加，湖面萎缩，湿地类型由湖泊向沼泽转化，导致100公顷以上永久性咸水湖面积减少，内陆盐沼面积增加。

5.3　100公顷以上沼泽湿地面积比较

100公顷以上草本沼泽增加50.77万公顷、100公顷以上灌丛沼泽增加17.56万公顷、100公顷以上内陆盐沼增加25.28万公顷、100公顷以上季节性咸水沼泽增加17.74万公顷、100公顷以上沼泽化草甸增加12.14万公顷、100公顷以上森林沼泽增加6.67万公顷，100公顷以上沼泽湿地型共计增加130.16万公顷(图5-9)。主要原因分析如下：

(1)100公顷以上沼泽类湿地斑块数量较第一次调查有较大的增长。

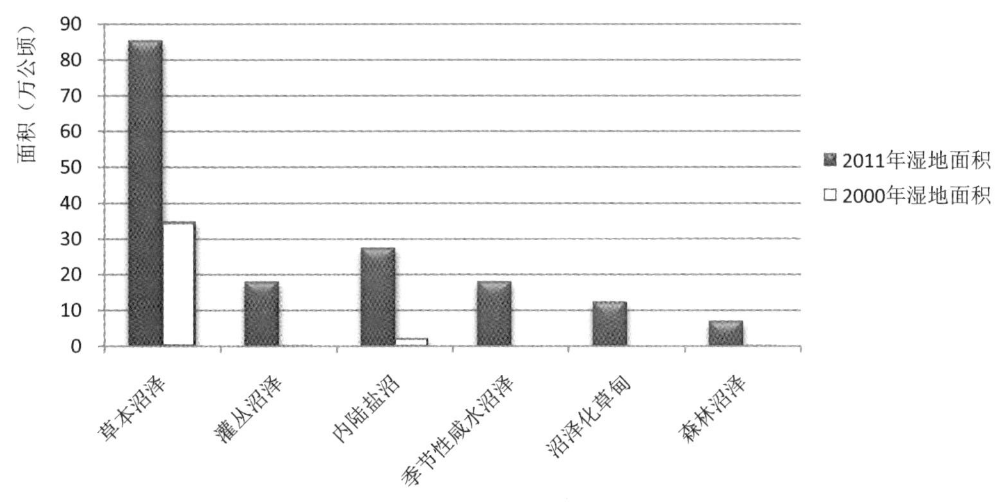

图**5-9**　两次调查**100**公顷以上沼泽湿地面积对比图

如100公顷以上灌丛沼泽湿地斑块58块，2000年调查时只有2块，增加了56块；100公顷以上季节性咸水沼泽湿地斑块162块，2000年调查时未区划，增加了162块；100公顷以上沼泽化草甸湿地斑块108块，2000年调查时未区划，增加了108块；100公顷以上草本沼泽湿地斑块445块，2000年调查时只有131块，增加了314块。综合以上分析，100公顷以上沼泽类型湿地有777块，2000年调查时只有148块，增加了629块，导致100公顷以上沼泽类型湿地面积大幅增加(图5-10)。

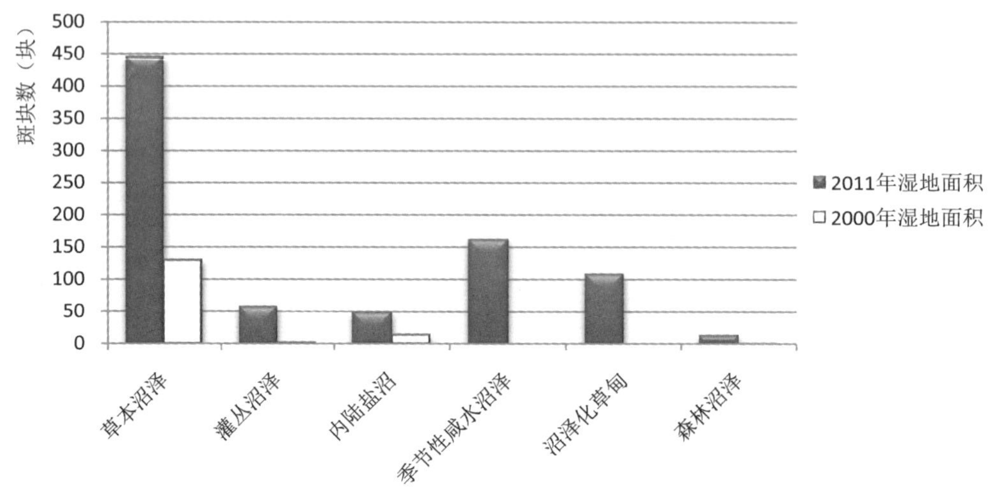

图 **5-10** 两次调查 **100** 公顷以上沼泽湿地斑块数对比图

(2)100公顷以上沼泽类湿地面积较第一次湿地资源调查有较大增长。

第一次调查显示：草本沼泽131块，面积34.57万公顷，其中面积较大的有巴音布鲁克保护区沼泽湿地面积10.98万公顷，克兰奎汉面积3.60万公顷，尕落吐沼泽面积1.66万公顷，群克尔沼泽湿地面积1.00万公顷。面积大于100公顷的内陆盐沼14块，面积1.99万公顷，其中面积较大的有艾丁湖面积0.77万公顷，硝尔库勒湿地面积0.46万公顷，罗布泊未赋湿地面积。

第二次调查显示：草本沼泽中，巴音布鲁克自然保护区中的大尤尔都斯沼泽面积8.40万公顷，科克苏湿地沼泽面积4.00万公顷，尕斯库勒沼泽面积3.75万公顷，小尤尔都斯湿地面积3.69万公顷，较上次面积有较大增长。灌丛沼泽湿地中，克里雅河沼泽湿地3.82万公顷，塔里木胡杨林公园沼泽面积1.08万公顷，恰拉水库沼泽面积0.87万公顷，较上次面积有较大增长。森林沼泽湿地中，塔里木河沙雅胡杨沼泽面积3.85万公顷，世界胡杨林公园沼泽面积0.85万公顷，阿瓦提县上游水库南胡杨沼泽面积0.83万公顷，较上次面积有较大增长。季节性咸水沼泽中，艾丁湖盐沼面积1.31万公顷，若羌县的伊阡巴河河口湿地面积0.85万公顷，和田县的对耳湖湿地面积0.72万公顷，较上次面积有较大增长。沼泽化草甸湿地中，轮台县的桑塔木林场湿地面积0.78万公顷，塔什库尔干塔吉克自治县的狗熊沟湿地面积0.73万公顷，较上次面积有较大增长。

(3)两次调查方法不同。本次调查面积上采用的是3S技术，采用最新的中巴地球资源卫星遥感数据，同时参考分辨率更高的SPOT5等遥感数据，比第一次调查方法更为先进、更为科学，将一调中野外调查无法到达区域的100公顷以上沼泽湿地统计计入面积。

(4)湿地分类更加科学。100公顷以上沼泽湿地类型划分更为细致，新增了季节性咸水沼泽、沼泽化草甸湿地类型，灌丛沼泽、草本沼泽、内陆盐沼也较一调面积有较大的增长。

(5)气候变化导致100公顷以上沼泽湿地面积有所增加。新疆湿地的变化和区域气候的变化有很大的关系，近10年来新疆气候向暖湿变化，使大量永久积雪、冰川融化，加之降水增加，使冰川下游的河流湿地面积有所增加，从而导致沿河的草本沼泽、灌丛沼泽、森林沼泽面积有所增加。山区的沼泽化草甸面积有所增加。永久性咸水湖干涸后变成内陆盐沼，导致内陆盐沼面积有所增加。

5.4 100公顷以上人工湿地面积比较

因为第一次调查只调查了库塘湿地，并且未区分兵团和地方人工湿地，因此，不同类型间湿地面积无法对比，只能做人工湿地面积的比较。本次调查100公顷以上人工湿地面积较一调增加了9.91万公顷。

第一次湿地资源调查中，面积大于100公顷的水库134块，面积14.76万公顷。其中面积较大的有大西海子水库面积1.84万公顷，小海子水库面积1.05万公顷，上游水库面积0.96万公顷，主要分布在兵团境内。

第二次湿地资源调查中，面积大于100公顷以上的人工湿地面积24.67万公顷，湿地斑块317块。库塘湿地中，永安坝水库面积1.01万公顷，小海子水库面积0.90万公顷，上游水库湿地面积0.85万公顷。输水河湿地中，喀什河湿地面积0.50万公顷，乌什渠系面积0.13万公顷，托格腊斯当面积0.12万公顷。水产养殖场湿地中，多浪水库东鱼塘湿地面积0.12万公顷，头屯河东部鱼塘面积0.1万公顷，沃土孜洛克北鱼塘面积0.05万公顷。盐田湿地中，若羌县钾盐矿面积1.56万公顷，吐鲁番市的乌宗布拉克盐田面积0.29万公顷，玛纳斯湖盐田面积0.29万公顷，是第一次调查未列入的调查类型。

综上所述，新疆人工湿地面积与一调面积相差不大，有一定程度的增长。新增的人工湿地主要为近年来新增水库、输水渠系，减少的人工湿地主要为靠近农区的湿地开垦为耕地。

第六章 湿地保护与利用

第一节 湿地保护管理现状

1 湿地保护状况

1.1 湿地生物多样性保护

近年来，自治区各级主管部门不断加大湿地保护管理工作力度，湿地保护与恢复工作日益得到重视。在认识上，经历了把湿地看成是荒滩荒地到把湿地作为重要的生态系统的转变。在思想理念上，经历了由注重开发利用到保护与利用并重，并逐步做到保护优先的转变。在行为上，经历了由大量开发到合理利用的转变。这些转变对湿地生物多样性保护工作具有十分重要的意义。

目前新疆湿地物种中受到国家重点保护的物种计 21 种，属国家Ⅰ级保护的有 5 种，国家Ⅱ级保护的有 16 种，其中水獭和黑颈鹤已列入 CITES 附录Ⅰ名录；黑鹳、白头硬尾鸭和蓑羽鹤已列入 CITES 附录Ⅱ名录；大白鹭、针尾鸭、琵嘴鸭、绿翅鸭、赤颈鸭、白眉鸭和白眼潜鸭已列入 CITES 附录 Ⅲ 名录。

中亚北鲵是珍贵的有尾两栖类动物，是天山和阿拉套山抬升时存活下来的孑遗动物，在脊椎动物系统演化的研究中具有不可替代的作用，已在温泉县建立"温泉中亚北鲵自然保护区"，对其展开了有效保护。为加强蒙新河狸及其栖息地的保护，已于 1980 年在新疆青河县建立了"布尔根河狸自然保护区"，并开展了多方面的种群生态学和资源保护管理方面的科学研究工作。

1.2 湿地自然保护区建设

建立湿地保护区是保存具有特殊意义的湿地生态系统，以达到保护湿地物种及其遗传多样性的目的，是湿地保护的重要措施。新疆已建的 49 处自然保护区中很多都有湿地存在，其中有 7 处是国家级或自治区湿地类型自然保护区，即巴音布鲁克国家级自然保护区、布尔根河狸自然保护区、科克苏湿地自然保护区、温泉中亚北鲵自然保护区、艾比湖湿地自然保护区、阿勒泰两河源头自然保护区、额尔齐斯河科克托海湿地自然保护区。在阿克苏地区、伊犁哈萨克自治州等建立了多个县级湿地自然保护区。这些自然保护区在保护物种多样性和湿地资源等方面发挥着极其重要的作用。其他如哈纳斯国家级自然保护区、天池自然保护区、托木尔峰国家级自然保护区等诸多保护区内均有湿地存在。这些自然保护区遍布天山南北，形成了新疆保护区和湿地保护管理网络体系，在保护湿地生态系统功能和生物多样性等方面发挥着重要作用。

1.3 湿地保护重点工程建设

根据国家林业局、科学技术部、国土资源部等九部委编制的《全国湿地保护工程规划》(2002～2030年)，经国务院批复后，由九部委编制了《全国湿地保护工程实施规划》(2005～2010年)，新疆的国家重要湿地及部分湿地保护区已纳入到该实施规划中。国家林业局已批准了阿勒泰两河源头湿地保护区建设工程、新疆环博斯腾湖湿地生物治碱工程等湿地保护与恢复工程建设项目，自治区发改委已批复了新疆塔里木河沙雅湿地保护与恢复工程项目等湿地保护与恢复项目。目前已开始实施了艾比湖湿地保护区建设项目、孔雀河流域湿地保护与恢复工程项目、科克苏湿地保护与恢复工程项目等湿地保护与恢复项目。随着这些湿地保护重点工程项目的实施，一批新疆重点湿地得到有效保护，湿地生态环境得到有效改善。

1.4 水资源保护与管理

新疆历来重视水资源的保护与管理工作，多年来采取各种措施解决水资源短缺和水源地保护问题，在水资源优化配置、调整用水结构、加强水源地保护、普及节水灌溉技术、提高水资源利用率等方面做了大量的工作。

塔里木河流域实施近期综合治理，以强化水资源统一管理、调度和优化配置为核心，通过对干流灌区节水改造、生态移民搬迁、退耕还林及荒漠林草封育和干流河道治理等工程，增加塔里木河下游的供水量，恢复和扩大天然植被面积，逐步改善塔里木河流域的生态环境质量。项目实施后，达到了预期效果，取得了良好的生态、社会和经济效益。

1.5 湿地生态治理和污染控制

湿地污染源主要来自工业废水、生活污水的排放、农药、化肥的施用。为加强湿地生态环境治理和污染控制，新疆积极稳步地实施了各项管理制度和措施，使新疆水环境污染控制和防治水平不断提高。通过停止采伐天然林、开展封山育林、退耕还林和加大山区综合治理等措施，治理湿地生态环境，防治水土流失。同时在严格控制工业企业“三废”排放，减轻农药和化肥对湿地的污染等方面都做了大量的工作。

2 湿地管理现状

2.1 湿地保护管理机构

湿地管理是一项跨部门、跨行业、跨地区的综合工作，需由多部门的协调与合作才能完成。新疆已初步形成了由林业、水利、农业、环保、国土资源等部门组成的湿地保护管理网络，在新疆湿地保护管理工作中发挥着重要作用。进一步建立健全湿地保护的组织机构，强化湿地保护的组织机构建设，是今后湿地保护管理组织机构建设的重点。新疆已成立林业厅自然保护区和湿地管理办公室，组织、协调全疆湿地保护管理和湿地野生动植物资源的保护管理工作，各地州、县市也相应建立了保护管理机构，形成自上而下的湿地保护体系。目前全疆从事湿地保护管理的专(兼)职人员有250余人。

2.2 湿地管理法律法规、政策措施

在国家湿地保护管理相关法律法规、规划文件的基础上，新疆结合本地区实际情况，制定了相应的实施办法及地方性的法规条例、规划文件和管理办法。如《新疆维吾尔自治区关于实施〈森林法〉的若干规定》《新疆维吾尔自治区实施〈渔业法〉办法》《新疆维吾尔自治区环境保护条例》《新疆维吾尔自治区野生植物保护条例》《新疆维吾尔自治区实施〈中华人民共和国野生动物保护法〉办法》等法规、条例，《新疆湿地保护工程规划(2005~2030年)》《新疆野生动植物保护及自然保护区建设工程总体规划(2005~2030年)》等中长期规划，湿地保护工作的法规体系逐渐完善，促进新疆的湿地保护工作逐步走上科学化、法制化的轨道。

2.3 湿地资源调查和湿地科学研究

为摸清新疆湿地资源的自然本底情况，为进一步制定科学合理的保护管理措施提供科学依据，2000年，新疆组织国内外的科学研究和教学部门，对新疆的湿地资源进行了多种类型的考察、研究。在对新疆湿地主要类型、面积、分布、湿地野生动植种类、湿地资源保护与管理状况进行了较为全面调查的基础上，编制完成了《新疆湿地资源调查报告》，初步掌握了新疆湿地资源的本底资料，为新疆湿地保护管理与规划提供了决策性依据。

多年来，相关部门、科研院所、教学部门就新疆重点湿地的分类、形成演化、生态保护、污染治理、合理开发利用以及湿地野生动植物保护管理等领域开展了多方面的研究，对塔里木河流域、伊犁河流域、博斯腾湖、艾比湖、巴音布鲁克湿地、乌伦古湖、青格达湖等重要湿地开展了深入的研究，积累了大量的研究资料。对河狸、天鹅、北鲵等湿地野生动物开展了种群数量、分布区、生物学习性、主要威胁因子、保护管理措施等多方面的研究。这些研究成果为湿地生态环境保护治理、湿地野生动植物保护管理等工作提供了重要的科学依据。

2.4 宣传与教育

为了提高全社会的湿地保护意识，有关部门在全疆各地开展多种形式的宣传教育活动，全方位、多形式、多渠道地开展湿地保护宣传教育，大力宣传湿地的功能效益和湿地保护的意义。利用“世界湿地日”“爱鸟周”“野生动物保护月”等时机，积极组织开展保护湿地、保护野生动植物的相关活动，收到了良好的宣传教育效果，促进了全民保护意识的提高。同时，有关部门多次举办湿地保护管理科研培训班，提高了湿地保护管理人员的湿地知识水平和管理能力。

第二节
湿地保护管理建议

鉴于新疆湿地资源的现状及存在的问题，采取多方面有效措施，减缓人为因素造成的湿地退化，尽可能恢复已退化湿地生态系统，是湿地保护的当务之急，这对于湿地资源保护具有十分重要的意义。

1　建立部门协调机制

目前新疆的湿地管理主体较多，涉及农业、林业、国土、水利和环保等多个部门，而多部门管理的结果又往往是管理混乱，缺乏协调性。由于新疆在湿地管理工作中缺乏相应的政策，再加上各管理机构的管理权限冲突、协调能力差，湿地管理的难度非常大。因此要加强湿地资源的管理工作，建立高效的湿地保护与管理协调机制是关键。为此有必要在政府部门设置一个具有能够促进各管理部门协调发展的功能部门，以便于对湿地资源进行有效的保护建立一种行之有效的部门间协调机制，在实际操作中还要强化湿地资源的统一和综合管理，并采取统一管理和分类分层管理相结合、一般管理和重点管理相结合的措施，切实做好湿地资源分类管理和重点管理工作。

2　把湿地保护与合理利用纳入法制轨道

新疆的湿地管理工作起步较晚，缺乏专门的法律法规，而相应政策体系也不完善。因此，加快湿地保护的立法进度、制定完善的法制体系是有效保护湿地和实现湿地资源可持续利用的关键。而建立有效的湿地管理经济政策对于新疆湿地资源的保护和合理利用也有着重要意义。为此，应加快新疆湿地立法工作进程，尽快出台《新疆湿地保护条例》，在新疆湿地保护管理、湿地科学研究、受损湿地恢复，水库建设、大型引水工程对于湿地生态系统的影响评估等方面发挥指导作用，加强执法机构和执法队伍建设，提高执法人员的整体素质和业务水平，强化执法手段，加强执法力度，使湿地保护具有强有力的法律保障体系。

3　转变观念，加强教育，提高全民湿地保护新理念

对湿地保护和湿地资源的合理利用，很大程度上取决于公众对湿地功能的认识。提高公众的保护意识，强化公众的湿地保护意识和资源忧患意识，加强公众参与意识，才能有效地保护和管理。进一步加强湿地培训与教育工作，特别是负责湿地管理的各级领导干部和从事湿地管理的人员，通过学习、培训，提高他们管理湿地的素质和水平，为湿地保护创造有利条件。在有关高校设立相关专业，开设相关课程、培养专业人才。

通过广播、电视、报纸、书刊、宣传画册、学校教育等多种手段，把加强宣传教育、提高全民湿地保护意识作为湿地保护管理的基础性、前提性工作来抓。按《全国湿地保护工程规划》，抓紧建设好全疆几个有代表性的湿地宣传教育培训中心，形成较为完善的宣教网络。在全社会造成一种爱护湿地、保护湿地的良好社会风气。

4 加强生态环境脆弱地带湿地的保护管理力度

新疆的湿地不仅在我国湿地中占有较大的比重，而且分布在江河源头地区、绿洲、河滩、内陆湖滨等生态环境敏感地带，一旦破坏则很难恢复。因此，要重点加强对绿洲区内部、江河源头、内陆湖滨等生态脆弱地区的湿地的保护管理力度。

新疆湿地目前存在的主要问题是绿洲内部农用地开垦和城市开发占用自然湿地造成湿地面积减少和湿地生态环境质量下降。因此，下一阶段工作重点是加强对绿洲外围和内部湿地资源的保护管理力度，特别是一些位于绿洲区内、对于区域生态安全、经济发展和社会进步有不可替代重要作用的一些国家重要湿地，如叶尔羌河流域湿地、伊犁河湿地、乌鲁木齐河湿地、阿克苏湿地、渭干河流域湿地、额尔齐斯河湿地，加强湿地保护管理力度，维持现有湿地面积，恢复湿地生态环境质量。对于一些处在江河源头、内陆湖滨地带，在维持区域生态环境质量、保障当地居民生产生活安全有重要影响的国家重要湿地，如阿尔泰山两河源头湿地、博斯腾湖湿地、乌伦古湖和吉力湖湿地、巴里坤湖湿地、艾丁湖湿地、玛纳斯湖湿地、塔里木河下流尉犁湿地，也要切实加强保护管理力度，避免湿地退化消失。加强对乌伦古河湿地、台特玛湖湿地、塔城北山湿地、新井子水库等水源地的保护力度，保障当地居民生产、生活用水安全。

5 加大自然保护区、湿地公园的建设力度

建立湿地自然保护区、湿地公园是加强湿地保护的一个重要手段，新疆已建立了一些湿地类型的自然保护区，一些重要湿地生态系统及赖以生存的湿地动植物资源得到有效的保护。在已进行湿地资源调查成果的基础上，今后将进一步加大湿地自然保护区、湿地公园的建设力度，在十二五期间，将逐步实施《新疆湿地保护工程十二五规划》《新疆湿地公园总体规划》，在哈纳斯国家级自然保护区、巴音布鲁克国家级自然保护区、阿尔泰山两河源头自然保护区等列入十二五规划的自然保护区实施湿地保护工程，在额尔齐斯河湿地、喀什河湿地等列入十二五规划的湿地实施湿地保护与恢复工程，在赛里木湖国家湿地公园、乌齐里克河源国家湿地公园、尼雅国家湿地公园等列入十二五规划的湿地公园实施湿地公园保护与恢复工程。通过续建和今后新建湿地类型的自然保护区、湿地公园，实施重点湿地保护与恢复工程项目，从而建立起布局合理、类型齐全、重点突出、面积适宜的湿地生态保护系统，并制定统一的湿地类型保护管理标准，提高湿地保护区、湿地公园管理的规范化水平，提高保护管理机构在湿地资源监测、湿地科学研究和保护管理水平等方面的能力和水平。

6 广开募资渠道，加大湿地保护力度

湿地保护与管理需要一定的资金。目前，由于资金短缺，使许多湿地保护计划和行动难以实施，必要的湿地基础建设滞后。经费的严重不足，已经成为制约湿地保护和利用的瓶颈。为此，应尽快将湿地保护纳入国民经济和社会发展规划与年度计划，纳入生态环境建设规划与计划，将湿地保护资金列入财政预算，以保证湿地保护行动计划的实施。同时，政府应加大对湿地生态环境保护管理的资金投入和科学技术投入，建立湿地生态环境保护基金。基金的来源主要应该从湿地经济作物或经济活动的资金中提取一定比例的资金，同时应积极争取关心湿地生态环境保护的国内外社团和个人的捐赠。充分利用湿地保护已成为全球生物多样性保护的重点和热点，争取国

际组织和相关机构支持的有利条件，在现有国际合作项目的基础上，推出一批资金需求量大、技术含量高的湿地保护管理示范项目，引进国际资金和先进技术，提高新疆湿地保护管理能力。

7 加强科学研究，扩大国际合作，建立强大的科技保障体系

加强对湿地的科学研究，特别是为湿地保护与合理利用服务的应用基础研究和应用研究，为湿地保护与合理利用提供科学依据。新疆湿地科学研究与资源监测能力十分薄弱，极大地增加了湿地保护管理工作开展的难度，制约了湿地保护与管理的进行。要建立健全湿地保护的科技支撑体系，加大投入，及时掌握国外最新的学术研究，总结湿地保护、开发、利用的最新经验，加强在湿地功能、湿地保护管理模式、湿地生态效益、湿地生物多样性、湿地合理开发利用等方面的科学研究，提高科研能力和水平，在此基础上提出科学合理的湿地保护管理措施和方案。在加强湿地科技试点示范工作，总结出适合新疆湿地保护与恢复的成功模式，尽快在实际工作中推广应用，真正转化为现实生产力，提高科技对湿地保护的贡献率。

8 建立湿地合理利用的可持续利用模式

将湿地保护与合理利用纳入到自治区的土地利用、生态治理、资源恢复等方面的管理计划中，要加大退耕还林、还草、还湖和还沼的力度，强化各级管理部门的责任感，并通过营造生态环保林和水源涵养林的方式，防止水土流失，减少河湖淤积。要制定与水资源保护相关的水资源管理战略，加强水资源开发对湿地生态环境影响的预测和监测，并通过建立最优河流水量分配方式来维持流域重要湿地的自然状态及生态功能。要严格控制湿地周围的污染源、污染物数量和排污途径，而对于已受污染的河流、湖泊和沼泽等，要有计划地进行治理并恢复其生态功能。

湿地的利用是多方面的，但目前各方面非常不均衡，湿地利用在各行业间差别较大。全疆湿地在农业方面的利用率较高，最广泛的是灌溉，为新疆的农牧业生产提供了可靠的保证。在旅游和水产养殖方面利用较少。人民的生活水平正逐步提高，旅游休闲逐渐已成为人们生活不可缺少的组成部分，其需求正逐步增强。因此，管理部门应对湿地周围的产业布局(农业、工业、水产养殖、旅游业、商业)进行科学规划和管理，提高湿地综合利用率。

(1)加强对湿地生态系统的经济种产品的管理，湿地产生的生物量是仅次于热带雨林的生物量，居全世界各生态系统第二，应重点保护湿地生态环境，积极治理湿地的污染，增加湿地生态环境保护的资金投入。

(2)建立湿地生态环境补偿机制，确保生态环境保护基金的渠道畅通。征占用湿地必须要做征占用湿地生态环境影响评价，确实影响湿地面积和湿地质量的要交纳湿地补偿费。对于无序排放工业污水和生活废水，造成湿地严重污染和湿地生物多样性破坏的行为，按照湿地生态环境补偿机制，除赔偿损失外，还要采取措施责令恢复湿地生态环境质量和功能。

(3)有能力搞开发的湿地，在不改变当地湿地功能的情况下，积极开展湿地生态环境保护与持续利用的工作，并加强人工生态环境的建设。坚持谁治理谁受益的原则，调动全社会重视和投入湿地生态系统保护的积极性。

(4)建立湿地生态环境保护基金，积极争取关心湿地生态环境保护的国内外社团和个人的捐赠，积极争取国际的或联合国有关组织的资助。

附录 1　新疆湿地调查区域植物名录

序号	科	属	种	
			中文名	拉丁名
(一)蕨类植物				
1	卷柏科	卷柏属	圆枝卷柏	*Selaginella sanguinolenta*
2	木贼科	木贼属	节节草	*Equisetum ramosissimun*
3			水木贼	*Equisetum fluviatile*
4			无枝水木贼	*Equisetum fluviatile* f. *linnaeanum*
5			犬问荆	*Equisetum palustre*
6			问　荆	*Equisetum arvense*
7			山木贼	*Equisetum sylvaticum*
8			林问荆	*Equisetum silvaticum*
9	中国蕨科	珠蕨属	稀叶珠蕨	*Cryptogramma stelleri*
10	蹄盖蕨科	冷蕨属	北方冷蕨	*Cystopteris dickiana*
11			冷蕨	*Cystopteris fragilis*
12	铁角蕨科	铁角蕨属	泉生铁角蕨	*Asplenium pseudofontanum*
13	铁线蕨科	铁线蕨属	铁线蕨	*Adiantum capillus - veneris*
14	金星蕨科	沼泽蕨属	沼泽蕨	*Thelyperis palustris*
15	鳞毛蕨科	耳蕨属	耳蕨	*Polystichum lonchitis*
16			天山耳蕨	*Polystichum parasinense*
17			棕鳞耳蕨	*Polystichum braunii*
18			阿拉套山耳蕨	*Polystichum alatawshanicum*
19		鳞毛蕨属	欧洲鳞毛蕨	*Dryopteris filix - mas*
20	苹　科	苹　属	苹	*Marsilea quadrifolia*
21			埃及苹	*Marsilea aegyptica*
22	槐叶苹科	槐叶苹属	槐叶苹	*Salvinia natans*
(二)裸子植物				
1	松　科	冷杉属	西伯利亚冷杉	*Abies sibirica*
2		云杉属	西伯利亚松	*Pinus sibirica*
3			雪岭云杉	*Picea schrenkiana*
4			西伯利亚云杉	*Picea obovata*
5		落叶松属	西伯利亚落叶松	*Larix sibirica*
6	柏　科	圆柏属	新疆方枝柏	*Juniperus pseudosabina*
7			欧亚圆柏	*Juniperus sabina*

（续）

序号	科	属	种	
			中文名	拉丁名
8	麻黄科	麻黄属	西藏麻黄	*Ephedra tibetica*
9			蓝枝麻黄	*Ephedra glauca*
（三）被子植物				
1	杨柳科	杨属	胡杨	*populus euphratica*
2			灰叶胡杨	*Populus pruinosa*
3			欧洲山杨	*Populus tremula*
4			银白杨	*populus alba*
5			新疆杨	*populus alba* var. *phyramidalis*
6			银灰杨	*populus cancecens*
7			伊犁杨	*populus iliensis*
8			黑杨	*populus nigra*
9			苦杨	*populus laurifolia*
10			密叶杨	*populus talassica*
11			柔毛杨	*populus pilosa*
12		柳属	五蕊柳	*salix pentandra*
13			黄花柳	*Salix caesia*
14			戟柳	*Salix hastata*
15			谷柳	*Salix taraibensis*
16			蒿柳	*Salix viminalis*
17			准噶尔柳	*salix songarica*
18			白柳	*salix alba*
19			灰毛柳	*Salix cinerea*
20			蓝叶柳	*Salix capusii*
21			二色柳	*Salix albertii*
22			齿叶柳	*Salix serrulatifolia*
23			线叶柳	*Salix wilhelmsiana*
24			吐兰柳	*Salix turanica*
25			鹿蹄柳	*Salix pyrolifolia*
26	桦树科	桦木属	小叶桦	*Betula microphylla*
27			疣枝桦	*Betula pendula*
28			圆叶桦	*Betula rotundifolia*
29			沼泽桦	*Betula humilis*
30			艾比湖小叶桦	*Betula ebnurica*
31	胡桃科	胡桃属	核桃	*Juglans regin*
32	榆科	榆属	白榆	*Ulmus pumila*
33	荨麻科	荨麻属	焮麻	*Urtica cannabina*
34			异株荨麻	*Urtica dioica*
35	檀香科	百蕊草属	百蕊草	*Thesium repens*

（续）

序号	科	属	种	
			中文名	拉丁名
36	蓼科	山蓼属	山蓼	*Oxyria digyna*
37		大黄属	网脉大黄	*Rheum reticulatum*
38			密序大黄	*Rheum compactum*
39		冰岛蓼属	冰岛蓼	*Koenigia islandica*
40		酸模属	盐生酸模	*Rumex marschallianus*
41			矮酸模	*Rumex halacsyi*
42			长根酸模	*Rumex thyrsiflorus*
43			乌克兰酸模	*Rumex ucranicus*
44			长刺酸模	*Rumex maritimus*
45			窄叶酸模	*Rumex stenophyllus*
46			喀什酸模	*Rumex kaschgaricus*
47			皱叶酸模	*Rumex crispus*
48			长叶酸模	*Rumex longifolius*
49			巴天酸模	*Rumex patientia*
50			红干酸模	*Rumex rechingerianus*
51			帕米尔酸模	*Rumex pariricus*
52			糙叶酸模	*Rumex confertus*
53			天山酸模	*Rumex tianschanicus*
54			水生酸模	*Rumex aquaticus*
55			酸模	*Rumex acetosa*
56		木蓼属	木蓼	*Atraphaxis frutescens*
57			额河木蓼	*Atraphaxis jrtyschensis*
58		蓼属	高山蓼	*Polygonum alpinum*
59			萹蓄	*Polygonum aviculare*
60			松叶蓼	*Polygonum acerosum*
61			盐生蓼	*Polygonum corrigioloides*
62			酸模叶蓼	*Polygonum lapathifolium*
63			珠芽蓼	*Polygonum viviparum*
64			新疆蓼	*Polygonum patulum*
65			两栖蓼	*Polygonum amphibium*
66			桃叶蓼	*Polygonum persicaria*
67			水蓼	*Polygonum hydropiper*
68			准噶尔蓼	*Polygonum songoricum*
69			细叶西伯利亚蓼	*Polygonum sibiricum* var. *rhomonii*
70			银鞘蓼	*Polygonum argyrocoleum*
71			地皮蓼	*Polygonum cognalum*

（续）

序号	科	属	种	
			中文名	拉丁名
72	藜科	盐角草属	盐角草	*Salicornia europaea*
73		盐爪爪属	尖叶盐爪爪	*Kalidium cuspidatum*
74			里海盐爪爪	*Kalidium caspicum*
75			盐爪爪	*Kalidium foliatum*
76			圆叶盐爪爪	*Kalidium scrhrenkianum*
77			细枝盐爪爪	*Kalidium gracile*
78		盐节木属	盐节木	*Halocnemum strobiaceum*
79		盐穗木属	盐穗木	*Halostachys caspica*
80		轴藜属	杂配轴藜	*Axyris hybrida*
81			平卧轴藜	*Axyris prostrata*
82		驼绒藜属	驼绒藜	*Ceratoides latens*
83		滨藜属	光滨藜	*Atriplex laevis*
84			西伯利亚滨藜	*Atriplex sibirica*
85			滨藜	*Atriplex patens*
86			白滨藜	*Atriplex cana*
87			鞑靼滨藜	*Atriplex tatarica*
88			戟叶滨藜	*Atriplex hastata*
89			异苞滨藜	*Atriplex micrantha*
90			中亚滨藜	*Atriplex centralasiatica*
91			野滨藜	*Atriplex fera*
92		藜属	灰绿藜	*Chenopodium glaucum*
93			红叶藜	*Chenopodium rubrum*
94			球花藜	*Chenopodium foliosum*
95			小藜	*Chenopodium serotinum*
96			藜	*Chenopodium album*
97			圆头藜	*Chenopodium strictum*
98			香藜	*Chenopodium botrys*
99			小白藜	*Chenopodium iljinii*
100		雾冰藜属	雾冰藜	*Bassia dasyphylla*
101			钩刺雾冰藜	*Bassia hyssopifopia*
102		碱蓬属	盘果碱蓬	*Suaeda heterophylla*
103			角果碱蓬	*Suaeda corniculata*
104			纵翅碱蓬	*Suaeda pterantha*
105			亚麻叶碱蓬	*Suaeda linifolia*
106			镰叶碱蓬	*Suaeda crassifolia*

（续）

序号	科	属	种	
			中文名	拉丁名
107	藜科	碱蓬属	盐地碱蓬	*Suaeda salsa*
108			小叶碱蓬	*Suaeda microphylla*
109			高碱蓬	*Suaeda altissima*
110			肥叶碱蓬	*Suaeda kossinskys*
111			奇异碱蓬	*Suaeda paradoxa*
112			碱蓬	*Suaeda glauca*
113			平卧碱蓬	*Suaeda prostrata*
114			星花碱蓬	*Suaeda stellatifolia*
115		假木贼属	盐生假木贼	*Anabasis salsa*
116		盐生草属	白茎盐生草	*Halogeton arachnoideus*
117			盐生草	*Halogeton glomeratus*
118		戈壁藜属	戈壁藜	*Iljinia regelii*
119		猪毛菜属	蒿叶猪毛菜	*Salsola abrotanoides*
120			粗枝猪毛菜	*Salsola subcrassa*
121			钝叶猪毛菜	*Salsola heptapotamica*
122			褐翅猪毛菜	*Salsola korshinskyi*
123			苏打猪毛菜	*Salsola soda*
124			薄翅猪毛菜	*Salsola pellucida*
125			新疆猪毛菜	*Salsola sinkiangensis*
126			刺沙蓬	*Salsola ruthenica*
127	石竹科	繁缕属	湿地繁缕	*Stellaria uda*
128			厚叶繁缕	*Stellaria crassifolia*
129		卷耳属	田野卷耳	*Cerastium arvense*
130		漆姑草属	漆姑草	*Sagina saginoides*
131		无心菜属	阿克赛钦雪灵芝	*Arenaria aksayqingensis*
132			藏西无心菜	*Arenaria stracheyi*
133		蝇子草属	伏尔加蝇子草	*Silene wolgensis*
134		石头花属	膜苞石头花	*Gypsophila cephalotes*
135		王不留行属	王不留行	*Vaccaria hispanica*
136	裸果木科	治疝草属	治疝草	*Herniaria glabra*
137	睡莲科	睡莲属	雪白睡莲	*Nymphaea candida*
138			睡莲	*Nymphaea tetragona*
139		萍蓬草属	萍蓬草	*Nuphar pumilum*
140	金鱼藻科	金鱼藻属	金鱼藻	*Ceratophyllum demecsum*
141	毛茛科	驴蹄草属	驴蹄草	*Caltha palustris*

（续）

序号	科	属	种	
			中文名	拉丁名
142	毛茛科	金莲花属	宽瓣金莲花	*Trollius asiaticus*
143		耧斗菜属	长距耧斗菜	*Aquilegia karelini*
144			西伯利亚耧斗菜	*Aquilegia sibirica*
145		唐松草属	箭头唐松草	*Thalictrum simplex*
146			黄唐松草	*Thalictrum flavum*
147		银莲花属	小花草玉梅	*Anemone rivularis* var. *flore – minore*
148		铁线莲属	粉绿铁线莲	*Clematis glauca*
149			甘青铁线莲	*Clematis tangutica*
150			东方铁线莲	*Clematis orientalis*
151			准噶尔铁线莲	*Clematis songarica*
152		美花草属	厚叶美花草	*Callianthemum alatavicum*
153		毛茛属	沼地毛茛	*Ranunculus radicans*
154			长叶毛茛	*Ranunculus lingua*
155			大叶毛茛	*Ranunculus grandifolius*
156			云生毛茛	*Ranunculus nephelogense*
157			沼泽毛茛	*Ranunculus nephelogense* var. *pseudohirculus*
158			长茎毛茛	*Ranunculus nephelogense* var. *longicaulus*
159			美丽毛茛	*Ranunculus pulchellus*
160			单叶毛茛	*Ranunculus monophyllus*
161			浮毛茛	*Ranunculus natans*
162			班戈毛茛	*Ranunculus banguoensis*
163			苞毛茛	*Ranunculus similis*
164			松叶毛茛	*Ranunculus reptans*
165			五裂毛茛	*Ranunculus acer*
166			掌裂毛茛	*Ranunculus rigescens*
167			宽瓣毛茛	*Ranunculus alberti*
168			毛瓣毛茛	*Ranunculus hamiensis*
169			多瓣毛茛	*Ranunculus propinquus*
170			阿尔泰毛茛	*Ranunculus altaicus*
171			毛托毛茛	*Ranunculus trautvetterianus*
172			石龙芮	*Ranunculus scelaratus*
173			茴茴蒜	*Ranunculus chinghoensis*
174			毛茛	*Ranunculus japonicus*
175		碱毛茛属	长叶碱毛茛	*Halerpestes ruthenica*
176			水葫芦苗	*Halerpestes cymbalaria*

（续）

序号	科	属	种	
			中文名	拉丁名
177	毛茛科	碱毛茛属	三裂碱毛茛	*Halerpestes tricuspis*
178		水毛茛属	小水毛茛	*Batrachium eradicatum*
179			硬叶水毛茛	*Batrachium foeniculaceum*
180			长叶水毛茛	*Batrachium kauffmannii*
181			歧裂水毛茛	*Batrachium divaricatum*
182	星叶草科	星叶草属	星叶草	*Circaeaster agrestis*
183	小檗科	小檗属	黑果小檗	*Berberis heteropodf*
184		牡丹草属	新牡丹草	*Gymnopermium altaicum*
185	罂粟科	紫堇属	阿尔泰黄堇	*Corydalis nobilis*
186	十字花科	长柄芥属	长柄芥	*Macropodium nivale*
187		两节荠属	两节荠	*Crambe kotschyana*
188		线果芥属	线果芥	*Conringia planisiliqua*
189		独行菜属	心叶独行菜	*Lepidium cordatum*
190		群心菜属	群心菜	*Cardaria draba*
191			球果群心菜	*Cardaria chalepensis*
192			毛果群心菜	*Cardaria pubescens*
193		双脊荠属	盐泽双脊荠	*Dilophia salsa*
194			无苞双脊荠	*Dilophia ebracteata*
195		脱喙荠属	脱喙荠	*Litwinowia tenuissima*
196		葶苈属	福地葶苈	*Draba fladnizensis*
197			锥果葶苈	*Draba lanceolata*
198			葶苈	*Draba nemorosa*
199			沼泽葶苈	*Draba rockii*
200			天山葶苈	*Draba melanopus*
201			灰白葶苈	*Draba incana*
202			小花葶苈	*Draba parviflora*
203			毛葶苈	*Draba eriopoda*
204		碎米荠属	弹裂碎米荠	*Cardamine impatiens*
205			小花碎米荠	*Cardamine parviflora*
206		山芥属	山芥	*Barbarea orthoceras*
207		南芥属	垂果南芥	*Arabis pendula*
208		鼠耳芥属	策勒鼠耳芥	*Arabidopsis qaranica*
209		高原芥属	喜马拉雅高原芥	*Christolea himalayensis*
210		旗杆芥属	旗杆芥	*Turritis glabra*
211		焯菜属	欧亚焊菜	*Rorippa sylvestris*

（续）

序号	科	属	种	
			中文名	拉丁名
212	十字花科	蔊菜属	沼生蔊菜	*Rorippa islandica*
213		丛菔属	总状丛菔	*Solmslaubachia platycarpa*
214		条果芥属	天山条果芥	*Parrya beketovi*
215		棒果芥属	无腺棒果芥	*Sterigmostemum eglandulosum*
216		四棱芥属	四棱芥	*Goldbachia laevigata*
217		糖芥属	星毛糖芥	*Erysimum odoratum*
218		山俞菜属	西北山俞菜	*Eutrema edwardsii*
219		大蒜芥属	垂果大蒜芥	*Sisymbrium hetermallum*
220			水蒜芥	*Sisymbrium irio*
221		肉叶荠属	条叶肉叶荠	*Braya tibetica* f. *linearfolia*
222		盐芥属	盐芥	*Thellungiella salsuginea*
223	景天科	八宝属	圆叶八宝	*Hylotelephium ewersii*
224			紫八宝	*Hylotelephium purpureum*
225		瓦松属	小苞瓦松	*Orostachys thyrsiflorus*
226		红景天属	柱花红景天	*Rhodiola semenovii*
227			长鳞红景天	*Rhodiola gelida*
228			帕米尔红景天	*Rhodiola pamiro – alaica*
229			黄萼红景天	*Rhodiola litwinowii*
230			蔷薇红景天	*Rhodiola rosea*
231			狭叶红景天	*Rhodiola kirilowii*
232			大红红景天	*Rhodiola coccinea*
233		景天属	杂景天	*Sedum hybridum*
234	虎耳草科	岩白菜属	厚叶岩白菜	*Bergenia crassifolia*
235		金腰属	裸茎金腰	*Chrysosplenium nudicaule*
236			长梗金腰	*Chrysosplenium axillare*
237		醋栗属	刺醋栗	*Grossularia acicularis*
238		梅花草属	新疆梅花草	*Parnassia laxmanni*
239			梅花草	*Parnassia palustris*
240			双叶梅花草	*Parnassia bifolia*
241			山地梅花草	*Parnassia oreophylla*
242		茶藨子属	天山茶藨	*Ribes meyeri*
243			臭茶藨	*Ribes graveolens*
244			美丽茶藨	*Ribes pulchellum*
245			黑果茶藨	*Ribes nigrum*
246		虎耳草属	山羊臭虎耳草	*Saxifraga hirculus*

（续）

序号	科	属	种	
			中文名	拉丁名
247	虎耳草科	虎耳草属	山地虎耳草	*Saxiftaga montana*
248			垫状虎耳草	*Saxifraga pulvinaria*
249			零余虎耳草	*Saxifraga cernua*
250			斑点虎耳草	*Saxifaga punctata*
251			球茎虎耳草	*Saxifraga sibirica*
252	蔷薇科	绣线菊属	大叶绣线菊	*Spiraea chamaedryfolia*
253		山楂属	准噶尔山楂	*Crataegus songorica*
254			红果山楂	*Crataegus sanguinea*
255		合叶子属	合叶子	*Filipendula vulgaris*
256			榆叶合叶子	*Filipendula ulmaria*
257		悬钩子属	石生悬钩子	*Rubus saxatilis*
258		水杨梅属	水杨梅	*Geum aleppicum*
259			紫萼水杨梅	*Geum rivale*
260		苹果属	新疆野苹果	*Malus sieversii*
261		龙牙草属	龙牙草	*Agrimonia pilosa*
262			亚洲龙牙草	*Agrimonia asiatica*
263		羽衣草属	光柄羽衣草	*Alchemilla kryllovii*
264			天山羽衣草	*Alchemilla tianschanica*
265		沼委陵菜属	沼委陵菜	*Comarum palustre*
266		草莓属	绿草莓	*Fragaria sabulosa*
267		委陵菜属	鹅绒委陵菜	*Potentilla anserina*
268			准噶尔委陵菜	*Potentilla soongarica*
269			多裂委陵菜	*Potentilla multifida*
270			二裂委陵菜	*Potentilla bifurca*
271			匍枝委陵菜	*Potentilla flagellaris*
272			腺毛委陵菜	*Potentilla longifolia*
273			绢毛委陵菜	*Potenitlla sericea*
274			疏毛委陵菜	*Potenitlla evestita*
275			密枝委陵菜	*Potentilla virgata*
276			银背委陵菜	*Potentilla argentea*
277			朝天委陵菜	*Potentilla supina*
278			星毛委陵菜	*Potentilla acaulis*
279			匍匐委陵菜	*Potentilla reptans*
280			亚洲委陵菜	*Potentilla asiatica*
281		蔷薇属	宽刺蔷薇	*Rosa platyacantha*

（续）

序号	科	属	种	
			中文名	拉丁名
282	蔷薇科	蔷薇属	伊犁蔷薇	*Rosa silverhjelmii*
283			落花蔷薇	*Rosa beggerianna*
284			刺蔷薇	*Rosa acicularis*
285			樟味蔷薇	*Rosa cinnamomeal*
286			喀什疏花蔷薇	*Rosa laxa* var. *kaschgarica*
287		地榆属	高山地榆	*Sanguisorba alpina*
288			地榆	*Sanguisorba officinalis*
289		山莓草属	山莓草	*Sibbaldia porcumbens*
290	豆科	槐属	砂生槐	*Sophora moorcroftiana*
291			苦豆子	*Sophora alopecuroides*
292		决明子属	高山黄华	*Thermopsis alpina*
293			披针叶野决明子	*Thermopsis alpina* var. *lanceolata*
294			轮生叶决明子	*Thermopsis inflata*
295			紫花决明子	*Thermopsis barbata*
296			新疆决明子	*Thermopsis turkestanica*
297		黄耆属	吉姆黄耆	*Astragalus dshimensis*
298			岩生黄耆	*Astragalus lithophilus*
299			类短肋黄耆	*Astragalus pseudobrachytropis*
300			昆仑黄耆	*Astragalus kunlunensis*
301			异齿黄耆	*Astragalus heterodontus*
302			密花黄耆	*Astragalus densiflorus*
303			斑果黄耆	*Astragalus beketovii*
304			大翼黄耆	*Astragalus macropterus*
305			裂翼黄耆	*Astragalus laceratus*
306			高山黄耆	*Astragalus alpinus*
307			库萨克黄耆	*Astragalus kuschakevitschii*
308			毛瓣黄耆	*Astragalus lasiopetalus*
309			绵果黄耆	*Astragalus sieversianus*
310			无毛黄耆	*Astragalus severzovii*
311			帕米尔黄耆	*Astragalus pamirensis*
312			卡通黄耆	*Astragalus schanginianus*
313			南疆黄耆	*Astragalus nanjiangianus*
314			毛喉黄耆	*Astragalus dasyglottis*
315			藏新黄耆	*Astragalus tibetanus*
316			矮型黄耆	*Astragalus stalinskyi*

（续）

序号	科	属	种	
			中文名	拉丁名
317	豆科	黄耆属	环荚黄耆	*Astragalus contortuplicatus*
318			蒺藜黄耆	*Astragalus tribuloids*
319			丝茎黄耆	*Astragalus filicaulis*
320			狐尾黄耆	*Astragalus alopecurus*
321			纹茎黄耆	*Astragalus sulcatus*
322			沙地黄耆	*Astragalus shadiensis*
323			哈密黄耆	*Astragalus hamiensis*
324			中天山黄耆	*Astragalus chomutovii*
325			团垫黄耆	*Astragalus arnoldii*
326			毛叶黄耆	*Astragalus pallasii*
327			东天山黄耆	*Astragalus borodinii*
328			西域黄耆	*Astragalus pseudoborodinii*
329			索戈塔黄耆	*Astragalus sogotensis*
330			和田黄耆	*Astragalus hotianensis*
331			水定黄耆	*Astragalus suidenensis*
332			雪地黄耆	*Astragalus nivalis*
333			特克斯黄耆	*Astragalus tekesensis*
334		锦鸡儿属	粗毛锦鸡儿	*Caragana dasyphylla*
335			多刺锦鸡儿	*Caragana spinosa*
336			粉刺锦鸡儿	*Caragana pruinosa*
337			刺叶锦鸡儿	*Caragana acanthophylla*
338			鬼箭锦鸡儿	*Caragana jubata*
339			多叶锦鸡儿	*Caragana pleiophylla*
340			边塞锦鸡儿	*Caragana bongardiana*
341			树锦鸡儿	*Caragana arborescens*
342			准噶尔锦鸡儿	*Caragana soongorica*
343			镰叶锦鸡儿	*Caragana aurantiaca*
344			囊萼锦鸡儿	*Caragana kirghisorum*
345			昆仑锦鸡儿	*Caragana polourensis*
346			吐鲁番锦鸡儿	*Caragana turfanensis*
347			黄刺条	*Caragana frutex*
348		岩黄耆属	山羊岩黄耆	*Hedysarum neglectum*
349			红花岩黄耆	*Hedysarum multijugum*
350			乌恰岩黄耆	*Hedysarum flavescens*
351			天山岩黄耆	*Hedysarum semenovii*

（续）

序号	科	属	种	
			中文名	拉丁名
352	豆科	岩黄耆属	河滩岩黄耆	*Hedysarum poncinsii*
353		百脉根属	百脉根	*Lotus corniculatus* var. *corniculatus*
354			细叶百脉根	*Lotus tenuis*
355			新疆百脉根	*Lotus frondosus*
356			尖齿百脉根	*Lotus angustissimus*
357			短果百脉根	*Lotus praetermissus*
358		芒柄花属	芒柄花	*Ononis arvensis*
359		草木犀属	白花草木犀	*Meliotus albus*
360			黄花草木犀	*Meliotus officinalis*
361			草木犀	*Meliotus suaveolens*
362			细齿草木犀	*Meliotus dentatus*
363		苜蓿属	克什米尔苜蓿	*Medicago cachemiriana*
364			多变苜蓿	*Medicago varia*
365			大花苜蓿	*Medicago varia* f. *ambigua*
366			西锡金苜蓿	*Medicago* × *varia* f. *schischkinii*
367			小花苜蓿	*Medicago* × *varia* f. *rivularis*
368			密序苜蓿	*Medicago* × *varia* f. *agroyretorum*
369			伊犁苜蓿	*Medicago* × *varia* f. *subdicycla*
370			天山苜蓿	*Medicago* × *varia* f. *tianschanica*
371			紫花苜蓿	*Medicago sativa*
372			小苜蓿	*Medicago minima*
373			天蓝苜蓿	*Medicago lupulina*
374		棘豆属	阿尔泰棘豆	*Oxytropis altaica*
375			新疆棘豆	*Oxytropis sinkiangensis*
376			胶黄耆状棘豆	*Oxytropis tragacanthoides*
377			甘肃棘豆	*Oxytropis kansuensis*
378			黄花棘豆	*Oxytropis ochrocephala*
379			微柔毛棘豆	*Oxytropis puberula*
380			小花棘豆	*Oxytropis glabra*
381			急弯棘豆	*Oxytropis deflexa*
382			淡黄棘豆	*Oxytropis ochroleuca*
383			霍城棘豆	*Oxytropis chorgossica*
384			短硬毛棘豆	*Oxytropis hirsutiuscula*
385			砾石棘豆	*Oxytropis glareosa*
386			古尔班棘豆	*Oxytropis gorbunovii*

（续）

序号	科	属	种	
			中文名	拉丁名
387	豆科	棘豆属	冰川棘豆	*Oxytropis proboscidea*
388			少花棘豆	*Oxytropis pauciflora*
389			宽瓣棘豆	*Oxytropis platysema*
390			球花棘豆	*Oxytropis globiflora*
391			拉普兰棘豆	*Oxytropis lapponica*
392			密丛棘豆	*Oxytropis densa*
393			拉德京棘豆	*Oxytropis ladyginii*
394			密花棘豆	*Oxytropis imbricata*
395			悬岩棘豆	*Oxytropis rupifraga*
396			短梗棘豆	*Oxytropis brevipedunculata*
397			长翼棘豆	*Oxytropis longialata*
398			米尔克棘豆	*Oxytropis merkensis*
399			黑毛棘豆	*Oxytropis melanotricha*
400			铺地棘豆	*Oxytropis humifusa*
401			细小棘豆	*Oxytropis pusilla*
402			垂花棘豆	*Oxytropis nutans*
403			蓝垂花棘豆	*Oxytropis penduliflora*
404			斋桑棘豆	*Oxytropis recognita*
405			长苞棘豆	*Oxytropis longibracteata*
406			马氏棘豆	*Oxytropis martijanovii*
407			宽苞棘豆	*Oxytropis latibracteata*
408			雪叶棘豆	*Oxytropis chionophylla*
409			似棘豆	*Oxytropis ambigua*
410			准噶尔棘豆	*Oxytropis songorica*
411			疏毛棘豆	*Oxytropis pilosa*
412			谢米诺夫棘豆	*Oxytropis semenovii*
413			天山棘豆	*Oxytropis tianschanaica*
414			冷棘豆	*Oxytropis frigida*
415			色花棘豆	*Oxytropis dichroanha*
416			瓶状棘豆	*Oxytropis ampullata*
417			阿西棘豆	*Oxytropis assienis*
418			胀果棘豆	*Oxytropis stracheyana*
419			中间棘豆	*Oxytropis intermedia*
420			镰荚棘豆	*Oxytropis falcata*
421			毛泡棘豆	*Oxytropis trichophysa*

（续）

序号	科	属	种	
			中文名	拉丁名
422	豆科	棘豆属	小叶棘豆	*Oxytropis microphylla*
423			轮叶棘豆	*Oxytropis chiliophylla*
424		车轴草属	野火球	*Trifolium lupinaster*
425			红花车轴草	*Trifolium pratense*
426			大花车轴草	*Trifolium eximium*
427		苦马豆属	苦马豆	*Sphaerophysa salsula*
428		鹰嘴豆属	小叶鹰嘴豆	*Cicer microphyllum*
429		野豌豆属	广布野豌豆	*Vicia cracca*
430			野豌豆	*Vicia sepium*
431			多茎野豌豆	*Vicia multicaulis*
432			窄叶野豌豆	*Vicia angustifolia*
433		香豌豆属	矮香豌豆	*Lathyrus humilis*
434			沼生香豌豆	*Lathyrus palustris*
435			块茎香豌豆	*Lathyrus tuberosus*
436			草原香豌豆	*Lathyrus paratensis*
437			甲豌豆	*Lathyrus gmelinii*
438			西伯利亚香豌豆	*Lathyrus pisiformis*
439		甘草属	胀果甘草	*Glycyrrhiza inflata*
440			无腺毛甘草	*Glycyrrhiza eglandulosa*
441			光果甘草	*Glycyrrhiza glabra*
442			黄甘草	*Glycyrrhiza eurycarpa*
443			甘草	*Glycyrrhiza uralensis*
444		骆驼刺属	骆驼刺	*Alhagi sparsifolia*
445		铃铛刺属	铃铛刺	*Halimodendron halodendron*
446	牻牛儿苗科	老鹳草属	鼠掌老鹳草	*Geranium sibiricum*
447			圆叶老鹳草	*Geranium rotundifolium*
448		牻牛儿苗属	牻牛儿苗	*Erodium stephanianum*
449	白刺科	白刺属	大果白刺	*Nitraria roborowskii*
450			帕米尔白刺	*Nitraria pamirica*
451			唐古特白刺	*Nitraria tangutorum*
452			白刺	*Nitraria schoberi*
453	蒺藜科	霸王属	长梗霸王	*Zygophyllum obliquum*
454			短果霸王	*Zygophyllum brachypterum*
455			伊犁霸王	*Zygophyllum iliense*
456	大戟科	大戟属	土库曼地锦	*Euphorbia turomanica*

（续）

序号	科	属	种	
			中文名	拉丁名
457	大戟科	大戟属	吉塔大戟	*Euphorbia tranzschelii*
458			西格尔大戟	*Euphorbia seguieriana*
459			准噶尔大戟	*Euphorbia soongarica*
460			北高山大戟	*Euphorbia alpina*
461			土大戟	*Euphorbia turczaninovii*
462			宽叶大戟	*Euphorbia latifolia*
463			乌拉尔大戟	*Euphorbia uralensis*
464			新疆大戟	*Euphorbia jaxartica*
465			格麦林大戟	*Euphorbia gmelinii*
466			密花大戟	*Euphorbia glomerulans*
467	水马齿科	水马齿属	沼生水马齿	*Callitriche palustris*
468	槭树科	槭树属	天山槭	*Acer semenovii*
469	鼠李科	鼠李属	药鼠李	*Rhamnus cathartica*
470	锦葵科	锦葵属	圆叶锦葵	*Malva rotundifolia*
471		花葵属	新疆花葵	*Lavatera cashemiriana*
472		蜀葵属	药蜀葵	*Althaea officinalis*
473		苘麻属	苘麻	*Abutilon theophrasti*
474	藤黄科	金丝桃属	贯叶连翘	*Hypericum perforatum*
475	沟繁缕科	沟繁缕属	轮叶沟繁缕	*Elatine alsinastrum*
476			三蕊沟繁缕	*Elatine triandra*
477	瓣鳞花科	瓣鳞花属	瓣鳞花	*Frankenia pulverulenta*
478	柽柳科	柽柳属	白花柽柳	*Tamarix androssowii*
479			长穗柽柳	*Tamarix elongate*
480			异花柽柳	*Tamarix gracilis*
481			甘肃柽柳	*Tamarix gansuensis*
482			盐地柽柳	*Tamarix karelinii*
483			细穗柽柳	*Tamarix leptostachys*
484			密花柽柳	*Tamarix arceuthoides*
485			多枝柽柳	*Tamarix ramosissima*
486			塔里木柽柳	*Tamarix taremensis*
487			刚毛柽柳	*Tamarix hlspida*
488			短穗柽柳	*Tamarix laxa*
489			多花柽柳	*Tamarix hohenackeri*
490		水柏枝属	匍匐水柏枝	*Myricaria prostrata*
491			秀丽水柏枝	*Myricaria elegans*

（续）

序号	科	属	种	
			中文名	拉丁名
492	柽柳科	水柏枝属	心叶水柏枝	*Myricaria pulcherrima*
493			鳞序水柏枝	*Myricaria squamosa*
494			宽苞水柏枝	*Myricaria bracteata*
495	半日花科	半日花属	半日花	*Helianthemum songaricum*
496	堇菜科	堇菜属	长蔓堇菜	*Viola disjuncta*
497			双花堇菜	*Viola biflora*
498			美丽堇菜	*Viola mirabilis*
499			野生香堇菜	*Viola suavis*
500			硬毛堇菜	*Viola hirta*
501			石生堇菜	*Viola rupestris*
502			高堇菜	*Viola elatior*
503			大距堇菜	*Viola macroceras*
504			尖叶堇菜	*Viola acutifolia*
505	瑞香科	新瑞香属	新瑞香	*Thymelaea passerina*
506	胡颓子科	沙棘属	沙棘	*Hippophae rhamnoides*
507	千屈菜科	千屈菜属	千屈菜	*Lythrum salicaria*
508			中千屈菜	*Lythrum intermedium*
509			帚枝千屈菜	*Lythrum virgatum*
510			四齿千屈菜	*Lythrum borysthenicum*
511	菱科	菱属	新疆菱角	*Trapa saissnica*
512	柳叶菜科	露珠草属	欧洲露珠草	*Circaea lutetiana*
513		柳兰属	柳兰	*Chamaenerion angustifolium*
514			宽叶柳兰	*Chamaenerion latifolium*
515		柳叶菜属	四棱柳叶菜	*Epilobium tetragonum*
516			沼生柳叶菜	*Epilobium palustre*
517			小花柳叶菜	*Epilobium parviflorum*
518			柳叶菜	*Epilobium hirsutum*
519			小柳叶菜	*Epilobium minutiflorum*
520			天山柳叶菜	*Epilobium cylindricum*
521	小二仙草科	狐尾藻属	穗状狐尾藻	*Myriophyllum spicatum*
522			狐尾藻	*Myriophyllum verticillatum*
523	杉叶藻科	杉叶藻属	杉叶藻	*Hippuris vulgaris*
524	伞形科	刺芹属	扁叶刺芹	*Eryngium planum*
525			大萼刺芹	*Eryngium macrocalyx*
526		细叶芹属	新疆细叶芹	*Chaerophyllum prescottii*

（续）

序号	科	属	种	
			中文名	拉丁名
527	伞形科	峨参属	峨参	*Anthriscus sylvestris*
528			刺果峨参	*Anthriscus nemorosa*
529		棱子芹属	乌拉尔棱子芹	*Pleurospermum uralense*
530			畸形棱子芹	*Pleurospermum anomalum*
531			单茎棱子芹	*Pleurospermum simplex*
532			红花棱子芹	*Pleurospermum roseum*
533		柴胡属	金黄柴胡	*Bupleurum aureum*
534			阿尔泰柴胡	*Bupleurum krylovianum*
535		葛缕子属	葛缕子	*Carum carvi*
536			暗红葛缕子	*Carum atrosanguineum*
537		毒芹属	毒芹	*Cicuta virosa*
538		天山泽芹属	天山泽芹	*Berula erecta*
539		泽芹属	欧泽芹	*Sium latifolium*
540			中亚泽芹	*Sium medium*
541			新疆泽芹	*Sium sisaroideum*
542		茴芹属	微毛茴芹	*Pimpinella puberula*
543		羊角芹属	东北羊角芹	*Aegopodium alpestre*
544			克什米尔羊角芹	*Aegopodium kashmiricum*
545			塔什克羊角芹	*Aegopodium tadshikorum*
546			羊角芹	*Aegopodium podagraria*
547		绒果芹属	新疆绒果芹	*Eriocycla peliotii*
548		斑膜芹属	柴胡状斑膜芹	*Hyalolaena bupleuroides*
549		岩风属	密花岩风	*Libanotis condensata*
550		狭腔芹	狭腔芹	*Stenocoelium athamantoides*
551		蛇床属	碱蛇床	*Cnidium salinum*
552			兴安蛇床	*Cnidium davuricum*
553		空棱芹属	空棱芹	*Cenolophium denudatum*
554		藁本属	异色藁本	*Ligusticum discolor*
555			短尖藁本	*Ligusticum mucronatum*
556		山芎属	鞘山芎	*Conioselinum vaginatum*
557			少伞山芎	*Conioselinum schugnanicum*
558		古当归属	下延叶古当归	*Archangelica decurrens*
559			短茎古当归	*Archangelica brevicaulis*
560		当归属	三小叶当归	*Angelica ternata*
561			多茎当归	*Angelica multicaulis*

（续）

序号	科	属	种	
			中文名	拉丁名
562	伞形科	当归属	林当归	*Angelica sylvestris*
563		阿魏属	臭阿魏	*Ferula teterrima*
564			荒地阿魏	*Ferula syreitschikowii*
565		伊犁芹属	伊犁芹	*Talassia transiliensis*
566		独活属	兴安独活	*Heracleum dissectum*
567		大瓣芹属	大瓣芹	*Semenovia transiliensis*
568	鹿蹄草科	鹿蹄草属	圆叶鹿蹄草	*Pyrola rotundifolia*
569			红花鹿蹄草	*Pyrola incarnata*
570			小叶鹿蹄草	*Pyrola media*
571			短柱鹿蹄草	*Pyrola minor*
572		单侧花属	单侧花	*Orthilia secunda*
573			圆叶单侧花	*Orthilia obtusata*
574	杜鹃花科	越橘属	红莓苔子	*Vaccinium oxycoccus*
575	报春花科	点地梅属	点地梅	*Androsace audro*
576			丝状点地梅	*Androsace filiformis*
577			大苞点地梅	*Androsace maxima*
578			短葶点地梅	*Androsace fedtschenkoi*
579			黄花点地梅	*Androsace flavescens*
580			阿克点地梅	*Androsace akbaitalensis*
581			天山点地梅	*Androsace ovczinnikovii*
582			垫状点地梅	*Androsace tapete*
583		假报春属	假报春	*Cortusa brotheri*
584		珍珠菜属	珍珠菜	*Lysimachia vulgaris*
585		海乳草属	海乳草	*Glaucux maritima*
586		金钟花属	金钟花	*Kaufmannia semenovii*
587		报春花属	寒地报春	*Primula algida*
588			长葶报春	*Primula longiscapa*
589			大萼报春	*Primula macrocalyx*
590			雪地报春	*Primula nivalis*
591			少花报春	*Primula nutans*
592			天山报春	*Primula knorringiana*
593			帕米尔报春	*Primula pamirica*
594			突厥报春	*Primula turkestanica*
595			大叶报春	*Primula macrophylla*
596	白花丹科	驼舌草属	美丽驼舌草	*Goniolimon callicomum*

（续）

序号	科	属	种	
			中文名	拉丁名
597	白花丹科	补血草属	耳叶补血草	*Limonium otolepis*
598			珊瑚补血草	*Limonium coralloides*
599			大叶补血草	*Limonium gmelinii*
600			繁枝补血草	*Limonium myrianthum*
601	木犀科	白蜡属	小叶白蜡	*Fraxinus sogdiana*
602	龙胆科	百金花属	美丽百金花	*Centaurium pulchellum*
603			穗状百金花	*Centaurium spicatum*
604		龙胆属	单花龙胆	*Gentiana uiflora*
605			秦艽	*Gentiana macrophylla*
606			裂萼秦艽	*Gentiana fetissowii*
607			蓝色龙胆	*Gentiana pneumonanthe*
608			准噶尔龙胆	*Gentiana dschungarica*
609			西域龙胆	*Gentiana clarkei*
610		扁蕾属	新疆扁蕾	*Gentianopsis vvedenskyi*
611		假龙胆属	新疆假龙胆	*Gentianella turkestanorum*
612			矮假龙胆	*Gentianella pygmaea*
613			尖叶假龙胆	*Gentianella acuta*
614		獐牙菜属	细花獐牙菜	*Swertia graciliflora*
615		睡菜属	睡菜	*Menyanthes trifoliata*
616		荇菜属	荇菜	*Nymphoides peltatum*
617	夹竹桃科	罗布麻属	罗布麻	*Apocynum venetum*
618		白麻属	大叶白麻	*Poacynum hendersonii*
619			白麻	*Poacynum pictum*
620	旋花科	旋花属	田旋花	*Convolvulus arvensis*
621	紫草科	天芥菜属	椭圆叶天芥菜	*Heliotropium ellipticum*
622		软紫草属	天山软紫草	*Arnebia tschimganica*
623		滇紫草属	细尖滇紫草	*Onosma apiculatum*
624		假狼紫草属	假狼紫草	*Nonea caspica*
625		勿忘草属	稀花勿忘草	*Myosotis sparsiflora*
626			高山勿忘草	*Myosotis alpestris*
627		滨紫草属	短花滨紫草	*Mertensia meyeriana*
628		齿缘草属	对叶齿缘草	*Eritrichium pseudolatifolium*
629			短梗齿缘草	*Eritrichium fetissovii*
630			三角刺齿缘草	*Eritrichium deltodentum*
631			无梗齿缘草	*Eritrichium sessilifructum*

（续）

序号	科	属	种	
			中文名	拉丁名
632	紫草科	齿缘草属	灰毛齿缘草	*Eritrichium canum*
633		鹤虱属	短萼鹤虱	*Lappula sinaica*
634			多枝鹤虱	*Lappula ramulosa*
635			短刺鹤虱	*Lappula brachycentra*
636			茎直鹤虱	*Lappula stricta*
637			卵果鹤虱	*Lappula patula*
638			卵盘鹤虱	*Lappula redowskii*
639			小果鹤虱	*Lappula microcarpa*
640			异刺鹤虱	*Lappula squarrosa*
641		糙草属	糙草	*Asperugo procumbens*
642		琉璃草属	药用琉璃草	*Cynoglossum officinale*
643		长柱琉璃草属	长柱琉璃草	*Lindelofia stylosa*
644		翅果草属	翅果草	*Rindera tetraspis*
645	唇形科	香科科属	蒜味香科科	*Teucrium scordium*
646			沼泽香科科	*Teucrium scordioides*
647		水棘针属	水棘针	*Amethystea caerulea*
648		黄芩属	盔状黄芩	*Scutellaria galericulata*
649			仰卧黄芩	*Scutellaria supina*
650			平原黄芩	*Scutellaria sieversii*
651		夏至草属	毛穗夏至草	*Lagopsis eriostachys*
652			夏至草	*Lagopsis supina*
653		扭藿香属	天山扭藿香	*Lophanthus schrenkii*
654		夏枯草属	夏枯草	*Prunella vulgaris*
655		薄荷属	薄荷	*Mentha haplocalyx*
656		地笋属	高株地笋	*Lycopus exaltatus*
657			欧洲地笋	*Lycopus europaeus*
658		荆芥属	荆芥	*Nepeta cataria*
659		牛至属	牛至	*Origanum vulgare*
660		糙苏属	山地糙苏	*Phlomis oreophila*
661			块根糙苏	*Phlomis tuberose*
662		假水苏属	多毛假水苏	*Stachyopsis lamiiflora*
663		分药花属	帕米尔分药花	*Perovskia pamirica*
664		野芝麻属	短柄野芝麻	*Lamium album*
665		鬃尾草属	鬃尾草	*Chaiturus marrubiastrum*
666		益母草属	益母草	*Leonurus artemisia*

（续）

序号	科	属	种	
			中文名	拉丁名
667	茄科	枸杞属	黑果枸杞	*Lycium ruthenicum*
668			新疆枸杞	*Lycium dasystemum*
669			宁夏枸杞	*Lycium barbarum*
670		天仙子属	天仙子	*Hyoscyamus niger*
671		茄属	红果龙葵	*Solanum alatum*
672			野海茄	*Solanum japonense*
673		曼陀罗属	曼陀罗	*Datura stramonium*
674	玄参科	毛蕊花属	紫毛蕊花	*Verbascum phoeniceum*
675			毛瓣毛蕊花	*Verbascum blattaria*
676			毛蕊花	*Verbascum thapsus*
677			东方毛蕊花	*Verbascum chaixii*
678			准噶尔毛蕊花	*Verbascum songoricum*
679		玄参属	羽裂玄参	*Scrophularia kiriloviana*
680			砾玄参	*Scrophularia incisa*
681			翅茎玄参	*Scrophularia umbrosa*
682			新疆玄参	*Scrophularia heucheriiflora*
683		水八角属	药用水八角	*Gratiola officinalis*
684		水茫草属	水茫草	*Limosella aquatica*
685		柳穿鱼属	紫花柳穿鱼	*Linaria bungei*
686			长距柳穿鱼	*Linaria longicalcarata*
687			新疆柳穿鱼	*Linaria vulgaris*
688		方茎草属	方茎草	*Leptorhabdos parviflora*
689		马先蒿属	长根马先蒿	*Pedicularis dolichorrhiza*
690			高升马先蒿	*Pedicularis elata*
691			短花马先蒿	*Pedicularis breviflora*
692			水泽马先蒿	*Pedicularis uliginosa*
693			秀丽马先蒿	*Pedicularis venusta*
694			准噶尔马先蒿	*Pedicularis songarica*
695			西藏马先蒿	*Pedicularis tibetica*
696			长花马先蒿	*Pedicularis longiflora*
697			西敏诺夫马先蒿	*Pedicularis semenovii*
698		婆婆纳属	北水苦荬	*Veronica anagallis-aquatica*
699			直柄水苦荬	*Veronica beccabunga*
700			兔尾儿苗	*Veronica longifolia*
701			尖果水苦荬	*Veronica oxycarpa*

（续）

序号	科	属	种	
			中文名	拉丁名
702	玄参科	婆婆纳属	水苦荬	*Veronica undulata*
703			长果水苦荬	*Veronica anagalloides*
704			阿拉套婆婆纳	*Veronica alatavica*
705			穗花婆婆纳	*Veronica spicata*
706			轮叶婆婆纳	*Veronica spuria*
707			密花婆婆纳	*Veronica densiflora*
708			直立婆婆纳	*Veronica arvensis*
709			婆婆纳	*Veronica didyma*
710			细茎婆婆纳	*Veronica tenuissima*
711			弯果婆婆纳	*Veronica campylopoda*
712			红叶婆婆纳	*Veronica ferganica*
713			卷毛婆婆纳	*Veronica teucrium*
714		小米草属	长腺小米草	*Euphrasia hirtella*
715	狸藻科	狸藻属	狸藻	*Utricularia vulgaris*
716	车前科	车前属	中车前	*Plantago media*
717			披针叶车前	*Plantago lanceolata*
718			盐生车前	*Plantago mariima* var. *salsa*
719			平车前	*Plantago depressa*
720			柯尔车前	*Plantago cornuti*
721			喜马拉雅车前	*Plantago himalaica*
722			绒毛车前	*Plantago arachnoidea*
723	茜草科	拉拉藤属	勘察加拉拉藤	*Galium boreale* var. *kamtschaticum*
724			沼生拉拉藤	*Galium palustre*
725			粗沼拉拉藤	*Galium karakulense*
726			显脉拉拉藤	*Galium kinuta*
727			北方拉拉藤	*Galium boreale*
728			宽叶拉拉藤	*Galium boreale* var. *latifolium*
729			卷边拉拉藤	*Galium majmechense*
730			新疆拉拉藤	*Galium xinjiangensis*
731			中亚拉拉藤	*Galium rivale*
732			蔓生拉拉藤	*Galium humifusum*
733			拉拉藤	*Galium aparine* var. *echinospermum*
734		茜草属	西藏茜草	*Rubia tibetica*
735			长叶茜草	*Rubia dolichophylla*
736		里普草属	里普草	*Leptunis trichoides*

（续）

序号	科	属	种	
			中文名	拉丁名
737	忍冬科	接骨木属	西伯利亚接骨木	*Sambucus sibirica*
738		忍冬属	小叶忍冬	*Lonicera microphylla*
739			灰毛忍冬	*Lonicera cinerea*
740			沼生忍冬	*Lonicera alberti*
741			杈枝忍冬	*Lonicera simulatrix*
742			新疆忍冬	*Lonicera tatarica*
743			小花忍冬	*Lonicera tatarica* var. *micrantha*
744			忍冬	*Lonicera japonica*
745			异叶忍冬	*Lonicera heterophylla*
746	五福花科	五福花属	五福花	*Adoxa moschatellina*
747	败酱科	败酱属	西伯利亚败酱	*Patrinia sibirica*
748		缬草属	缬草	*Valeriana officinalis*
749			突厥缬草	*Valeriana turkestanica*
750	川续断科	蓝盆花属	黄盆花	*Scabiosa ochroleuca*
751	桔梗科	风铃草属	新疆风铃草	*Campanula albertii*
752			聚花风铃草	*Campanula glomerata*
753			西伯利亚风铃草	*Campanula sibirica*
754			南疆风铃草	*Campanula austro – xinjiangensis*
755			长柄风铃草	*Campanula wolgensis*
756		沙参属	新疆沙参	*Adenophora liliifolia*
757			天山沙参	*Adenophora lamarckii*
758			喜马拉雅沙参	*Adenophora hymalayana*
759		党参属	新疆党参	*Codonopsis clematidea*
760	菊科	岩菀属	岩菀	*Krylovia limoniiflia*
761			沙生岩菀	*Krylovia eremophila*
762		乳菀属	天山乳菀	*Galatella tianschanica*
763			紫缨乳菀	*Galatella chromopappa*
764			鳞苞乳菀	*Galatella hauptii*
765		碱菀属	碱菀	*Tripolium vulgare*
766		短星菊属	短星菊	*Brachyactis ciliata*
767			西疆短星菊	*Brachyactis roylei*
768		飞蓬属	矛叶飞蓬	*Erigeron lonchophyllus*
769			长茎飞蓬	*Erigeron elongatus*
770			假泽山飞蓬	*Erigeron pseudoseravschanicus*
771			天山飞蓬	*Erigeron tianschanicus*

（续）

序号	科	属	种	
			中文名	拉丁名
772	菊科	飞蓬属	革叶飞蓬	*Erigeron schmalhausenii*
773		白酒草属	小蓬草	*Conyza canadensis*
774		火绒草属	山野火绒草	*Leontopodium campestre*
775			矮火绒草	*Leontopodium nanum*
776		鼠麴草属	天山鼠麴草	*Gnaphalium kasachstanicum*
777		旋覆花属	欧亚旋覆花	*Inula britanica*
778			总状土木香	*Inula racemosa*
779			羊眼花	*Inula rhizocephala*
780			蓼子朴	*Inula salsoloides*
781			里海旋覆花	*Inula caspica*
782		蓍属	亚洲蓍	*Achillea asiatica*
783			蓍	*Achillea millefolium*
784			丝叶蓍	*Achillea setacea*
785			柳叶蓍	*Achillea salicifolia*
786		三肋果属	褐苞三肋果	*Tripleurospermum ambiguum*
787			新疆三肋果	*Tripleurospermum inodorum*
788		菊蒿属	菊蒿	*Tanacetum vulgare*
789			阿尔泰菊蒿	*Tanacetum barclayanum*
790		蜡菊属	喀什蜡菊	*Helichrysum kashgaricum*
791		蚤草属	蚤草	*Pulicaria prostrata*
792		天名精属	烟管头草	*Carpesium cernuum*
793		鬼针草属	狼把草	*Bidens tripartita*
794			柳叶鬼针草	*Bidens cernua*
795		扁芒菊属	扁芒菊	*Waldheimia tridactylites*
796			光叶扁芒菊	*Waldheimia stoliczkae*
797		小甘菊属	黄头小甘菊	*Cancrinia chrysocephala*
798		亚菊属	矮亚菊	*Ajania trilobata*
799		蒿属	亮绿蒿	*Artemisia glabella*
800			湿地蒿	*Artemisia tournefortiana*
801			臭蒿	*Artemisia hedinii*
802			毛莲蒿	*Artemisia vestita*
803			西北蒿	*Artemisia pontica*
804			碱蒿	*Artemisia anethifolia*
805			大花蒿	*Artemisia macrocephala*
806			大籽蒿	*Artemisia sieversiana*

（续）

序号	科	属	种	
			中文名	拉丁名
807	菊科	蒿属	绢毛蒿	*Artemisia sericea*
808			银叶蒿	*Artemisia argyrophylla*
809			岩蒿	*Artemisia rupestris*
810			白叶蒿	*Artemisia leucophylla*
811			直茎蒿	*Artemisia edgeworthii*
812			纤梗蒿	*Artemisia pewzowii*
813			猪毛蒿	*Artemisia scoparia*
814			掌裂蒿	*Artemisia kuschakewiczii*
815			昆仑沙蒿	*Artemisia saposhnikovii*
816			苏联肉质叶蒿	*Artemisia succulenta*
817		绢蒿属	伊犁绢蒿	*Seriphidium transiliense*
818			苍绿绢蒿	*Seriphidium fedtschenkoanum*
819			费尔干绢蒿	*Seriphidium ferganense*
820			纤细绢蒿	*Seriphidium gracilesens*
821			针裂叶绢蒿	*Seriphidium sublessingianum*
822			高山绢蒿	*Seriphidium rhodanthum*
823		千里光属	疏齿千里光	*Senecio subdentatus*
824			林荫千里光	*Senecio nemorensis*
825		橐吾属	大叶橐吾	*Ligularia macrophylla*
826		蓝刺头属	硬叶蓝刺头	*Echinops ritro*
827			蓝刺头	*Echinops sphaerocephalus*
828		刺苞菊属	刺苞菊	*Carlina biebersteinii*
829		苓菊属	南疆苓菊	*Jurinea kaschgarica*
830		毛蕊菊属	毛蕊菊	*Pilostemon filifolia*
831			宽叶毛蕊菊	*Pilostemon karateginii*
832		风毛菊属	太加风毛菊	*Saussurea turgaiensis*
833			钻叶风毛菊	*Saussurea subulata*
834			假盐池风毛菊	*Saussurea pseudosalsa*
835			盐地风毛菊	*Saussurea salsa*
836			藏西风毛菊	*Saussurea stoliczkai*
837			阿尔金风毛菊	*Saussurea aerjingensis*
838			小花风毛菊	*Saussurea parviflora*
839			白叶风毛菊	*Saussurea leucophylla*
840			达乌里风毛菊	*Saussurea davurica*
841			喀什风毛菊	*Saussurea kaschgarica*

（续）

序号	科	属	种	
			中文名	拉丁名
842	菊科	风毛菊属	展序风毛菊	*Saussurea prostrata*
843			裂叶风毛菊	*Saussurea laciniata*
844			蒙新风毛菊	*Saussurea grubovii*
845			草地风毛菊	*Saussurea amara*
846			草甸雪兔子	*Saussurea thoroldii*
847			肉叶雪兔子	*Saussurea thomsonii*
848			冰河雪兔子	*Saussurea glacialis*
849			鼠麹雪兔子	*Saussurea gnaphalodes*
850		刺头菊属	宽苞刺头菊	*Cousinia platylepis*
851			丝毛刺头菊	*Cousinia lasiophylla*
852		牛蒡属	牛蒡	*Arctium lappa*
853			毛头牛蒡	*Arctium tomentosum*
854		蓟属	翼蓟	*Cirsium vulgare*
855			麻花头蓟	*Cirsium serratuloides*
856			堆心蓟	*Cirsium helenioides*
857			莲座蓟	*Cirsium esculentum*
858			准噶尔蓟	*Cirsium alatum*
859			新疆蓟	*Cirsium semenovii*
860			塞里木蓟	*Cirsium sairamense*
861			天山蓟	*Cirsium alberti*
862			无毛蓟	*Cirsium glabrifolium*
863			附片蓟	*Cirsium sieversii*
864			刺儿菜	*Cirsium setosum*
865			丝路蓟	*Cirsium arvense*
866			阿尔泰蓟	*Cirsium incanum*
867			藏蓟	*Cirsium lanatum*
868		猬菊属	九眼菊	*Olgaea lanipes*
869		翅膜菊属	厚叶翅膜菊	*Alfredia nivea*
870			薄叶翅膜菊	*Alfredia acantholepis*
871			翅膜菊	*Alfredia cernua*
872		大翅蓟属	大翅蓟	*Onopordum acanthium*
873		飞廉属	飞廉	*Carduus nutans*
874			丝毛飞廉	*Carduus crispus*
875			节毛飞廉	*Carduus acanthoides*
876		毛连菜属	毛连菜	*Picris hieracioides*

（续）

序号	科	属	种	
			中文名	拉丁名
877	菊科	毛连菜属	相似毛连菜	*Picris similis*
878		婆罗门参属	蒜叶婆罗门参	*Tragopogon porrifolius*
879			粗脖婆罗门参	*Tragopogon pseudomajor*
880		鸦葱属	轮台鸦葱	*Scorzonera luntaiensis*
881			和田鸦葱	*Scorzonera hotanica*
882			蒙古鸦葱	*Scorzonera mongolica*
883		麻花头属	伪泥胡菜	*Serratula coronata*
884			歪斜麻花头	*Serratula procumbens*
885			分枝麻花头	*Serratula cardunculus*
886		矢车菊属	糙叶矢车菊	*Centaurea adpressa*
887			小花矢车菊	*Centaurea squarrosa*
888			针刺矢车菊	*Centaurea iberica*
889			欧亚矢车菊	*Centaurea ruthenica*
890		异喙菊属	异喙菊	*Heteracia szovitsii*
891		蒲公英属	小果蒲公英	*Taraxacum lipskyi*
892			药蒲公英	*Taraxacum officinale*
893			多葶蒲公英	*Taraxacum multiscaposum*
894			荒漠蒲公英	*Taraxacum monochlamydeum*
895			阿尔金蒲公英	*Taraxacum altune*
896			小叶蒲公英	*Taraxacum goloskokovii*
897			葱岭蒲公英	*Taraxacum pseudominutilobum*
898			多裂蒲公英	*Taraxacum dissectum*
899			粉绿蒲公英	*Taraxacum dealbatum*
900			白花蒲公英	*Taraxacum leucanthum*
901			中亚蒲公英	*Taraxacum centrasiaticum*
902			红角蒲公英	*Taraxacum luridum*
903			窄苞蒲公英	*Taraxacum bessarabicum*
904			橡胶草	*Taraxacum kok – saghyz*
905			双角蒲公英	*Taraxacum bicorne*
906			和田蒲公英	*Taraxacum stanjunkoviczii*
907			红果蒲公英	*Taraxacum erythrospermun*
908			紫果蒲公英	*Taraxacum sumneviczii*
909			深裂蒲公英	*Taraxacum stenolobum*
910			长锥蒲公英	*Taraxacum longipyramidatum*
911			毛叶蒲公英	*Taraxacum minutilobum*

（续）

序号	科	属	种	
			中文名	拉丁名
912	菊科	蒲公英属	无角蒲公英	*Taraxacum ecornutum*
913		苦苣菜属	续断菊	*Sonchus asper*
914			沼生苦苣菜	*Sonchus palustris*
915		假小喙菊属	假小喙菊	*Paramicrorhynchus procumbens*
916		莴苣属	飘带莴苣	*Lactuca undulate*
917			阿尔泰莴苣	*Lactuca altaica*
918		乳苣属	乳苣	*Mulgeium tataricum*
919		头嘴苣属	头嘴苣	*Cephalorrhynchus soongaricus*
920		小苦荬属	窄叶小苦荬	*Ixeridium gramineum*
921		还阳参属	毛还阳参	*Crepis polytricha*
922			弯茎还阳参	*Crepis flexuosa*
923			广布还阳参	*Crepis karelinii*
924			小还阳参	*Crepis nana*
925			屋根草	*Crepis tectorum*
926		山柳菊属	山柳菊	*Hieracium umbellatum*
927			基叶山柳菊	*Hieracium dublitzkii*
928			高山柳菊	*Hieracium korshinskyi*
929		一枝黄花属	毛果一枝黄花	*Solidago virgaurea*
930	香蒲科	香蒲属	球序香蒲	*Typha pallida*
931			小香蒲	*Typha minima*
932			短序香蒲	*Typha gracilis*
933			无苞香蒲	*Typha laxmannii*
934			长苞香蒲	*Typha angustata*
935			水烛	*Typha angustifolia*
936			宽叶香蒲	*Typha latifolia*
937			达香蒲	*Typha davidiana*
938	黑三棱科	黑三棱属	小果黑三棱	*Sparganium microcarpum*
939			小黑三棱	*Sparganium simplex*
940			黑三棱	*Sparganium stoloiferum*
941	眼子菜科	角果藻属	角果藻	*Zannichellia palustris*
942			长柄角果藻	*Zannichellia palustris* var. *pedicellata*
943		川蔓藻属	川蔓藻	*Ruppia maritima*
944		眼子菜属	帕米尔眼子菜	*Potamogeton pamiricus*
945			丝叶眼子菜	*Potamogeton filiformis*
946			穿叶眼子菜	*Potamogeton perfoliatus*

（续）

序号	科	属	种	
			中文名	拉丁名
947	眼子菜科	眼子菜属	小节眼子菜	*potamogeton nodosus*
948			篦齿眼子菜	*potamogeton pectinatus*
949			光叶眼子菜	*Potamogeton lucens*
950			竹叶眼子菜	*potamogeton malaianus*
951			鞘叶眼子菜	*Potamogeton vaginatus*
952			小眼子菜	*potamogeton pusillus*
953			菹草	*potamogeton crispus*
954			白茎眼子菜	*potamogeton praelongus*
955			柳叶眼子菜	*Potamogeton compressus*
956			异叶眼子菜	*Potamogeton heterophyllus*
957			蓼叶眼子菜	*potamogeton polygonifolius*
958			浮叶眼子菜	*Potamogeton natans*
959			钝叶眼子菜	*Potamogeton obtusifolius*
960	茨藻科	茨藻属	大茨藻	*Najas marina*
961			小茨藻	*Najas minor*
962	水麦冬科	水冬麦属	海韭菜	*Triglochin maritimum*
963			水麦冬	*Triglochin paluster*
964	泽泻科	泽泻属	膜果泽泻	*Alisma lanceolatum*
965			草泽泻	*Alisma gramineum*
966			东方泽泻	*Alisma orientale*
967			泽泻	*Alisma plantago-aquatica*
968			小泽泻	*Alisma nanum*
969		慈姑属	野慈姑	*Sagittaria trifolia*
970			欧洲慈姑	*Sagittaria sagittifilia*
971			漂浮慈姑	*Sagittaria natans*
972	花蔺科	花蔺属	花蔺草	*Butomus umbellatus*
973	水鳖科	苦草属	苦草	*Vallisneria spiralis*
974	禾本科	芦苇属	芦苇	*Phragmites australis*
975		甜茅属	折甜茅	*Glyceria plicata*
976			水甜茅	*Glyceria maxima*
977		沿沟草属	沿沟草	*Catabrosa aquatica*
978		羊茅属	黑穗羊茅	*Festucinae tristis*
979			草甸羊茅	*Festucinae pratensis*
980			苇状羊茅	*Fesuca arundinacea*
981			东方羊茅	*Festuca arundinacea* subsp. *orientalis*

（续）

序号	科	属	种	
			中文名	拉丁名
982	禾本科	羊茅属	毛稃羊茅	*Festuca rubra* subsp. *arctica*
983		早熟禾属	西藏早熟禾	*Poa tibetica*
984			密穗早熟禾	*Poa spiciformis*
985			细叶早熟禾	*Poa angustifolia*
986			林地早熟禾	*Poa nemoralis*
987			密穗林地早熟禾	*Poa nemoralis* subsp. *korshunensis*
988			早熟禾	*Poa annua*
989			昆仑早熟禾	*Poa litminowiana*
990			新疆早熟禾	*Poa versicolor*
991			高山早熟禾	*Poa alpina*
992			雪地早熟禾	*Poa rangkulensis*
993			沼生早熟禾	*Poa palustris*
994		碱茅属	小林碱茅	*Puccinellia hauptiana*
995			喜马拉雅碱茅	*Puccinellia himalaca*
996			碱茅	*Puccinellia distans*
997			西域碱茅	*Puccinellia roshevitsiana*
998			小药碱茅	*Puccinellia microanthera*
999			帕米尔碱茅	*Puccinellia pamirica*
1000			高山碱茅	*Puccinellia hackeliana*
1001			喀什碱茅	*Puccinellia hackeliana* subsp. *humilis*
1002			阿尔金山碱茅	*Puccinellia arjinshanensis*
1003			星星草	*Puccinellia tenuiflora*
1004			裸花碱茅	*Puccinellia nudaflora*
1005			多花碱茅	*Puccinellia florida*
1006			斯碱茅	*Puccinellia schischkinii*
1007		雀麦属	无芒雀麦	*Bromus inermis*
1008			密丛雀麦	*Bromus benekenii*
1009			雀麦	*Bromus japonicus*
1010		偃麦草属	偃麦草	*Elytrigia repens*
1011			多花偃麦草	*Elytrigia elongatiformis*
1012		披碱草属	麦蓍草	*Elymus tangutorum*
1013			老芒麦	*Elymus sibiricus*
1014			垂穗披碱草	*Elymus nutans*
1015			披碱草	*Elymus dahuricus*
1016			肥披碱草	*Elymus excelsus*

（续）

序号	科	属	种	
			中文名	拉丁名
1017	禾本科	披碱草属	曲芒鹅观草	*Elymus tschimganicus*
1018		大麦草属	短芒大麦草	*Hordeum brevisubulatum*
1019			紫大麦草	*Hordeum violaceum*
1020			布顿大麦草	*Hordeum bogdanii*
1021		赖草属	赖草	*Leuymus secalinus*
1022			宽穗赖草	*Leuymus ovatus*
1023			毛穗赖草	*Leuymus paboanus*
1024		发草属	穗发草	*Deschampsia kolerioides*
1025			帕米尔发草	*Deschampsia pamirica*
1026			发草	*Deschampsia caespitosa*
1027		茅香属	茅香	*Hierochloe odorata*
1028		虉草属	虉草	*Phalaris arundinacea*
1029		梯牧草属	梯牧草	*Phleum pratense*
1030		看麦娘属	看麦娘	*Alopecurus aequalis*
1031			苇状看麦娘	*Alopecurus arundinaceus*
1032			喜马拉雅看麦娘	*Alopecurus himalaicus*
1033			大看麦娘	*Alopecurus pratensis*
1034		拂子茅属	青海野青茅	*Calamagrostis kokonorica*
1035			大叶章	*Calamagrostis purpurea*
1036			假苇拂子茅	*Calamagrostis pseudophragmites*
1037			可疑苇拂子茅	*Calamagrostis pseudophragmires* subsp. *dubia*
1038			拂子茅	*Calamagrostis epigeios*
1039			大拂子茅	*Calamagrostis macrolepis*
1040			短芒拂子茅	*Calamagrostis tatarica*
1041		剪股颖属	巨序剪股颖	*Agrostis gigantea*
1042			细弱剪股颖	*Agrostis tenuis*
1043			匍匐剪股颖	*Agrostis stolonifera*
1044		棒头草属	长芒棒头草	*Polypogon monspeliensis*
1045			裂颖棒头草	*Polypogon maritimus*
1046			棒头草	*Polypogon fugax*
1047			昆仑棒头草	*Polypogon ivanovae*
1048		茵草属	茵草	*Beckmannia syzigachne*
1049		芨芨草属	芨芨草	*Achnatherum splendens*
1050		獐毛属	小獐毛	*Aeluropus pungens*
1051		画眉草属	小画眉草	*Eragrostis minor*

（续）

序号	科	属	种	
			中文名	拉丁名
1052	禾本科	画眉草属	香画眉草	*Eragrostis suaveolens*
1053			戈壁画眉草	*Eragrostis collina*
1054		固沙草属	固沙草	*Orinus thoroldii*
1055		虎尾草属	虎尾草	*Chloris virgata*
1056		狗牙根属	狗牙根	*Cyndon dactylon*
1057		隐花草属	隐花草	*Crypsis aculeata*
1058			蔺状隐花草	*Crypsis schoenoides*
1059		稗属	稗	*Echinochloa crusgalli*
1060			无芒稗	*Echinochloa crusgalli* var. *mitis*
1061			长芒稗	*Echinochloa caudata*
1062			光头稗	*Echinochloa colonum*
1063			水田稗	*Echinochloa oryzoides*
1064			旱稗	*Echinochloa hispidula*
1065		马唐属	马唐	*Digitaria sanguinalis*
1066			紫马唐	*Digitaria violascens*
1067		荩草属	荩草	*Arthraxon hispidus*
1068	莎草科	藨草属	滨海藨草	*Scirpus maritimus*
1069			扁秆藨草	*Scirpus planiculmis*
1070			球穗藨草	*Scirpus strobilinus*
1071			水葱	*Scirpus tabernaemontani*
1072			藨草	*Scirpus triqueter*
1073			羽状刚毛藨草	*Scripus litoralis*
1074			箭苞藨草	*Scripus enhrenbergii*
1075			北水毛花	*Scripus mucronatus*
1076			细秆藨草	*Scirpus setaceus*
1077			林生藨草	*Scirpus sylvaticus*
1078			仰卧秆藨草	*Scirpus supinus*
1079			萤蔺	*Scirpus juncoides*
1080			矮藨草	*Scirpus pumilus*
1081			沼生藨草	*Scirpus lacustris*
1082		羊胡子草属	细杆羊胡子草	*Eriophrum gracile*
1083			羊胡子草	*Eriophrum scheuchzeri*
1084		扁穗草属	大果扁穗草	*Blysmus rufus*
1085			扁穗草	*Blysmus compressus*
1086			华扁穗草	*Blysmus sinocompressus*

（续）

序号	科	属	种	
			中文名	拉丁名
1087	莎草科	荸荠属	少花荸荠	*Elaocharis pauciflora*
1088			中间型荸荠	*Elaocharis intersita*
1089			南方荸荠	*Elaocharis meridionalis*
1090			牛毛毡	*Elaocharis acicularis*
1091			木贼荸荠	*Elaocharis mitracarpa*
1092			银鳞荸荠	*Elaocharis argyrolepis*
1093			具刚毛荸荠	*Elaocharis valleculosa*
1094			沼泽荸荠	*Elaocharis palustris*
1095			单鳞苞荸荠	*Elaocharis uniglumis*
1096		飘拂草属	两歧飘拂草	*Fimbristylis dichotoma*
1097		莎草属	头穗莎草	*Crperus glomeratus*
1098			碎米莎草	*Crperus iria*
1099			褐穗莎草	*Crperus fuscus*
1100			密穗莎草	*Crperus difformis*
1101			旋鳞莎草	*Crperus michelianus*
1102		水莎草属	水莎草	*Juncellus serotinus*
1103			花穗水莎草	*Juncellus pannonicus*
1104		扁莎草属	红鳞扁莎	*Pycreus sanguinolentus*
1105		嵩草属	粗壮嵩草	*Kobresia robusta*
1106			藏西嵩草	*Kobresia deasyi*
1107			嵩草	*Kobresia bellardii*
1108			西藏嵩草	*Kobresia tibetica*
1109			线叶嵩草	*Kobresia capillifolia*
1110			高山嵩草	*Kobresia pygmaea*
1111		薹草属	箭叶薹草	*Carex bigelowii*
1112			虎尾薹草	*Carex vulpina*
1113			多叶薹草	*Carex polyphylla*
1114			无脉薹草	*Carex enervis*
1115			凹脉薹草	*Carex melanostachya*
1116			粗脉薹草	*Carex rugulosa*
1117			圆囊薹草	*Carex orbicularis*
1118			单行薹草	*Carex divisa*
1119			黑花薹草	*Carex melanantha*
1120			帕米尔薹草	*Carex pamirensis*
1121			尖嘴薹草	*Carex rostrata*

（续）

序号	科	属	种	
			中文名	拉丁名
1122	莎草科	薹草属	阿尔泰薹草	*Carex altaica*
1123			膜囊薹草	*Carex vesicaria*
1124			无味薹草	*Carex pseudofoetida*
1125			早发薹草	*Carex praecox*
1126			尤尔都斯薹草	*Carex melananthiformis*
1127			针叶薹草	*Carex stenophylloides*
1128			莎薹草	*Carex bohemica*
1129			褐鳞薹草	*Carex brunnescens*
1130			苇陆薹草	*Carex wiluica*
1131			褐鞘薹草	*Carex acuta*
1132			丛生薹草	*Carex caespitosa*
1133			准噶尔薹草	*Carex songorica*
1134			华北薹草	*Carex hancockiana*
1135			高加索薹草	*Carex caucasia*
1136			大桥薹草	*Carex aterrima*
1137			二色薹草	*Carex dichroa*
1138			大穗薹草	*Carex rhynchophysa*
1139			八脉薹草	*Carex diluta*
1140			晚薹草	*Carex serotina*
1141			灰色薹草	*Carex cinerea*
1142			柄囊薹草	*Carex stenophylla*
1143			密穗薹草	*Carex pycnostachya*
1144			多花薹草	*Carex karoi*
1145			假莎草	*Carex pseudocyperus*
1146			刺叶薹草	*Carex acutiformis*
1147			水滨薹草	*Carex riparia*
1148			直穗薹草	*Carex atherodes*
1149			尖苞薹草	*Carex microglochin*
1150			绿囊薹草	*Carex ungurensis*
1151			山薹草	*Carex griffithii*
1152			天山薹草	*Carex tianschanica*
1153			葱岭薹草	*Carex alajica*
1154	天南星科	菖蒲属	菖蒲	*Acorus calamus*
1155			石菖蒲	*Acorus tatarinowii*

（续）

序号	科	属	种	
			中文名	拉丁名
1156	浮萍科	浮萍属	浮萍	*Lemna minor*
1157			品藻	*Lemna trisulca*
1158		紫萍属	紫萍	*Spirodela polyrrhiza*
1159	灯心草科	灯心草属	棱叶灯心草	*Juncus articulatus*
1160			大花灯心草	*Juncus bufonius*
1161			丝状灯心草	*Juncus filiformis*
1162			展苞灯心草	*Juncus thomsonii*
1163			栗花灯心草	*Juncus casteneus*
1164			三苞灯心草	*Juncus triglumis*
1165			长喙灯心草	*Juncus atratus*
1166			长苞灯心草	*Juncus leucomelas*
1167			土厥灯心草	*Juncus turkestanicus*
1168			少花灯心草	*Juncus heptapotamicus*
1169			团花灯心草	*Juncus gerardii*
1170			玛纳斯灯心草	*Juncus manasiensis*
1171			扁灯心草	*Juncus compressus*
1172			无叶灯心草	*Juncus inflexus*
1173			泡果灯心草	*Juncus sphaerocarpus*
1174			圆果灯心草	*Juncus subglobosus*
1175		地杨梅属	西伯利亚地杨梅	*Luzula sibirica*
1176			单花地杨梅	*Luzula parviflora*
1177			抬头地杨梅	*Luzula confusa*
1178			锈地杨梅	*Luzula pallescens*
1179			低头地杨梅	*Luzula spicata*
1180	百合科	葱属	北疆韭	*Allium hymenorrhizum*
1181		顶冰花属	粒鳞顶冰花	*Gagea granulosa*
1182			钝瓣顶冰花	*Gagea emarginata*
1183	鸢尾科	鸢尾属	喜盐鸢尾	*Iris halophila*
1184			矮紫苞鸢尾	*Iris ruthenica* var. *nana*
1185		番红花属	白番红花	*Crocus alatavicus*
1186	兰科	珊瑚兰属	珊瑚兰	*Corallorhiza trifida*
1187		虎舌兰属	裂唇虎舌兰	*Epipogium aphyllum*
1188		火烧兰属	小花火烧兰	*Epipactis helleborine*
1189			火烧兰	*Epipactis palustris*
1190		斑叶兰属	小斑叶兰	*Goodyera repens*

（续）

序号	科	属	种	
			中文名	拉丁名
1191	兰科	红门兰属	紫斑叶红门兰	*Orchis fuchsia*
1192			宽叶红门兰	*Orehis latifolia*
1193			阴生红门兰	*Orehis umbrosa*
1194			四裂红门兰	*Orchis militaris*
1195			波罗地海红门兰	*Orchis baltica*
1196		绶草属	绶草	*Sprianthes sinensis*

附录2　新疆湿地调查区域动物名录

序号	目	科	种	
			中文名	拉丁名
一、脊椎动物				
(一)鱼　类				
1	鲟形目	鲟科	裸腹鲟	*Acipenseridae nudiventris*
2			西伯利亚鲟	*Acipenseridae baeri*
3			小体鲟	*Acipenseridae ruthenus*
4	鲑形目	鲑科	哲罗鲑	*Hucho taimen*
5			细鳞鲑	*Brachymystax lenok*
6			虹鳟	*Oncorhynchus mykiss*
7			长颌白鲑(北鲑)	*Stenodus leucichthys*
8		茴鱼科	北极茴鱼	*Thymallus arcticus*
9		胡瓜鱼科	池沼公鱼	*Hypomesus olidus*
10		银鱼科	大银鱼	*Protosalanx hyalocranius*
11		狗鱼科	白斑狗鱼	*Esox lucius*
12	鲤形目	鲤科	青鱼	*Mylopharyngodon piceus*
13			鲤	*Cyprinus carpio*
14			鲫	*Carassius auratus*
15			中华鳑鲏	*Rhodeus sinensis*
16			高体鳑鲏	*Rhodeus occllatus*
17			鳌鲦	*Hemiculter leucisculus*
18			长春鳊	*Parabramis pekinensis*
19			团头鲂	*Megalobrama amblycephala*
20			三角鲂	*Megalobrama terminalis*
21			棒花鱼	*Abbottina rivuaris*
22			花䱻	*Hemibarbus maculatus*
23			麦穗鱼	*Pseudorabora parva*
24			尖鳍鮈	*Gobio gobio acutipinnatus*
25			鳙鱼	*Aristichthys nobilis*
26			鲢鱼	*Hypophthalmichthys molitrix*
27			丁鲹(须鲹)	*Tinca tinca*
28			湖拟鲤	*Rutilus rutilus lacustris*
29			湖拟鲤×东方欧鳊	*Rutilus rutilus lacustris* × *Abramis brama orientalis*
30			草鱼	*Ctenopharyngodon idellus*
31			准噶尔雅罗鱼	*Leuciscus merzbacheri*
32			贝加尔雅罗鱼	*Leuciscus leuciscus baicalensis*
33			高体雅罗鱼	*Leuciscus idus*

（续）

序号	目	科	种	
			中文名	拉丁名
34	鲤形目	鲤科	阿勒泰鲹	*Phoxinus phoxinus ujmonensis*
35			短尾鲹	*Phoxinus brachyurus*
36			吐鲁番鲹	*Phoxinus grumi*
37			东方欧鳊	*Abramis brama orientalis*
38			细鳞斜颌鲴	*Xenocypris microlepis*
39			短头鲃	*Barbus brachycephalus*
40			扁吻鱼(新疆大头鱼)	*Aspiorhynchus laticeps*
41			塔里木裂腹鱼	*Schizothorax biddulphi*
42			宽口裂腹鱼	*Schizothorax eurystomus*
43			鸭嘴裂腹鱼	*Schizothorax esocunus*
44			厚唇裂腹鱼	*Schizothorax irregularis*
45			重唇裂腹鱼	*Schizothorax bavbatus*
46			银色裂腹鱼	*Schizothorax argentatus*
47			伊犁裂腹鱼	*Schizothorax pseudaksaiensis*
48			斑重唇鱼	*Diptychus machlatus*
49			新疆裸重唇鱼	*Gymnodiptychus dybowskii*
50			高原裸裂尻鱼	*Schizopygopsis stoliczkae*
51			赤梢鱼	*Aspius aspius*
52		鳅科	叶尔羌高原鳅	*Triplophysa yarkandensis*
53			背斑高原鳅	*Triplophysa dorsonotata*
54			隆额高原鳅	*Triplophysa bombifrons*
55			斯氏高原鳅	*Triplophysa stoliczkae*
56			小鳔高原鳅	*Triplophysa microphysa*
57			新疆高原鳅	*Triplophysa strauchii*
58			黑背高原鳅	*Triplophysa dorsalis*
59			短尾高原鳅	*Triplophysa brevicauda*
60			小眼高原鳅	*Triplophysa microps*
61			粒唇高原鳅	*Triplophysa papillosolabiatus*
62			小体高原鳅	*Triplophysa minuta*
63			北方花鳅	*Cobitis granoei*
64			北方泥鳅	*Misgurnus bipartitus*
65			泥鳅	*Misgurnus anguillicaudat*
66			北方条鳅	*Noemacheilus nudus*
67			穗唇条鳅	*Barbatula labiata*
68			小眼条鳅	*Barbatula microphthalma*
69	鳉形目	青鳉科	青鳉	*Oryzias latipes*
70	鳕形目	鳕科	江鳕	*Lota lota*
71	合鳃目	合鳃科	黄鳝	*Monopterus albus*

（续）

序号	目	科	种	
			中文名	拉丁名
72	鲇形目	鲇科	欧洲鲇	*Silurus glanis*
73			大口鲇	*Silurus meriaionalis*
74	鲈形目	鲈科	河鲈	*Perca fluviatilis*
75			伊犁鲈	*Perca schrenki*
76			梭鲈	*Lucioperca lucioperca*
77			梅花鲈	*Acerina cernua*
78		鮨科	鳜	*Siniperca chuatsi*
79		塘鳢科	黄黝	*Hypseleotris swinhonis*
80		斗鱼科	圆尾斗鱼	*Macropodus chinensis*
81		鰕虎鱼科	波氏栉鰕虎鱼	*Ctenogobius cliffordpopei*
82			褐栉鰕虎鱼	*Ctenogobius brunneus*
83			吻栉鰕虎鱼	*Rhinogobius* sp.
84		丽鱼科	莫桑比克罗非鱼	*Oreochromis mossambicus*
85			尼罗罗非鱼	*Oreochromis niloticus*
86			奥丽亚罗非鱼	*Oreochromisco aureus*
87	鲉形目	杜父鱼科	西伯利亚杜父鱼	*Cottus sibiricus*
（二）两栖类				
1	有尾目	小鲵科	中亚北鲵(新疆北鲵)	*Ranodon sibiricus*
2	无尾目	蟾蜍科	塔里木蟾蜍	*Bufo pewzowi*
3			帕米尔蟾蜍	*Bufo taxkorensis*
4			大蟾蜍	*Bufo bufo*
5		蛙科	中国林蛙	*Rana chensinensis*
6			阿尔泰林蛙	*Rana altaica*
7			中亚林蛙	*Rana asiatica*
8			中亚侧褶蛙	*Pelophylax terentievi*
（三）爬行类				
1	有鳞目	蜥蜴科	捷蜥蜴	*Lacerta agilis*
2			胎生蜥蜴	*Lacerta vivipara*
3		游蛇科	水游蛇	*Natrix natrix*
4			棋斑水游蛇	*Natrix tessellata*
（四）鸟　类				
1	潜鸟目	潜鸟科	黑喉潜鸟	*Gavia arctica*
2	䴙䴘目	䴙䴘科	小䴙䴘	*Tachybaptus ruficollis*
3			角䴙䴘	*Podiceps auritus*
4			黑颈䴙䴘	*Podiceps nigricollis*
5			凤头䴙䴘	*Podiceps cristatus*
6			赤颈䴙䴘	*Podiceps grisegena*

（续）

序号	目	科	种	
			中文名	拉丁名
7	鹈形目	鹈鹕科	白鹈鹕	*Pelecanus onocrotalus*
8		鸬鹚科	鸬鹚	*Phalacrocorax carbo*
9	鹳形目	鹭科	苍鹭	*Ardea cinerea*
10			牛背鹭	*Bubulcus ibis*
11			池鹭	*Ardeola bacchus*
12			大白鹭	*Egretta alba*
13			夜鹭	*Nycticorax nycticorax*
14			小苇鳽	*Ixobrychus minutus*
15			大麻鳽	*Botaurus stellaris*
16		鹳科	黑鹳	*Ciconia nigra*
17		鹮科	白琵鹭	*Platalea leucorodia*
18	雁形目	鸭科	疣鼻天鹅	*Cygnus olor*
19			大天鹅	*Cygnus cygnus*
20			小天鹅	*Cygnus columbianus*
21			鸿雁	*Anser cygnoides*
22			豆雁	*Anser fabalis*
23			白额雁	*Anser albifrons*
24			小白额雁	*Anser erythropus*
25			灰雁	*Anser anser*
26			斑头雁	*Anser indicus*
27			赤麻鸭	*Tadorna ferruginea*
28			翘鼻麻鸭	*Tadorna tadorna*
29			针尾鸭	*Anas acuta*
30			绿翅鸭	*Anas crecca*
31			绿头鸭	*Anas platyrhynchos*
32			斑嘴鸭	*Anas poecilorhyncha*
33			赤膀鸭	*Anas strepera*
34			赤颈鸭	*Anas penelope*
35			白眉鸭	*Anas querquedula*
36			琵嘴鸭	*Anas clypeata*
37			赤嘴潜鸭	*Netta rufina*
38			红头潜鸭	*Aythya ferina*
39			白眼潜鸭	*Aythya nyroca*

（续）

序号	目	科	种	
			中文名	拉丁名
40	雁形目	鸭科	凤头潜鸭	*Aythya fuligula*
41			斑背潜鸭	*Aythya marila*
42			斑脸海番鸭	*Melanitta fusca*
43			鹊鸭	*Bucephala clangula*
44			白头硬尾鸭	*Oxyura leucocephala*
45			白秋沙鸭（斑头秋沙鸭）	*Mergus albellus*
46			红胸秋沙鸭	*Mergus serrator*
47			普通秋沙鸭	*Mergus merganser*
48	隼形目	鹗科	鹗	*Pandion haliatus*
49	鹤形目	鹤科	灰鹤	*Grus grus*
50			黑颈鹤	*Grus nigricollis*
51			蓑羽鹤	*Anthropoides virgo*
52		秧鸡科	普通秧鸡	*Rallus aquaticus*
53			长脚秧鸡	*Crex crex*
54			姬田鸡	*Porzana parva*
55			小田鸡	*Porzana pusilla*
56			斑胸田鸡	*Porzana porzana*
57			黑水鸡	*Gallinula chloropus*
58			白骨顶	*Fulica atra*
59	鸻形目	蛎鹬科	蛎鹬	*Haematopus ostralegus*
60		鹮嘴鹬科	鹮嘴鹬	*Ibidorhyncha struthersii*
61		鸻科	凤头麦鸡	*Vanellus vanellus*
62			灰斑鸻	*Pluvialis squatarola*
63			金斑鸻	*Pluvialis fulva*
64			金眶鸻	*Charadrius dubius*
65			环颈鸻	*Charadrius alexandrinus*
66			蒙古沙鸻	*Charadrius mongolus*
67			铁嘴沙鸻	*Charadrius leschenaultii*
68			红胸鸻	*Charadrius asiaticus*
69			东方鸻	*Charadrius veredus*
70			小嘴鸻	*Eudromias morinellus*
71		鹬科	小杓鹬	*Numenius minutus*
72			中杓鹬	*Numenius phaeopus*
73			白腰杓鹬	*Numenius arquata*
74			黑尾塍鹬	*Limosa limosa*

（续）

序号	目	科	种	
			中文名	拉丁名
75	鸻形目	鹬科	斑尾塍鹬	*Limosa lapponica*
76			红脚鹬	*Tringa totanus*
77			泽鹬	*Tringa stagnatilis*
78			青脚鹬	*Tringa nebularia*
79			白腰草鹬	*Tringa ochropus*
80			林鹬	*Tringa glareola*
81			矶鹬	*Tringa hypoleucos*
82			翘嘴鹬	*Xenus cinereus*
83			翻石鹬	*Arenaria interpres*
84			半蹼鹬	*Limnodromus semipalmatus*
85			孤沙锥	*Gallinago solitaria*
86			针尾沙锥	*Gallinago stenura*
87			大沙锥	*Gallinago megala*
88			扇尾沙锥	*Gallinago gallinago*
89			丘鹬	*Scolopax rusticola*
90			姬鹬	*Lymnocryptes minimus*
91			红胸滨鹬	*Calidris canutus*
92			长趾滨鹬	*Calidris subminuta*
93			小滨鹬	*Calidris minuta*
94			乌脚滨鹬	*Calidris temminckii*
95			尖尾滨鹬	*Calidris acuminata*
96			黑腹滨鹬	*Calidris alpina*
97			弯嘴滨鹬	*Calidris ferruginea*
98			三趾滨鹬	*Crocethia alba*
99			阔嘴鹬	*Limicola falcinellus*
100			流苏鹬	*Philomachus pugnax*
101		反嘴鹬科	黑翅长脚鹬	*Himantopus himantopus*
102			反嘴鹬	*Recurvirostra avosetta*
103		瓣蹼鹬科	红颈瓣蹼鹬	*Phalaropus lobatus*
104			灰瓣蹼鹬	*Phalaropus fulicarius*

（续）

序号	目	科	种	
			中文名	拉丁名
105	鸥形目	贼鸥科	短尾贼鸥	*Stercorarius parasiticus*
106		鸥科	海鸥	*Larus canus*
107			银鸥	*Larus argentatus*
108			渔鸥	*Larus ichthyaetus*
109			红嘴鸥	*Larus ridibundus*
110			细嘴鸥	*Larus genei*
111			遗鸥	*Larus relictus*
112			棕头鸥	*Larus brunnicephalus*
113		燕鸥科	小鸥	*Larus minutus*
114			鸥嘴噪鸥	*Gelochelidon nilotica*
115			红嘴巨鸥	*Hydroprogne caspia*
116			普通燕鸥	*Sterna hirundo*
117			白额燕鸥	*Sterna albifrons*
118			须浮鸥	*Chlidonias hybrida*
119			白翅浮鸥	*Chlidonias leucoptera*
120			黑浮鸥	*Chlidonias niger*
121	佛法僧目	翠鸟科	普通翠鸟	*Alcedo atthis*
（五）哺乳类				
1	食虫目	鼩鼱科	小鼩鼱	*Sorex minutus*
2			中鼩鼱	*Sorex caecutieus*
3			小麝鼩	*Crocidura suaveolens*
4			西伯利亚麝鼩	*Crocidura sibirica*
5			水鼩鼱	*Neomys fodiens*
6			白腹麝鼩	*Crocidura leucodon*
7	食肉目	鼬科	欧水貂	*Mustela lutreola*
8			水貂	*Mustela vison*
9			水獭	*Lutra lutra*
10	啮齿目	河狸科	河狸	*Castou fiber*
11		仓鼠科	普通斑仓鼠	*Cricetulus cricetus*
12			藏仓鼠	*Cricetulus kamensis*
13			麝鼠	*Ondatra zibethica*
14			水䶄	*Arvicola terrestris*

（续）

序号	目	科	种	
			中文名	拉丁名
二、无脊椎动物				
1	十足目	长臂虾科	青虾	*Macrobrachium nipponensis*
2			秀丽白虾	*Palaemon modestus*
3			日本沼虾	*Macrobrachium nipponense*
4			中华小长臂虾	*Palaemon sinensis*
5		方蟹科	中华绒螯蟹	*Eriocheir sinensis*
6	蚌目	珠蚌科	河蚌	*Anodonta globosula*
7	直瓣鳃目	蚬科	黄蚬	*Corbicula aurea*
8	中腹足目	田螺科	中国圆田螺	*Cipangopaludina chinensis*
9			螺蛳	*Bellamya quadrata*
10		珠蚌科	草虾	*Penaeus monodon*

附录3　新疆重点调查湿地概况

根据《全国湿地资源调查技术规程(试行)》和新疆维吾尔自治区湿地资源调查《实施细则》要求，新疆重点调查湿地共涉及86个单位。其中列入国家重点湿地名录的湿地18个，自然保护区43个，湿地公园6个，其他湿地19个。共划分湿地斑块2382块，涉及全疆14个地州市、2个直辖市。重点调查湿地总面积246.91万公顷，占新疆湿地总面积的62.54%。其中河流湿地面积59.98万公顷，占新疆重点调查湿地总面积的24.29%，湖泊湿地面积62.31万公顷，占新疆重点调查湿地总面积的25.24%，沼泽湿地面积106.55万公顷，占新疆重点调查湿地总面积的43.15%，人工湿地面积18.07万公顷，占新疆重点调查湿地总面积的7.32%。现将各重点调查湿地情况概述如下：

1. 阿克苏重点调查湿地

阿克苏重点调查湿地范围面积53.00万公顷，湿地面积为7.81万公顷，主要湿地类型为河流湿地、人工湿地、沼泽湿地和湖泊湿地(永久性淡水湖、永久性咸水湖)。地理坐标为东经79°45′~80°57′，北纬40°22′~41°12′；位于阿克苏地区，横跨阿克苏市和阿瓦提县。

湿地高等植物1门40科98属168种。

湿地植被划分为2个植被型组，3个植被型，8个群系。

脊椎动物5纲16目21科103种。其中，鱼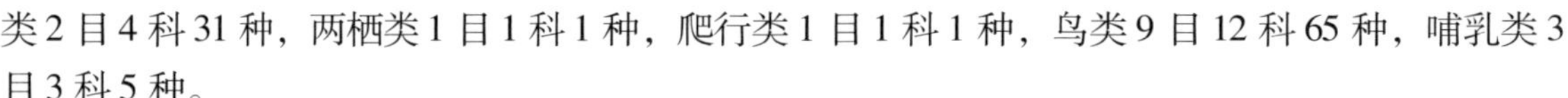类2目4科31种，两栖类1目1科1种，爬行类1目1科1种，鸟类9目12科65种，哺乳类3目3科5种。

国家重点保护鸟类6种，为小苇鳽、黑鹳、大天鹅、姬田鸡、遗鸥和黑浮鸥。

受阿克苏地区人民政府管理，成立了阿克苏地区林业局管理机构。

主要受到工业生产和城市建设等人类活动的威胁。

2. 阿尔泰山东南部重点调查湿地

阿尔泰山东南部重点调查湿地范围面积0.37万公顷，湿地面积为0.25万公顷，主要湿地类型为沼泽湿地和湖泊湿地(永久性淡水湖)。地理坐标为东经90°51′48″，北纬46°44′16″；位于青河县。

湿地高等植物2门38科102属202种。

湿地植被划分为2个植被型组，3个植被型，5个群系。

脊椎动物2纲9目14科62种。其中，鸟类8目13科60种，兽类1目1科2种。

受阿尔泰山国有林管理局管理，成立了阿尔泰山两河源头自然保护区管理局管理机构。

主要受到过度放牧和滥伐森林的威胁。

3. 阿其克库木湖重点调查湿地

阿其克库木湖重点调查湿地范围面积5.98万公顷，湿地面积为5.93万公顷，主要湿地类型为湖泊湿地(永久性咸水湖)和沼泽湿地。地理坐标为东经88°18′~88°33′，北纬36°55′~37°10′；位于若羌县南部。

湿地高等植物1门9科18属34种。

湿地植被划分为1个植被型组，2个植被型，4个群系。

脊椎动物2纲4目4科5种。其中，鸟类3目3科4种，哺乳类1目1科1种。

国家重点保护鸟类1种，为黑颈鹤。

受新疆维吾尔自治区环境保护厅管理，成立了阿尔金山国家级自然保护区管理局管理机构。

人烟稀少，生态环境基本处于自然状态。威胁等级为安全。

4. 阿牙克库木重点调查湿地

阿牙克库木重点调查湿地范围面积11.70万公顷，湿地面积为11.47万公顷，主要湿地类型为湖泊湿地(永久性咸水湖)和沼泽湿地。地理坐标为东经89°04′~89°44′，北纬37°28′~37°38′；位于青藏高原的最北端，阿尔金山和昆仑山之间。

湿地高等植物1门9科17属31种。

湿地植被划分为1个植被型组，2个植被型，5个群系。

脊椎动物2纲5目7科9种。其中，鸟类4目6科8种，哺乳类1目1科1种。

国家重点保护鸟类1种，为黑颈鹤。

受新疆维吾尔自治区环境保护厅管理，成立了阿尔金山国家级自然保护区管理局管理机构。

主要受到过度放牧的威胁。

5. 艾丁湖重点调查湿地

艾丁湖重点调查湿地范围面积1.95万公顷，湿地面积为1.94万公顷，主要湿地类型为沼泽湿地、湖泊湿地(永久性咸水湖)和人工湿地。地理坐标为东经89°13′~89°27′，北纬42°35′~42°41′；位于吐鲁番市境内。

湿地高等植物1门8科21属25种。

湿地植被划分为2个植被型组，2个植被型，5个群系。

脊椎动物1纲3目3科4种。其中，鸟类3目3科4种。

国家重点保护鸟类1种，为黑鹳。

受吐鲁番市人民政府管理，成立了吐鲁番市林业局管理机构。

主要受到农业灌溉的威胁。

6. 巴里坤湖重点调查湿地

巴里坤湖重点调查湿地范围面积7.90万公顷，湿地面积为5.49万公顷，主要湿地类型为沼泽湿地、人工湿地、湖泊湿地(永久性咸水湖)和河流湿地。地理坐标为东经92°42′18″~93°17′27″，北纬43°36′15″~43°43′50″；位于巴里坤哈萨克自治县内。

湿地高等植物1门41科76属118种。

湿地植被划分为2个植被型组，3个植被型，6个群系。

脊椎动物4纲11目16科51种。其中，鱼类1目1科3种，两栖类1目1科1种，鸟类7目12科44种，哺乳类2目2科3种。

国家重点保护鸟类3种，分别为黑鹳、大天鹅和蓑羽鹤。

受哈密地区林业局管理，成立了巴里坤县林业局管理机构。

7. 博斯腾湖重点调查湿地

博斯腾湖重点调查湿地范围面积15.68万公顷，湿地面积为15.10万公顷，主要湿地类型为湖泊湿地(永久性淡水湖)、沼泽湿地和人工湿地。地理坐标为东经86°19′25″~87°25′40″，北纬41°49′25″~42°13′44″；位于博湖县境内。

湿地高等植物1门20科26属35种。

湿地植被划分为3个植被型组，4个植被型，

6个群系。

脊椎动物4纲16目27科102种。其中，鱼类5目9科27种，两栖类1目2科4种，鸟类9目15科70种，哺乳类1目1科1种。

国家重点保护鸟类6种，为白鹈鹕、小苇鳽、黑鹳、大天鹅、蓑羽鹤和小鸥。

受博湖县人民政府管理，成立了博湖县林业局管理机构。

主要受到农田排水、工业废水、城镇生活污水的威胁。

8. 布伦口湖群重点调查湿地

布伦口湖群重点调查湿地范围面积0.50万公顷，湿地面积为0.49万公顷，主要湿地类型为沼泽湿地和湖泊湿地（永久性咸水湖）。地理坐标为东经74°40′~75°00′，北纬38°30′~38°55′；位于克孜勒苏柯尔克孜自治州阿克陶县境内。

湿地高等植物2门34科92属184种。

湿地植被划分为1个植被型组，1个植被型，5个群系。

脊椎动物4纲11目13科47种。其中，鱼类1目1科4种，两栖类1目1科1种，鸟类7目9科39种，哺乳类2目2科3种。

国家重点保护鸟类4种，为小苇鳽、黑鹳、白额雁和长脚秧鸡。

受克孜勒柯尔克孜自治州林业局管理，成立了帕米尔高原湿地自然保护区管理站管理机构。

主要受到开矿、水力发电站的威胁。

9. 鲸鱼湖重点调查湿地

鲸鱼湖重点调查湿地范围面积3.10万公顷，湿地面积为3.05万公顷，主要湿地类型为湖泊湿地（永久性淡水湖、永久性咸水湖）。地理坐标为东经89°16′~89°38′，北纬36°11′~36°27′；位于若羌境内。

湿地高等植物1门8科12属22种。

湿地植被划分为1个植被型组，2个植被型，5个群系。

脊椎动物2纲4目4科5种。其中，鸟类3目3科4种，哺乳类1目1科1种。

国家重点保护鸟类1种，为黑颈鹤。

受新疆维吾尔自治区环境保护厅部门管理，成立了阿尔金山国家级自然保护区管理局管理机构。

鲸鱼湖属于阿尔金山国家级保护区边缘管辖范围，属高海拔无人区，所以保持着原始的状态。威胁等级为安全。

10. 喀纳斯湖重点调查湿地

喀纳斯湖重点调查湿地范围面积0.45万公顷，湿地面积为0.45万公顷，主要湿地类型为湖泊湿地(久性淡水湖)。位于布尔津县境内。

湿地高等植物2门25科65属110种。

湿地植被划分为3个植被型组，3个植被型，5个群系。

脊椎动物4纲8目8科15种。其中，鱼类3目3科7种，两栖类1目1科2种，爬行类1目1科1种，鸟类3目3科7种。

受布尔津县人民政府管理，成立了哈纳斯国家级自然保护区管理局管理机构。

主要受到旅游开发威胁。

11. 克拉玛依湖重点调查湿地

克拉玛依湖重点调查湿地范围面积0.02万公顷，湿地面积为0.04万公顷，主要湿地类型为沼泽湿地和湖泊湿地(永久性咸水湖)。中心地理坐标为东经84°56′，北纬45°35′；位于克拉玛依市附近。

湿地高等植物1门16科38属69种。

湿地植被划分为1个植被型组，1个植被型，2个群系。

脊椎动物2纲8目13科32种。其中，鸟类7目12科30种，兽类1目1科2种。

受克拉玛依市人民政府管理，成立了克拉玛依市农林牧业局管理机构。

主要受到工业建设的威胁。

12. 玛纳斯湖重点调查湿地

玛纳斯湖重点调查湿地范围面积8.38万公顷，湿地面积为8.31万公顷，主要湿地类型为沼泽湿地和人工湿地湿地。中心地理坐标为东经86°00′，北纬45°50′；位于克拉玛依东北75公里，和布克赛尔蒙古自治县境内。

湿地高等植物2门14科35属61种。

湿地植被划分为2个植被型组，2个植被型，2个群系。

脊椎动物2纲8目13科32种。其中，鸟类7目12科30种，兽类1目1科2种。

受和布克赛尔蒙古自治县人民政府管理，成立了和布克赛尔蒙古自治县林业局管理机构。

主要受到农业垦荒、盐渍化、沙漠化威胁。

13. 塔里木河下游尉犁重点调查湿地

塔里木河下游尉犁重点调查湿地范围面积64.00万公顷，湿地面积为8.70万公顷，主要湿地类型为沼泽湿地、河流湿地、人工湿地和湖泊湿地(永久性淡水湖、季节性淡水湖)。地理坐标为东经86°39′~87°55′，北纬40°25′~41°03′；位于尉犁县境内。

湿地高等植物1门21科64属102种。

湿地植被划分为3个植被型组，4个植被型，8个群系。

脊椎动物5纲14目18科76种。其中，鱼类2目2科21种，两栖类1目1科1种，爬行类1目1科1种，鸟类8目12科51种，哺乳类2目2科2种。

国家重点保护鸟类4种，为白鹈鹕、小苇鳽、黑鹳和大天鹅。

受尉犁县人民政府管理，成立了尉犁县林业局管理机构。

主要受到挖沟排碱、开垦土地、过牧、乱砍滥挖的威胁。

14. 渭干河流域重点调查湿地

渭干河流域重点调查湿地范围面积42.00万公顷，湿地面积为1.20万公顷，主要湿地类型为人工湿地、沼泽湿地、河流湿地和湖泊湿地(永久性淡水湖、永久性咸水湖、季节性咸水湖)。地理坐标为东经82°35′~84°17′，北纬40°46′~42°35″；位于阿克苏地区境内。

湿地高等植物1门16科25属33种。

湿地植被划分为2个植被型组，3个植被型，7个群系。

脊椎动物5纲15目18科74种。其中，鱼类2目2科14种，两栖类1目1科1种，爬行类1目1科1种，鸟类9目12科56种，哺乳类2目2科2种。

国家重点保护鸟类6种，为小苇鳽、黑鹳、白额燕、大天鹅、姬田鸡和小鸥。

受阿克苏地区林业局管理，成立了湿地所属各县林业局管理机构。

主要受到过度开垦及开垦后撂荒、弃耕的威胁。

15. 乌鲁木齐河重点调查湿地

乌鲁木齐河重点调查湿地范围面积7万万公顷，湿地面积为1.92万公顷，主要湿地类型为湖泊湿地(永久性淡水湖、永久性咸水湖、季节性咸水湖)、人工湿地、河流湿地和沼泽湿地。地理

坐标为东经86°38′~88°58′，北纬42°45′~44°07′；位于乌鲁木齐市境内。

湿地高等植物2门26科64属124种。

湿地植被划分为2个植被型组，3个植被型，3个群系。

脊椎动物4纲11目19科77种。其中，鱼类2目3科6种，两栖类1目1科1种，鸟类7目14科68种，哺乳类1目1科2种。

受乌鲁木齐市人民政府管理，成立了乌鲁木齐市林业局管理机构。

主要受到工业污水和生活污水排放的威胁。

16. 乌伦古湖和吉力湖重点调查湿地

乌伦古湖和吉力湖重点调查湿地范围面积14.00万公顷，湿地面积为10.59万公顷，主要湿地类型为湖泊湿地(永久性淡水湖、永久性咸水湖、季节性淡水湖)、沼泽湿地和人工湿地。地理坐标为东经87°24′53″~87°32′58″，北纬46°51′59″~47°06′28″；位于福海县境内。

湿地高等植物2门21科46属93种。

湿地植被划分为2个植被型组，3个植被型，3个群系。

脊椎动物5纲16目25科61种。其中，鱼类5目6科13种，两栖类1目2科3种，爬行类1目1科1种，鸟类6目13科39种，兽类3目3科5种。

受福海县人民政府管理，成立了福海县林业局管理机构。

主要受到自然资源的不合理利用的威胁。

17. 叶尔羌河流域重点调查湿地

叶尔羌河流域重点调查湿地范围面积9万公顷，湿地面积为18.50万公顷，主要湿地类型为河河流湿地、沼泽湿地、人工湿地和湖泊湿地(永久性淡水湖、永久性咸水湖、季节性淡水湖)。地理坐标为东经74°27′~80°53′，北纬35°27′~40°24′；位于喀什地区境内。

湿地高等植物1门15科40属73种。

湿地植被划分为2个植被型组，3个植被型，9个群系。

脊椎动物5纲15目19科67种。其中，鱼类2目2科21种，两栖类1目1科1种，爬行类1

目1科1种，鸟类8目12科39种，哺乳类3目3科5种。

国家重点保护鸟类3种，为小苇鳽、黑鹳和灰鹤。

受喀什地区人民政府管理，成立了叶尔羌河流域管理委员会管理机构。

主要受到沙漠化和旱灾的威胁。

18. 伊犁河重点调查湿地

伊犁河重点调查湿地范围面积31.00万公顷，湿地面积为11.33万公顷，主要湿地类型为河流湿地、沼泽湿地和人工湿地。地理坐标为东经80°30′~83°10′，北纬42°50′~44°10′；位于伊犁地区。

湿地高等植物2门46科109属204种。

湿地植被划分为3个植被型组，4个植被型，7个群系。

脊椎动物5纲16目25科102种。其中，鱼类5目8科22种，两栖类1目2科4种，爬行类1目1科1种，鸟类7目11科71种，兽类2目2科3种。

受伊犁哈萨克自治州人民政府管理，成立了伊犁哈萨克自治州林业局湿地保护管理局，伊犁河流域各县市林业局管理机构。

主要受到工业污水、旅游开发和过度开采地下水的威胁。

19. 哈纳斯国家级自然保护区重点调查湿地

哈纳斯国家级自然保护区重点调查湿地范围面积22.02万公顷，湿地面积为0.94万公顷，主要湿地类型为湖泊湿地(永久性淡水湖)、沼泽湿地和河流湿地。地理坐标为东经86°45′~88°11′，北纬48°23′~49°11′；位于布尔津县和哈巴河县内。

湿地高等植物3门29科77属134种。

湿地植被划分为4个植被型组，4个植被型，7个群系。

脊椎动物4纲8目9科16种。其中，鱼类3目3科5种，两栖类1目2科3种，爬行类1目1科1种，鸟类3目3科7种。

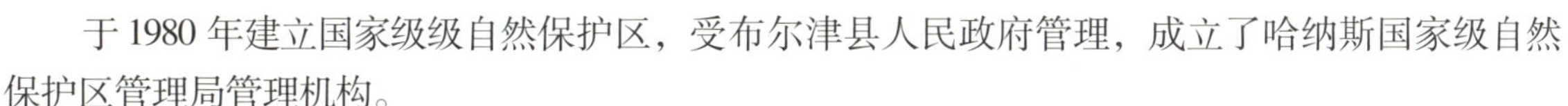

于1980年建立国家级级自然保护区，受布尔津县人民政府管理，成立了哈纳斯国家级自然保护区管理局管理机构。

主要受到旅游业的威胁。

20. 巴音布鲁克国家级自然保护区重点调查湿地

巴音布鲁克国家级自然保护区重点调查湿地范围面积14.87万公顷，湿地面积为13.3万公顷，主要湿地类型为沼泽湿地和河流湿地。地理坐标为东经 83°12′~85°51′，北纬42°59′~43°07′；位于和静县境内。

湿地高等植物1门26科67属107种。

湿地植被划分为2个植被型组，3个植被型，4个群系。

脊椎动物3纲9目13科64种。其中，鱼类1目1科7种，两栖类1目1科1种，鸟类7目11科56种。

国家重点保护鸟类5种，为角䴙䴘、黑鹳、大天鹅、灰鹤和蓑羽鹤。

于1980年建立国家级自然保护区，受巴州林业局管理，成立了巴音布鲁克国家级自然保护区管理局管理机构。

主要受到过度放牧的威胁。

21. 托木尔峰国家级自然保护区重点调查湿地

托木尔峰国家级自然保护区重点调查湿地范围面积23.76万公顷，湿地面积为0.03万公顷，主要湿地类型为河流湿地。地理坐标为东经79°50′~80°54′，北纬41°40′~42°04′；位于温宿县内。

湿地高等植物2门46科126属243种。

湿地植被划分为2个植被型组，3个植被型，5个群系。

脊椎动物1纲3目3科3种。鸟类1目3科3种。

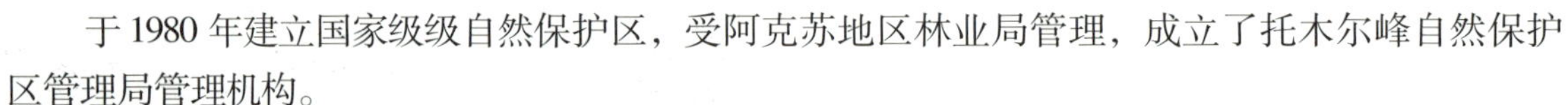

于1980年建立国家级级自然保护区，受阿克苏地区林业局管理，成立了托木尔峰自然保护区管理局管理机构。

主要受到全球气候变暖影响和冰川消融现象的威胁。

22. 甘家湖梭梭林国家级自然保护区重点调查湿地

甘家湖梭梭林国家级自然保护区重点调查湿地范围面积5.47万公顷，湿地面积为0.36万公顷，主要湿地类型为沼泽湿地和河流湿地。地理坐标为东经83°18′~83°52′，北纬44°46′~44°58′；位于塔城地区乌苏市、博州精河县。

湿地高等植物1门21科44属58种。

湿地植被划分为 3 个植被型组，3 个植被型，4 个群系。

脊椎动物 2 纲 4 目 5 科 9 种。其中，鸟类 3 目 4 科 7 种，兽类 1 目 1 科 2 种。

于 1983 年建立国家级自然保护区，受新疆维吾尔自治区林业厅管理，成立了甘家湖梭梭林国家级自然保护区管理局管理机构。

主要受到石油勘探、采挖肉苁蓉的威胁。

23. 塔里木胡杨林国家级自然保护区重点调查湿地

塔里木胡杨林国家级自然保护区重点调查湿地范围面积 39.54 万公顷，湿地面积为 5.78 万公顷，主要湿地类型为沼泽湿地、河流湿地和人工湿地。地理坐标为东经 84°15′～85°30′，北纬 40°55′～41°15′；位于轮台县境内。

湿地高等植物 1 门 27 科 49 属 74 种。

湿地植被划分为 3 个植被型组，4 个植被型，8 个群系。

脊椎动物 5 纲 14 目 17 科 70 种。其中，鱼类 2 目 2 科 1 种，两栖类 1 目 1 科 1 种，爬行类 1 目 1 科 1 种，鸟类 8 目 11 科 45 种，哺乳类 2 目 2 科 2 种。

国家重点保护鸟类 3 种，为黑鹳、小苇鳽和大天鹅。

于 1983 年建立国家级自然保护区，受巴州林业局管理，成立了塔里木胡杨国家级自然保护区管理局管理机构。

主要受到过度放牧和资源不合理利用的威胁。

24. 艾比湖湿地国家级自然保护区重点调查湿地

艾比湖湿地国家级自然保护区重点调查湿地范围面积 26.71 万公顷，湿地面积为 12.5 万公顷，主要湿地类型为沼泽湿地、湖泊湿地(永久性咸水湖)、人工湿地和河流湿地。地理坐标为东经 82°36′～83°50′，北纬 44°37′～45°15′；位于精河县内。

湿地高等植物 1 门 28 科 67 属 134 种。

湿地植被划分为 2 个植被型组，3 个植被型，7 个群系。

脊椎动物 4 纲 9 目 14 科 40 种。其中，鱼类 1 目 1 科 10 种，两栖类 1 目 1 科 1 种，鸟类 6 目 11 科 27 种，兽类 1 目 1 科 2 种。

于 2000 年建立国家级自然保护区，受博尔塔拉蒙古自治州林业局管理，成立了艾比湖湿地国家级自然保护区管理局管理机构。

主要受到荒漠化和过度放牧的威胁。

25. 西天山国家级自然保护区重点调查湿地

西天山国家级自然保护区重点调查湿地范围面积3.12万公顷，湿地面积为0.01万公顷，主要湿地类型为河流湿地。地理坐标为东经82°51′~83°06′，北纬43°03′~43°15′；位于巩留县境内。

湿地高等植物2门29科66属107种。

湿地植被划分为3个植被型组，3个植被型，5个群系。

脊椎动物4纲8目10科22种。其中，两栖类1目2科4种，爬行类1目2科2种，鸟类5目5科14种，兽类1目1科2种。

于1983年建立国家级自然保护区，受天山西部国有林管理局管理，成立了西天山国家级自然保护区管理局管理机构。

主要受到旅游业的威胁。

26. 罗布泊野骆驼国家级自然保护区重点调查湿地

罗布泊野骆驼国家级自然保护区重点调查湿地范围面积1400万公顷，湿地面积为9.74万公顷，主要湿地类型为沼泽湿地、人工湿地、湖泊湿地(季节性淡水湖、季节性咸水湖)和河流湿地。地理坐标为东经89°00′~93°30′，北纬38°45′~42°35′；位于鄯善县、若羌县、哈密市境内。

湿地高等植物1门8科13属19种。

湿地植被划分为2个植被型组，2个植被型，4个群系。

脊椎动物1纲6目9科12种。其中，鸟类6目9科12种。

国家重点保护鸟类2种，为黑鹳和蓑羽鹤。

于2003年建立国家级自然保护区，受新疆维吾尔自治区环境保护厅管理，成立了罗布泊野骆驼国家级自然保护区管理局管理机构。

主要受到过度开矿的威胁。

27. 阿尔金山国家级自然保护区重点调查湿地

阿尔金山国家级自然保护区重点调查湿地范围面积45万公顷，湿地面积为33.22万公顷，主要湿地类型为湖泊湿地(永久性淡水湖、永久性咸水湖)、河流湿地和沼泽湿地。地理坐标为东经87°10′~91°18′，北纬36°00′~37°49′；位于若羌县、且末县境内。

湿地高等植物1门15科32属61种。

湿地植被划分为2个植被型组，3个植被型，6个群系。

脊椎动物3纲8目11科22种。其中，鱼类1目1科2种，鸟类6目9科19种，哺乳类1目1科1种。

国家重点保护鸟类2种，为黑颈鹤和黑鹳。

于1983年建立国家级自然保护区，受新疆维吾尔自治区环境保护厅管理，成立了阿尔金山国家级自然保护区管理局管理机构。

主要受到非法狩猎、探矿、采金的威胁。

28. 天池自然保护区重点调查湿地

天池自然保护区重点调查湿地范围面积3.81万公顷，湿地面积为0.04万公顷，主要湿地类型为湖泊湿地(永久性淡水湖)和河流湿地。地理坐标为东经88°00′~88°20′，北纬43°45′~43°59′；位于阜康市境内。

湿地高等植物2门17科41属50种。

湿地植被划分为3个植被型组，3个植被型，5个群系。

脊椎动物2纲3目4科10种。其中，鱼类1目2科5种，鸟类2目2科5种。

于1980年建立自治区级自然保护区，受阜康市人民政府管理，成立了天池管委会管理机构。

主要受到人口增长、过度放牧、滥伐森林的威胁。

29. 卡拉麦里山有蹄类自然保护区重点调查湿地

卡拉麦里山有蹄类自然保护区重点调查湿地范围面积134.64万公顷，湿地面积为1.91万公顷，主要湿地类型为湖泊湿地(季节性咸水湖)、河流湿地和沼泽湿地。地理坐标为东经88°30′~90°03′，北纬44°36′~46°00′；位于阿勒泰地区富蕴县、青河县，昌吉回族自治州奇台县、吉木萨尔县境内。

湿地高等植物1门11科28属33种。

湿地植被划分为2个植被型组，3个植被型，3个群系。

脊椎动物2纲7目10科41种。其中，鸟类6目9科40种，两栖类有1目1科1种。

于1982年建立自治区级自然保护区，受阿勒泰地区林业局、昌吉回族自治州林业局管理，成立了卡拉麦里山有蹄类自然保护区管理站管理机构。

主要受到人口增长、过度放牧、开矿的威胁。

30. 塔什库尔干自然保护区重点调查湿地

塔什库尔干自然保护区重点调查湿地范围面积15万公顷，湿地面积为7.89万公顷，主要湿地类型为河流湿地、沼泽湿地和湖泊湿地(永久性淡水湖)。地理坐标为东经74°30′~77°00′，北纬35°38′~37°30′；位于塔什库尔干塔吉克自治县内。

湿地高等植物1门40科109属216种。

湿地植被划分为2个植被型组，3个植被型，8个群系。

脊椎动物4纲12目14科48种。其中，鱼类1目1科4种，两栖类1目1科1种，鸟类7目9科39种，哺乳类3目3科4种。

国家重点保护鸟类4种，为小苇鳽、黑鹳、白额雁和长脚秧鸡。

于1984年建立自治区级自然保护区，受喀什地区林业局管理，成立了塔什库尔干自然保护区管理站管理机构。

主要受到非法狩猎和人工破坏(修路)的威胁。

31. 夏尔希里自然保护区重点调查湿地

夏尔希里自然保护区重点调查湿地范围面积31400万公顷，湿地面积为0.01万公顷，主要湿地类型为河流湿地。地理坐标为东经81°43′09″~82°33′18″，北纬45°07′43″~45°23′15″；位于博乐市境内。

湿地高等植物2门19科40属52种。

湿地植被划分为3个植被型组，3个植被型，4个群系。

脊椎动物2纲8目14科40种。其中，鸟类7目13科39种，兽类1目1科1种。

于2000年建立自治区级自然保护区，受博尔塔拉蒙古自治州林业局管理，成立了夏尔希里自然保护区管理站管理机构。

威胁等级为安全。

32. 阿尔泰山两河源头自然保护区重点调查湿地

阿尔泰山两河源头自然保护区重点调查湿地范围面积67.59万公顷，湿地面积为1.51万公顷，主要湿地类型为沼泽湿地、河流湿地和湖泊湿地(永久性淡水湖)。地理坐标为东经88°57′57″~91°04′06″，北纬46°31′32″~48°33′28″；位于富蕴县和青河县内。

湿地高等植物2门35科117属231种。

湿地植被划分为3个植被型组，3个植被型，6个群系。

脊椎动物5纲17目23科57种。其中，鱼类4目6科8种，两栖类1目1科3种，爬行类1目1科1种，鸟类8目12科40种，兽类3目3科5种。

于2001年建立自治区级自然保护区，受阿尔泰山国有林管理局管理，成立了新疆阿尔泰两河源头自然保护区管理局管理机构。

主要受到水资源过度开发的威胁。

33. 中昆仑自然保护区重点调查湿地

中昆仑自然保护区重点调查湿地范围面积32万公顷，湿地面积为5.77万公顷，主要湿地类型为河流湿地、湖泊湿地（永久性淡水湖、永久性咸水湖、季节性淡水湖、季节性咸水湖）和沼泽湿地。地理坐标为东经84°20′～87°40′，北纬35°15′～37°26′；位于巴音郭楞蒙古自治州且末县南部。

湿地高等植物1门13科24属50种。

湿地植被划分为2个植被型组，3个植被型，5个群系。

脊椎动物2纲6目8科12种。其中，鸟类5目7科11种，哺乳类1目1科1种。

国家重点保护鸟类2种，为黑鹳和大天鹅。

于2001年建立自治区级自然保护区，受且末县人民政府管理，成立了中昆仑自然保护区管理站管理机构。

主要受到过度放牧、开矿的威胁。

34. 阿勒泰科克苏湿地自然保护区重点调查湿地

阿勒泰科克苏湿地自然保护区重点调查湿地范围面积4.60万公顷，湿地面积为4.00万公顷，主要湿地类型为沼泽湿地。地理坐标为东经87°28′～87°30′，北纬47°38′～47°43′；位于阿勒泰市西南部荒漠平原区。

湿地高等植物3门50科166属357种。

湿地植被划分为4个植被型组，4个植被型，6个群系。

脊椎动物4纲11目19科49种。其中，两栖类有1目2科4种，爬行类1目1科1种，鸟类

6目13科39种，兽类3目3科5种。

于2001年建立自治区级自然保护区，受阿勒泰地区林业局管理，成立了阿勒泰科克苏湿地自然保护区管理局管理机构。

主要受到人口增长、过度放牧、水资源不合理利用的威胁。

35. 温泉中亚北鲵自然保护区重点调查湿地

温泉中亚北鲵自然保护区重点调查湿地范围面积1.50万公顷，湿地面积为0.01万公顷，主要湿地类型为河流湿地和沼泽湿地。地理坐标为东经80°26′~80°34′，北纬44°50′~44°57′；位于博尔塔拉蒙古自治州温泉县境内。

湿地高等植物1门17科34属46种。

湿地植被划分为2个植被型组，2个植被型，3个群系。

脊椎动物3纲10目17科79种。其中，两栖类2目2科2种，鸟类7目14科75种，兽类1目1科2种,。

于1997年建立自治区级自然保护区，受博尔塔拉蒙古自治州林业局部门管理，成立了温泉中亚北鲵自然保护区管理站管理机构。

主要受到环境恶化和冰川萎缩的威胁。

36. 塔城巴尔鲁克山自然保护区重点调查湿地

塔城巴尔鲁克山自然保护区重点调查湿地范围面积11.50万公顷，湿地面积为0.06万公顷，主要湿地类型为河流湿地、沼泽湿地和湖泊湿地(永久性淡水湖)。地理坐标为东经82°27′~83°13′，北纬45°42′~46°03′；位于裕民县和托里县内。

湿地高等植物2门40科107属178种。

湿地植被划分为3个植被型组，3个植被型，4个群系。

脊椎动物4纲12目19科39种。其中，两栖类1目2科2种，爬行类1目2科3种，鸟类8目13科31种，兽类2目2科3种。

于1980年建立自治区级自然保护区，受塔城地区林业局管理，成立了巴尔鲁克山保护区管理局管理机构。

主要受到乱采滥挖等人为活动的威胁。

37. 帕米尔高原湿地自然保护区重点调查湿地

帕米尔高原湿地自然保护区重点调查湿地范围面积12.56万公顷，湿地面积为3.65万公顷，主要湿地类型为沼泽湿地、河流湿地和湖泊湿地（永久性淡水湖、季节性淡水湖）。地理坐标为东经73°30′60″～76°15′00″，北纬38°45′00″～39°00′00″；位于克孜勒苏柯尔克孜自治州阿克陶县县内。

湿地高等植物1门37科94属191种。

湿地植被划分为2个植被型组，3个植被型，8个群系。

脊椎动物4纲12目14科48种。其中，鱼类1目1科4种，两栖类1目1科1种，鸟类7目9科39种，哺乳类3目3科4种。

中国家重点保护鸟类4种，为小苇鳽、黑鹳、白额雁和长脚秧鸡。

于2005年建立自治区级自然保护区，受克孜勒苏柯尔克孜自治州林业局管理，成立了帕米尔高原湿地自然保护区管理站管理机构。

主要受到经济发展，人口剧增，过度放牧、乱砍滥伐和风沙的侵袭威胁。

38. 额尔齐斯河科克托海湿地自然保护区重点调查湿地

额尔齐斯河科克托海湿地自然保护区重点调查湿地范围面积9.90万公顷，湿地面积为2.13万公顷，主要湿地类型为沼泽湿地、河流湿地和湖泊湿地（永久性淡水湖、季节性淡水湖）。地理坐标为东经85°31′～86°01′，北纬47°52′～48°20′；位于阿勒泰地区哈巴河县南部平原地带。

湿地高等植物2门48科162属349种。

湿地植被划分为3个植被型组，4个植被型，7个群系。

脊椎动物5纲14目17科50种。其中，鱼类6目8科23种，两栖类有1目1科1种，爬行类1目1科2种，鸟类5目6科23种，兽类1目1科1种。

于2005年建立自治区级自然保护区，受阿勒泰地区林业局管理，成立了额尔齐斯河科克托海湿地自然保护区管理局管理机构。

主要受到水资源不合理利用的威胁。

39. 哈密东天山生态功能自然保护区重点调查湿地

哈密东天山生态功能自然保护区重点调查湿地范围面积99.00万公顷，湿地面积为6.36万公顷，主要湿地类型为沼泽湿地、河流湿地、人工湿地和湖泊湿地（永久性淡水湖、永久性咸水湖）。地理坐标为东经92°29′~93°58′，北纬42°33′~44°00′；位于巴里坤县和伊吾县内。

湿地高等植物1门46科113属189种。

湿地植被划分为2个植被型组，3个植被型5个群系。

脊椎动物4纲11目14科33种。其中，鱼类1目1科3种，两栖类1目1科1种，鸟类7目10科26种，哺乳类2目2科3种。

国家重点保护鸟类2种，分别为大天鹅和蓑羽鹤。

于2005年建立自治区级自然保护区，受哈密地区人民政府管理，成立了哈密地区林业局管理机构。

主要受到干旱、沙尘暴、过度放牧、水资源不合理利用的威胁。

40. 布尔根河狸自然保护区重点调查湿地

布尔根河狸自然保护区重点调查湿地范围面积0.50万公顷，湿地面积为0.21万公顷，主要湿地类型为河流湿地。地理坐标为东经90°50′21″，北纬46°12′05″；位于青河县内。

湿地高等植物2门24科61属126种。

湿地植被划分为1个植被型组，2个植被型4群系。

脊椎动物5纲10目11科17种。其中，鱼类2目3科6种，两栖类有1目1科1种，爬行类1目1科1种，鸟类3目3科5种3目3科4种。

于1980年建立自治区级自然保护区，受阿勒泰地区林业局管理，成立了布尔根河狸保护区管理站管理机构。

主要受到农业开垦和过度放牧的威胁。

41. 伊犁小叶白腊自然保护区重点调查湿地

伊犁小叶白腊自然保护区重点调查湿地范围面积12.00万公顷，湿地面积为0.18万公顷，主要湿地类型为河流。中心地理坐标为东经81°50′，北纬43°42′；位于伊宁县内。

湿地高等植物1门28科59属96种。

湿地植被划分为2个植被型组，3个植被型，5个群系。

脊椎动物，4纲8目13科71种。其中，两栖类1目2科4种，爬行类1目2科2种，鸟类5目8科63种，兽类1目1科2种。

于1983年建立自治区级自然保护区，受伊宁县人民政府管理，成立了伊宁县林业局保护区管理站管理机构。

主要受到农业开垦的威胁。

42. 塔里木河上游三河汇流处湿地自然保护区重点调查湿地

塔里木河上游三河汇流处湿地自然保护区重点调查湿地范围面积14.00万公顷，湿地面积为3.27万公顷，主要湿地类型为河流湿地、人工湿地面、沼泽湿地和湖泊湿地(永久性淡水湖)。地理坐标为东经80°37′~81°33′，北纬40°21′~40°49′；位于阿拉尔市内。

湿地高等植物1门5科14属19种。

湿地植被划分为3个植被型组，4个植被型，7个群系。

脊椎动物3纲6目6科15种。其中，鱼类1目1科6种，两栖1目1科1种，鸟类4目4科8种。

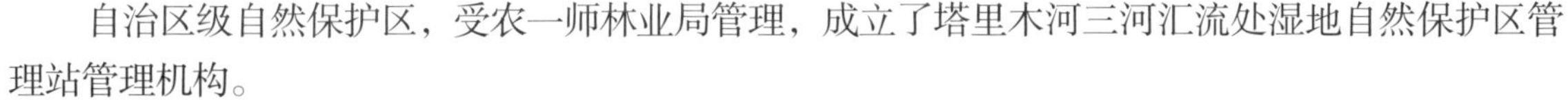

自治区级自然保护区，受农一师林业局管理，成立了塔里木河三河汇流处湿地自然保护区管理站管理机构。

主要受到农业生产的威胁。

43. 叶尔羌河中下游湿地自然保护区重点调查湿地

叶尔羌河中下游湿地自然保护区重点调查湿地范围面积4.40万公顷，湿地面积为2.42万公顷，主要湿地类型为人工湿地湿地、沼泽湿地和河流湿地。地理坐标为东经77°42′~79°04′，北纬38°53′~39°53′；位于图木舒克市、麦盖提县和巴楚县内。

湿地高等植物1门7科10属13种。

湿地植被划分为3个植被型组，3个植被型，3个群落。

脊椎动物3纲9目13科41种。其中，鱼类1目1科5种，鸟类7目11科35种，哺乳类1目1科1种。

自治区级自然保护区，受农三师林业局管理，成立了农三师叶尔羌河中下游湿地自然保护区管理局管理机构。

主要受到农业生产的威胁。

44. 木扎尔特河湿地自然保护区重点调查湿地

木扎尔特河湿地自然保护区重点调查湿地范围面积3.10万公顷，湿地面积为0.94万公顷，主要湿地类型为沼泽湿地湿地和河流湿地。地理坐标为东经80°10′00″～80°28′12″，北纬42°15′24″～42°51′24″；位于昭苏县内。

湿地高等植物1门9科15属23种。

湿地植被划分为3个植被型组，3个植被型，3个群系。

脊椎动物3纲3目3科9种。其中，鱼类1目1科3种，鸟类1目1科5种，兽类有1目1科1种。

自治区级自然保护区，受农四师林业局管理，成立了木扎尔特河湿地自然保护区管理站管理机构。

主要受到农业生产的威胁。

45. 青格达湖鸟类湿地自然保护区重点调查湿地

青格达湖鸟类湿地自然保护区重点调查湿地范围面积0.61万公顷，湿地面积为0.41万公顷，主要湿地类型为人工湿地、沼泽湿地、湖泊湿地（永久性淡水湖）和河流湿地。中心地理坐标为东经87°30′00″，北纬44°09′40″；位于农六师五家渠市内。

湿地高等植物1门11科12属13种。

湿地植被划分为2个植被型组，2个植被型，3个群落。

脊椎动物4纲11目16科36种。其中，鱼类1目1科5种，两栖类1目1科1种，爬行类1目1科1种，鸟类8目13科29种。

于2002年建立自治区级自然保护区，受农六师林业局管理，成立了青格达湖湿地自然保护区管理局管理机构。

主要受到农业生产的威胁。

46. 奎屯河流域湿地自然保护区重点调查湿地

奎屯河流域湿地自然保护区重点调查湿地范围面积2.47万公顷，湿地面积为1.37万公顷，主要湿地类型为河流湿地、人工湿地和沼泽湿地。位于奎屯市内。

湿地高等植物1门6科7属8种。

湿地植被划分为3个植被型组，3个植被型，3个群落。

脊椎动物4纲11目13科32种。其中，鱼类1目1科4种，两栖类1目1科1种，鸟类鸟类8目10科26种，哺乳类1目1科1种。

自治区级自然保护区，受农七师林业局管理，成立了新疆奎屯河流域湿地自然保护区管理局管理机构。

主要受到农业生产的威胁。

47. 玛纳斯河流域中上游鸟类湿地自然保护区重点调查湿地

玛纳斯河流域中上游鸟类湿地自然保护区重点调查湿地范围面积2.88万公顷，湿地面积为0.90万公顷，主要湿地类型为人工湿地和河流湿地湿地。地理坐标为东经85°52′~86°43′，北纬44°20′~44°29′；位于玛纳斯县内。

湿地高等植物1门6科11属13种。

湿地植被划分为2个植被型组，2个植被型，2个群落。

脊椎动物3纲5目5科9种。其中，鱼类1目1科3种，鸟类3目3科5种，哺乳类1目1科1种。

自治区级自然保护区，受农八师农林牧局管理，成立了玛纳斯河流域湿地自然保护区管理局管理机构。

主要受到农业生产的威胁。

48. 巴音沟河湿地自然保护区重点调查湿地

巴音沟河湿地自然保护区重点调查湿地范围面积2.20万公顷，湿地面积为0.25万公顷，主要湿地类型为人工湿地、河流湿地和沼泽湿地。地理坐标为东经85°28′48″~85°31′14″，北纬44°24′09″~44°25′34″；位于沙湾县内。

湿地高等植物1门4科5属5种。

湿地植被划分为3个植被型组，3个植被型，3个群落。

脊椎动物2纲5目5科11种。其中，鱼类2目2科6种，鸟类3目3科5种。

自治区级自然保护区，受农八师农林牧局管理，成立了巴音沟河湿地自然保护区管理站管理机构。

主要受到农业生产的威胁。

49. 额尔齐斯河与乌伦古湖平原湿地自然保护区重点调查湿地

额尔齐斯河与乌伦古湖平原湿地自然保护区重点调查湿地范围面积1万公顷，湿地面积为0.81万公顷，主要湿地类型为沼泽湿地、湖泊湿地(永久性淡水湖、永久性咸水湖)、和人工湿地。地理坐标为东经106°53′~107°40′，北纬37°37′~38°03′；位于福海县内。

湿地高等植物1门8科19属32种。

湿地植被划分为2个植被型组，3个植被型，5群落个群系。

脊椎动物5纲9目11科23种。其中，鱼类4目6科13种，两栖类1目1科1种，爬行类1目1科2种，鸟类2目2科6种，哺乳类1目1科1种。

自治区级自然保护区，受农十师林业局管理，成立了额尔齐斯河与乌伦古湖平原湿地自然保护区管理站管理机构。

主要受到农业生产的威胁。

50. 阿瓦提县胡杨林野生动物自然保护区重点调查湿地

阿瓦提县胡杨林野生动物自然保护区重点调查湿地范围面积34.50万公顷，湿地面积为2.4万公顷，主要湿地类型为河流湿地、沼泽湿地和人工湿地湿地。地理坐标为东经79°45′~81°05′，北纬40°20′~40°50′；位于阿瓦提县内。

湿地高等植物1门23科43属86种。

湿地植被划分为2个植被型组，3个植被型，6个群系。

脊椎动物5纲15目18科65种。其中，鱼类2目2科20种，两栖类1目1科1种，爬行类1目1科1种，鸟类9目12科40种，哺乳类2目2科3种。

国家重点保护鸟类2种，为黑鹳和大天鹅。

于1994年建立县级自然保护区，受阿克苏地区林业局管理，成立了阿瓦提县林业局管理机构。

主要受到不合理的耕作和灌溉方式的威胁。

51. 孔雀河湿地自然保护区重点调查湿地

孔雀河湿地自然保护区重点调查湿地范围面积14.13万公顷，湿地面积为0.76万公顷，主要湿地类型为河流湿地、沼泽湿地面、人工湿地和湖泊湿地(永久性淡水湖、永久性咸水湖)。地理坐标为东经85°40′~87°50′，北纬40°45′~41°50′；位于库尔勒市和尉犁县内。

湿地高等植物1门28科64属108种。

湿地植被划分为2个植被型组，3个植被型，8个群系。

脊椎动物5纲16目22科66种。其中，鱼类2目5科14种，两栖类1目1科1种，爬行类1目1科1种，鸟类9目12科45种，哺乳类3目3科5种。

国家重点保护鸟类3种，分别为黑鹳、小苇鳽和大天鹅。

于2002年建立县级自然保护区，受巴音郭楞蒙古自治州林业局野生动植物自然保护管理处管理，成立了孔雀河湿地自然保护区所在各县林业局管理机构。

主要受到上游农业废水和生活污水排放的威胁。

52. 沙雅县塔里木河上游湿地自然保护区重点调查湿地

沙雅县塔里木河上游湿地自然保护区重点调查湿地范围面积25.68万公顷，湿地面积为8.67万公顷，主要湿地类型为沼泽湿地、河流湿地、人工湿地和湖泊湿地(永久性咸水湖、季节性咸水湖)。地理坐标为东经81°44′45″～83°39′06″；北纬41°09′55″～40°40′05″；位于沙雅县内。

湿地高等植物1门23科39属75种。

湿地植被划分为3个植被型组，3个植被型，7个群系。

脊椎动物5纲15目19科80种。其中，鱼类2目2科20种，两栖类1目1科1种，爬行类1目1科1种，鸟类9目13科56种，哺乳类2目2科2种。

国家重点保护鸟类7种，为黑鹳、小苇鳽、白琵鹭、白额燕、大天鹅、姬田鸡和小鸥。

于2008年建立县级自然保护区，受阿克苏地区林业局管理，成立了沙雅县塔里木河上游湿地自然保护区管理站管理机构。

主要受到不合理的耕作和灌溉方式的威胁。

53. 西昆仑藏羚羊自然保护区重点调查湿地

西昆仑藏羚羊自然保护区重点调查湿地范围面积21万公顷，湿地面积为2.37万公顷，主要湿地类型为湖泊湿地(永久性淡水湖、永久性咸水湖、季节性淡水湖、季节性咸水湖)、沼泽湿地和河流湿地。地理坐标为东经82°20′～83°00′，北纬35°53′～36°10′；位于民丰县内。

湿地高等植物2门17科38属76种。

湿地植被划分为1个植被型组，2个植被型，6个群系。

脊椎动物4纲10目12科18种。其中，鱼类1目1科3种，两栖类1目1科1种，鸟类6目8科12种，哺乳类2目2科2种。

国家重点保护鸟类2种，为黑鹳和黑颈鹤。

于2004年建立县级自然保护区，受和田地区林业局野生动植物保护管理办公室管理，成立了西昆仑藏羚羊自然保护区管理站管理机构。

主要受到采金、开矿、挖药、挖卤虫的威胁。

54. 玛依格勒自然保护区重点调查湿地

玛依格勒自然保护区重点调查湿地范围面积6.00万公顷，湿地面积为1.60万公顷，主要湿地类型为沼泽湿地。地理坐标为东经85°01′~85°37′，北纬45°09′~45°31′；位于克拉玛依区和白碱滩区内。

湿地高等植物1门13科33属59种。

湿地植被划分为3个植被型组，4个植被型，5个群系。

脊椎动物3纲10目15科34种。其中，两栖类1目1科1种，鸟类8目13科31种，兽类1目1科2种。

于2002年建立县级自然保护区，受克拉玛依市林业局管理，成立了玛依格勒自然保护区管理站管理机构。

主要受到农业开发、石油开采的威胁。

55. 温宿县库玛里克河湿地自然保护区重点调查湿地

温宿县库玛里克河湿地自然保护区重点调查湿地范围面积1.3万公顷，湿地面积为0.88万公顷，主要湿地类型为河流湿地。地理坐标为东经81°05′~81°20′，北纬40°50′~42°20′；位于温宿县内。

湿地高等植物1门28科42属62种。

湿地植被划分为3个植被型组，4个植被型，8个群系。

脊椎动物5纲14目17科77种。其中，鱼类1目1科8种，两栖类1目1科1种，爬行类1目1科1种，鸟类9目12科64种，哺乳类2目2科3种。

国家重点保护鸟类6种，为小苇鳽、黑鹳、大天鹅、姬田鸡、遗鸥和黑浮鸥。

于2010年建立县级自然保护区，受阿克苏地区林业局管理，成立了温宿县库玛里克河湿地自然保护区管理站管理机构。

主要受到水资源利用不合理、管理粗放、传统的灌溉方式、过度开垦的威胁。

56. 新和县依干库勒湿地自然保护区重点调查湿地

新和县依干库勒湿地自然保护区重点调查湿地范围面积8.10万公顷，湿地面积为0.93万公顷，主要湿地类型为沼泽湿地、湖泊湿地（永久性淡水湖、永久性咸水湖）和河流湿地。地理坐标为东经81°40′23″~82°10′55″，北纬41°05′07″~41°32′19″；位于新和县内。

湿地高等植物1门13科42属70种。

湿地植被划分为2个植被型组，4个植被型，6个群系。

脊椎动物5纲13目16科35种。其中，鱼类1目1科11种，两栖类1目1科1种，爬行类1目1科1种，鸟类8目11科20种，哺乳类2目2科2种。

国家重点保护鸟类2种，为黑鹳和大天鹅。

于2010年建立县级自然保护区，受阿克苏地区林业局管理，成立了新和县依干库勒湿地自然保护区管理站管理机构。

主要受到环境的变化和人类活动的威胁。

57. 库车县大小龙池自然保护区重点调查湿地

库车县大小龙池自然保护区重点调查湿地范围面积25.00万公顷，湿地面积为0.13万公顷，主要湿地类型为河流湿地和湖泊湿地（永久性淡水湖）。地理坐标为东经83°01′20″~84°05′02″，北纬42°13′05″~42°37′55″；位于库车县内。

湿地高等植物1门34科80属116种。

湿地植被划分为2个植被型组，2个植被型，4个群系。

脊椎动物5纲14目17科42种。其中，鱼类1目1科8种，两栖类1目1科1种，爬行类1目1科1种，鸟类9目12科29种，哺乳类2目2科3种。

国家重点保护鸟类3种，为小苇鳽、黑鹳和大天鹅。

于2010年建立县级自然保护区，受阿克苏地区林业局管理，成立了库车县大小龙池自然保护区管理站管理机构。

主要受到旅游开发的威胁。

58. 库车县塔里木河中游湿地自然保护区重点调查湿地

库车县塔里木河中游湿地自然保护区重点调查湿地范围面积22.00万公顷，湿地面积为1.71万公顷，主要湿地类型为河流湿地、沼泽湿地、湖泊湿地(永久性淡水湖)和人工湿地湿地。位于库车县内。

湿地高等植物1门22科37属69种。

湿地植被划分为3个植被型组，3个植被型，7个群系。

脊椎动物5纲14目17科42种。其中，鱼类1目1科8种，两栖类1目1科1种，爬行类1目1科1种，鸟类9目12科29种，哺乳类2目2科3种。

国家重点保护鸟类3种，为小苇鳽、黑鹳和大天鹅。

于2010年建立县级自然保护区，受阿克苏地区林业局管理，成立了库车县塔里木河中游湿地自然保护区管理站管理机构。

主要受到过度放牧和采伐的威胁。

59. 拜城县木扎提河湿地自然保护区重点调查湿地

拜城县木扎提河湿地自然保护区重点调查湿地范围面积6.50万公顷，湿地面积为1.76万公顷，主要湿地类型为河流湿地、人工湿地和沼泽湿地。地理坐标为东经80°50′28″~82°37′45″，北纬41°43′27″~42°19′31″；位于拜城县和温宿县内。

湿地高等植物1门20科32属40种。

湿地植被划分为3个植被型组，4个植被型，6个群系。

脊椎动物5纲14目18科35种。其中，鱼类1目1科7种，两栖类1目1科1种，爬行类1目1科1种，鸟类9目13科24种，哺乳类2目2科2种。

国家重点保护鸟类3种，为黑鹳、大天鹅和蓑羽鹤。

于2010年建立县级自然保护区，受阿克苏地区林业局管理，成立了拜城县木扎提河湿地自然保护区管理机构。

主要受到经济利益驱使，围湿造田、乱开鱼塘、乱砍河滩灌木的威胁。

60. 乌什县托什干河湿地自然保护区重点调查湿地

乌什县托什干河湿地自然保护区重点调查湿地范围面积4.10万公顷，湿地面积为1.11万公顷，主要湿地类型为河流湿地和沼泽湿地。地理坐标为东经78°23′~81°01′，北纬40°43′~41°51′；位于乌什县县内。

湿地高等植物 1 门 24 科 56 属 83 种。

湿地植被划分为 2 个植被型组，2 个植被型，7 个群系。

脊椎动物 4 纲 11 目 12 科 31 种。其中，鱼类 1 目 1 科 9 种，两栖类 1 目 1 科 1 种，鸟类 7 目 8 科 19 种，哺乳类 2 目 2 科 2 种。

国家重点保护鸟类 1 种，为黑鹳。

于 2010 年建立县级自然保护区，受阿克苏地区林业局管理，成立了乌什县托什干河湿地自然保护区管理机构。

主要受到旅游开业和过度放牧的威胁。

61. 阿克苏市阿克苏河湿地自然保护区重点调查湿地

阿克苏市阿克苏河湿地自然保护区重点调查湿地范围面积 2.60 万公顷，湿地面积为 1.09 万公顷，主要湿地类型为河流湿地、湖泊湿地(永久性淡水湖)、沼泽湿地和人工湿地。地理坐标为东经 79°23′ ~80°26′之间，北纬 40°18′ ~41°04′；位于阿克苏市境内。

湿地高等植物 1 门 39 科 95 属 167 种。

湿地植被划分为 2 个植被型组，4 个植被型，7 个群系。

脊椎动物 5 纲 16 目 21 科 103 种。其中，鱼类 2 目 4 科 31 种，两栖类 1 目 1 科 1 种，爬行类 1 目 1 科 1 种，鸟类 9 目 12 科 65 种，哺乳类 3 目 3 科 5 种。

国家重点保护鸟类 6 种，为小苇鳽、黑鹳、大天鹅、姬田鸡、遗鸥和黑浮鸥。

于 2010 年建立县级自然保护区，受阿克苏地区林业局管理，成立了阿克苏市阿克苏河湿地自然保护区管理站管理机构。

主要受到农业、灌溉、盐碱化、沙化的威胁。

62. 柴窝堡湖国家湿地公园重点调查湿地

柴窝堡湖国家湿地公园重点调查湿地范围面积 0.39 万公顷，湿地面积为 0.33 万公顷，主要湿地类型为湖泊湿地(永久性咸水湖)和沼泽湿地。地理坐标为东经 87°51′ ~88°13′，北纬 43°21′ ~43°31′；位于乌鲁木齐境内。

湿地高等植物 1 门 18 科 44 属 76 种。

湿地植被划分为 1 个植被型组，1 个植被型，2 个群系。

脊椎动物 4 纲 9 目 16 科 62 种。其中，鱼类

2目3科7种，两栖类1目1科1种鸟类5目11科52种，类1目1科2种。

于2009年建立国家级森林公园，受乌鲁木齐市林业局管理，成立了乌鲁木齐柴窝堡湖管委会管理机构。

主要受到水资源的不合理利用、工业污水和生活污水排放的威胁。

63. 乌奇里克河源国家湿地公园重点调查湿地

乌奇里克河源国家湿地公园重点调查湿地范围面积11.00万公顷，湿地面积为0.25万公顷，主要湿地类型为沼泽湿地、湖泊湿地(永久性淡水湖)和河流湿地。地理坐标为东经87°25′~88°38′，北纬47°46′~48°39′；位于阿勒泰市境内。

湿地高等植物3门24科58属118种。

湿地植被划分为3个植被型组，4个植被型，6个群系。

脊椎动物4纲13目18科63种。其中，两栖类有1目1科3种，爬行类1目1科1种，鸟类8目13科54种，兽类3目3科5种。

于2010年建立国家级森林公园，受阿尔泰山国有林管理局管理，成立了乌奇里克河源国家湿地公园管理局管理机构。

主要受到人口增长和过度放牧的威胁。

64. 克兰河国家湿地公园重点调查湿地

克兰河国家湿地公园重点调查湿地范围面积0.75万公顷，湿地面积为0.20万公顷，主要湿地类型为湖泊湿地(永久性淡水湖)和河流湿地。地理坐标为东经88°07′44″~88°17′43″，北纬47°48′39″~47°29′21″；位于阿勒泰市南部。

湿地高等植物1门23科69属155种。

湿地植被划分为2个植被型组2个植被型，5个群系。

脊椎动物5纲17目26科71种。其中，鱼类6目8科23种，两栖类有1目1科3种，爬行类1目1科1种，鸟类6目13科39种，兽类3目3科5种。

于2010年建立国家级森林公园，受阿勒泰地区林业局管理，成立了克兰河国家湿地公园管理局管理机构。

主要受到人口增长和旅游开发的威胁。

65. 玛纳斯河国家湿地公园重点调查湿地

玛纳斯河国家湿地公园重点调查湿地范围面积1.00万公顷，湿地面积为0.52万公顷，主要湿地类型为河流湿地、人工湿地和沼泽湿地。地理坐标为东经86°04′10″～86°18′32″，北纬44°22′27″～44°31′11″；位于玛纳斯境县内。

湿地高等植物1门25科42属82种。

湿地植被划分为2个植被型组，2个植被型，2个群系。

脊椎动物2纲8目13科31种。其中，鸟类7目12科30种，兽类有1目1科1种。

于2010年建立国家级森林公园，受昌吉回族自治州林业局管理，成立了玛纳斯河国家湿地公园管理局管理机构。

主要受到围垦、泥沙、酷渔滥捕、污染的威胁。

66. 多浪河国家湿地公园重点调查湿地

多浪河国家湿地公园重点调查湿地范围面积0.12万公顷，湿地面积为0.02万公顷，主要湿地类型为人工湿地和河流湿地。地理坐标为东经80°12′～80°18′，北纬41°06′～41°13′；位于阿克苏市境内。

湿地高等植物1门36科92属163种。

湿地植被划分为2个植被型组，2个植被型，5个群系。

脊椎动物5纲15目20科101种。其中，鱼类2目4科32种，两栖类1目1科1种，爬行类1目1科1种，鸟类9目12科64种，哺乳类2目2科3种。

国家重点保护鸟类6种，为小苇鳽、黑鹳、大天鹅、姬田鸡、遗鸥和黑浮鸥。

于2010年建立国家级森林公园，受阿克苏地区林业局管理，成立了多浪河国家湿地公园管理局管理机构。

主要受到农田、村庄、道路建设、生活污水排放的威胁。

67. 赛里木湖国家湿地公园重点调查湿地

赛里木湖国家湿地公园重点调查湿地范围面积13.01万公顷，湿地面积为4.73万公顷，主要湿地类型为湖泊湿地(永久性咸水湖)和河流湿地。地理坐标为东经80°39′～81°30′，北纬44°27′～44°45′；位于博乐市境内。

湿地高等植物1门9科11属18种。

湿地植被划分为1个植被型组，2个植被型，2个群系。

脊椎动物3纲8目13科29种。其中，鱼类1目1科1种，两栖类1目1科1种，鸟类6目11科27种。

于2008年建立国家级森林公园，受博尔塔拉蒙古自治州林业局管理，成立了赛里木湖管委会管理机构。

主要受到过度放牧、滥采、滥挖、旅游开发的威胁。

68. 额敏河重点调查湿地

额敏河重点调查湿地范围面积11.00万公顷，湿地面积为0.74万公顷，主要湿地类型为沼泽湿地、河流湿地、人工湿地面和湖泊湿地（永久性淡水湖）。地理坐标为东经82°29′~84°45′，北纬45°32′~47°14′；位于额敏县、塔城市和裕民县境内。

湿地高等植物1门30科56属72种。

湿地植被划分为2个植被型组，3个植被型，5个群系。

脊椎动物5纲12目19科40种。其中，鱼类主要有1目1科1种，两栖类1目2科2种，爬行类1目2科3种，鸟类7目12科30种，兽类2目2科4种。

受塔城地区林业局管理，成立了额敏河流域涉及各县林业局管理机构。

主要受到农业生产和过度放牧的威胁。

69. 和布克河重点调查湿地

和布克河重点调查湿地范围面积18.00万公顷，湿地面积为1.92万公顷，主要湿地类型为沼泽湿地、河流湿地和人工湿地。地理坐标为东经85°22′48″~86°26′18″，北纬46°40′12″~46°51′36″；位于和布克赛尔蒙古自治县内。

湿地高等植物1门30科54属71种。

湿地植被划分为2个植被型组，2个植被型，4个群系。

脊椎动物4纲11目18科39种。其中，两栖类1目2科2种，爬行类1目2科3种，鸟类7目12科31种，兽类2目2科4种。

受塔城地区林业局管理，成立了和布克赛尔

蒙古自治县林业局管理机构。

主要受到荒漠化和过度放牧的威胁。

70. 白杨河重点调查湿地

白杨河重点调查湿地范围面积33.00万公顷，湿地面积为2.30万公顷，主要湿地类型为河流湿地、湖泊湿地(永久性咸水湖、季节性淡水湖、季节性咸水湖)、沼泽湿地和人工湿地。地理坐标为东经83°51′~85°59′，北纬45°20′~46°48′；位于额敏县、托里县、和布克赛尔蒙古自治县和克拉玛依市境内。

湿地高等植物1门31科55属69种。

湿地植被划分为3个植被型组，4个植被型，6个群系。

脊椎动物4纲11目18科39种。其中，两栖类1目2科2种，爬行类1目2科3种，鸟类7目12科30种，兽类2目2科4种。

受塔城地区林业局、克拉玛依市林业局管理，成立了白杨河流域各县林业局管理机构。

主要受到农业耕作侵蚀和不合理的放牧方式的威胁。

71. 额尔齐斯河重点调查湿地

额尔齐斯河重点调查湿地范围面积46.00万公顷，湿地面积为12.05万公顷，主要湿地类型为河流湿地、沼泽湿地、湖泊湿地(永久性淡水湖、季节性淡水湖)和人工湿地。地理坐标为东经85°30′~90°30′，北纬46°50′~49°10′；位于阿勒泰地区境内。

湿地高等植物3门47科165属353种。

湿地植被划分为3个植被型组，4个植被型8个群系。

脊椎动物5纲17目27科73种。其中，鱼类6目8科23种，两栖类1目2科4种，爬行类1目1科1种，鸟类6目13科39种，兽类3目3科6种。

受阿勒泰地区林业局管理，成立了富蕴、福海、阿勒泰市、布尔津、哈巴河五县(市)林业局管理机构。

主要受到人口增长、水资源的不合理利用、旅游开发的威胁。

72. 乌伦古河重点调查湿地

乌伦古河重点调查湿地范围面积15.00万公顷，湿地面积为2.56万公顷，主要湿地类型为河流湿地、沼泽湿地和湖泊湿地(季节性咸水湖)。地理坐标为东经87°24′~91°00′，北纬46°00′~48°00′；位于福海县、富蕴县、青河县、阿勒泰市境内。

湿地高等植物2门50科165属349种。

湿地植被划分为2个植被型组，3个植被型，4个群系。

脊椎动物5纲15目24科63种。其中，鱼类4目5科13种，两栖类有1目2科4种，爬行类1目1科1种，鸟类6目13科39种，兽类3目3科6种。

受阿勒泰地区林业局管理，成立了福海、阿勒泰、富蕴、青河四县(市)林业局管理机构。

主要受到水资源不合理利用的威胁。

73. 米兰河重点调查湿地

米兰河重点调查湿地范围面积3.90万公顷，湿地面积为0.04万公顷，主要湿地类型为河流湿地。中心地理坐标为东经88°50′09″，北纬39°00′21″；位于若羌县36团境内。

湿地高等植物1门4科5属5种。

湿地植被划分为2个植被型组，2个植被型，3个群落。

脊椎动物3纲5目5科7种。其中，鱼类1目1科3种，鸟类3目3科3种，哺乳类1目1科1种。

受农二师林业局管理，成立了农二师三十六团水管站管理机构。

主要受到农业生产的威胁。

74. 台特玛湖重点调查湿地

台特玛湖重点调查湿地范围面积3.00万公顷，湿地面积为2.69万公顷，主要湿地类型为湖泊湿地(永久性淡水湖)。地理坐标为东经88°15′~88°30′，北纬39°22′~39°32′；位于若羌县内。

湿地高等植物1门8科20属36种。

湿地植被划分为2个植被型组，2个植被型，4个群系。

脊椎动物，4纲11目14科47种。其中，鱼类1目1科6种，两栖类1目1科1种，鸟类7目10科36种，哺乳类2目2科4种。

国家重点保护鸟类2种，为黑鹳和大天鹅。

受若羌县人民政府管理，成立了若羌县林业局管理机构。

主要受到过牧和采挖药材等人类活动的威胁。

75. 阿克萨伊湖重点调查湿地

阿克萨伊湖重点调查湿地范围面积2.40万公顷，湿地面积为2.30万公顷，主要湿地类型为湖泊湿地(永久性咸水湖)和河流湿地。位于和田地区和田县境内县内。

湿地高等植物1门12科20属31种。

湿地植被划分为1个植被型组，1个植被型，4个群系。

脊椎动物4纲10目12科18种。其中，鱼类1目1科3种，两栖类1目1科1种，鸟类6目8科12种，哺乳类2目2科2种。

国家重点保护鸟类2种，为黑鹳和黑颈鹤。

受和田县人民政府管理，成立了和田县林业局管理机构。

威胁等级为安全。

76. 罗布泊重点调查湿地

罗布泊重点调查湿地范围面积12万公顷，湿地面积为6.59万公顷，主要湿地类型为沼泽湿地和人工湿地。地理坐标为东经89°00′～93°30′，北纬38°45′～42°35′；位于若羌县内。

湿地高等植物1门5科8属10种。

湿地植被划分为2个植被型组，2个植被型，4个群系。

目前已无水鸟及湿地兽类等。

受自治区环保厅管理，成立了罗布泊野骆驼国家级自然保护区管理局管理机构。

主要受到过度开矿的威胁。

77. 乌尊硝重点调查湿地

乌尊硝重点调查湿地范围面积1.40万公顷，湿地面积为1.39万公顷，主要湿地类型为沼泽湿地。中心地理坐标为东经89°57′，北纬38°30′；位于若羌县境内。

湿地高等植物2门10科21属37种。

湿地植被划分为1个植被型组，2个植被型，4个群系。

脊椎动物3纲6目8科18种。其中，鸟类5目7科17种，哺乳类1目1科1种。

受若羌县人民政府管理，成立了若羌县林业局管理机构。

主要受到土地盐碱化的威胁。

78. 塔城北山重点调查湿地

塔城北山重点调查湿地范围面积1.50万公顷，湿地面积为0.18万公顷，主要湿地类型为沼泽湿地。地理坐标为东经83°03′～83°38′，北纬47°02′～47°13′；位于塔城市境内。

湿地高等植物1门17科32属45种。

湿地植被划分为3个植被型组，3个植被型，5个群系。

脊椎动物2纲9目14科32种。其中，鸟类8目13科31种，兽类1目1科1种。

受塔城地区林业局管理，成立了塔城市林业局管理机构。

主要受到过度放牧的威胁。

79. 克孜勒海英沼泽重点调查湿地

克孜勒海英沼泽重点调查湿地范围面积0.11万公顷，湿地面积为0.11万公顷，主要湿地类型为沼泽湿地。中心地理坐标为东经85°42′15″，北纬48°07′44″；位于哈巴河县西北部兵团农十师一八五团。

湿地高等植物1门4科5属6种。

湿地植被划分为2个植被型组，2个植被型，2个群落。

脊椎动物4纲4目4科5种。其中，鱼类1目1科2种，爬行类1目1科1种，鸟类1目1科1种，哺乳类1目1科1种。

受农十师林业局管理，成立了一八五团水管站管理机构。

主要受到过度放牧的威胁。

80. 新井子水库重点调查湿地

新井子水库重点调查湿地范围面积0.50万公顷，湿地面积为0.50万公顷，主要湿地类型为沼泽湿地和人工湿地湿地。地理坐标为东经79°47′~79°49′，北纬40°28′~40°31′；位于兵团农一师沙水处县内。

湿地高等植物1门3科4属5种。

湿地植被划分为2个植被型组，2个植被型，3个群系。

脊椎动物2纲4目4科10种。其中，鱼类1目1科5种，鸟类3目3科5种。

受农一师林业局管理，成立了农一师沙水处管理机构。

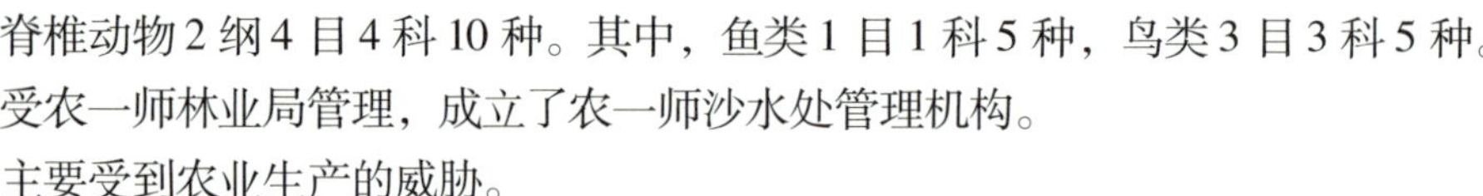

主要受到农业生产的威胁。

81. 乌拉斯台水库重点调查湿地

乌拉斯台水库重点调查湿地范围面积0.006万公顷，湿地面积为0.006万公顷，主要湿地类型为人工湿地。中心地理坐标为东经 83°02′24″，北纬 46°58′40″；位于农九师 164 团境内。

湿地高等植物 1 门 2 科 3 属 3 种。

湿地植被划分为 1 个植被型组，1 个植被型，1 个群系。

脊椎动物 3 纲 4 目 4 科 6 种。其中，鱼类 1 目 1 科 3 种，鸟类 2 目 2 科 2 种，哺乳类 1 目 1 科 1 种。

受农九师林业局管理，成立了一六四团水管站管理机构。

主要受到泥沙淤积、过度放牧威胁。

82. 乌什水水库重点调查湿地

乌什水水库重点调查湿地范围面积 0.06 万公顷，湿地面积为 0.06 万公顷，主要湿地类型为沼泽湿地、人工湿地和河流湿地。中心地理坐标为东经 84°11′46″，北纬 46°50′51″；位于塔尔巴哈台山东段南缘、农九师。

湿地高等植物 1 门 5 科 6 属 7 种。

湿地植被划分为 1 个植被型组，2 个植被型，2 个群系。

脊椎动物 3 纲 4 目 4 科 6 种。其中，鱼类 1 目 1 科 3 种，鸟类 2 目 2 科 2 种，哺乳类 1 目 1 科 1 种。

受农九师林业局管理，成立了一六八团水管站管理机构。

主要受到农业生产威胁。

83. 阿苇滩水库重点调查湿地

阿苇滩水库重点调查湿地范围面积 0.072 万公顷，湿地面积为 0.072 万公顷，主要湿地类型为人工湿地。位于阿勒泰市南部农十师一八一团。

湿地高等植物 1 门 4 科 5 属 5 种。

湿地植被划分为 2 个植被型组，2 个植被型，2 个群系。

脊椎动物 3 纲 5 目 5 科 10 种。其中，鱼类 2 目 2 科 5 种，鸟类 2 目 2 科 4 种，哺乳类 1 目 1 科 1 种。

受农十师林业局管理，成立了一八一团水管站管理机构。

主要受到农业生产威胁。

84. 东方红水库重点调查湿地

东方红水库重点调查湿地范围面积 0.038 万公顷，湿地面积为 0.037 万公顷，主要湿地类型为人工湿地。中心地理坐标为东经 87°56′43″，北纬 46°38′18″；位于农十师一八二团顶山北部。

湿地高等植物 1 门 6 科 9 属 9 种。

湿地植被划分为 2 个植被型组，2 个植被型，3 群落个群系。

脊椎动物 4 纲 6 目 6 科 14 种。其中，鱼类 2 目 2 科 5 种，爬行类 1 目 1 科 2 种，鸟类 2 目 2 科 6 种，哺乳类 1 目 1 科 1 种。

受农十师林业局管理，成立了一八二团水管站管理机构。

主要受到农业生产威胁。

85. 顶山水库重点调查湿地

顶山水库重点调查湿地范围面积 0.19 万公顷，湿地面积为 0.19 万公顷，主要湿地类型为人工湿地。中心地理坐标为东经 87°53′15″，北纬 46°32′05″；位于农十师一八二团顶山南部。

湿地高等植物 1 门 6 科 12 属 13 种。

湿地植被划分为 2 个植被型组，2 个植被型，4 个群落。

脊椎动物 4 纲 6 目 6 科 14 种。其中，鱼类 2 目 2 科 5 种，爬行类 1 目 1 科 2 种，鸟类 2 目 2 科 6 种，哺乳类 1 目 1 科 1 种。

受农十师林业局管理，成立了一八二团水管站管理机构。

主要受到农业生产威胁。

86. 于什盖水库重点调查湿地

于什盖水库重点调查湿地范围面积 0.08 万公顷，湿地面积为 0.079 万公顷，主要湿地类型为沼泽湿地和人工湿地。位于和布克赛尔蒙古自治县境内。

湿地高等植物 1 门 5 科 8 属 10 种。

湿地植被划分为 2 个植被型组，2 个植被型，3 个群落。

脊椎动物 4 纲 5 目 5 科 9 种。其中，鱼类 1 目 1 科 4 种，爬行类 1 目 1 科 1 种，鸟类 2 目 2 科 3 种，哺乳类 1 目 1 科 1 种。

受农十师林业局管理，成立了一八四团水管站管理机构。

主要受到农业生产威胁。

参考文献

[1]阿布力米提·阿布都卡迪尔，马鸣. 乌鲁木齐地区秋季鸟类调查报告[J]. 干旱区研究，1989，6(1)：82～86.

[2]阿布力米提·阿布都卡迪尔，吉力力·阿不都外力. 新疆湿地及其保护与可持续发展利用探讨[J]. 新疆林业，2011：14～17.

[3]阿布力米提·阿布都卡迪尔，马鸣. 国家重点保护的新疆野生动物[M]. 乌鲁木齐：新疆科学技术出版社，2004.

[4]阿布力米提·阿布都卡迪尔. 新疆哺乳动物的分类与分布[M]. 北京：科学出版社，2003.

[5]巴依尔. 艾比湖湿地资源评价及保护利用[J]. 中国林业，2011，9：62.

[6]才代，马鸣，巴吐尔汗，等. 大天鹅(*Cygnus Cygnus*)迁徙规律初步观察[J]. 干旱区研究，1993，10(2)：54～56.

[7]陈克林，张小红，吕咏. 气候变化与湿地[J]. 湿地科学，2003(1)：4～11.

[8]陈克林. 湿地效益评价的必要性[J]. 湿地通讯，2003，6(11)：2～3.

[9]陈力，陈鹏. 对新疆水资源开发利用中若干问题的认识[J]. 新疆水利，2000，(4)：24～27.

[10]陈蜀江，侯平，李文华. 新疆艾比湖湿地自然保护区综合科学考察[M]. 乌鲁木齐：新疆科学技术出版社，2006.

[11]陈蜀江. 新疆夏尔希里自然保护区综合科学考察[M]. 乌鲁木齐：新疆科学技术出版社，2006.

[12]陈亚宁，徐长春，杨余辉，等. 新疆水文水资源变化及对区域气候变化的响应[J]. 地理学报，2009，64(11)：1331～1341.

[13]成正才，李宇安. 博斯腾湖的水盐平衡与矿化度[J]. 干旱区地理，1997，20(3)：43～49.

[14]程其畴. 博斯腾湖水质矿化度与水资源利用[J]. 干旱区地理，1993，16(4)：31～37.

[15]楚光明，宋于洋. 叶尔羌河下游公益林植物群落分类及其物种多样性特征[J]. 西北林学院学报，2009，24(1)：6～10.

[16]崔大方，崔乃然，海鹰. 阿尔金山自然保护区植物物种多样性分析[J]. 石河子大学学报(自然科学版)，1998，2(4)：281～288.

[17]崔大方，卓丽菲亚. 新疆生态系统的主要类型及分布研究[J]. 新疆环境保护，2002，24(2)：5～83.

[18]崔丽娟，张曼胤，王义飞. 湿地功能研究进展[J]. 世界林业研究，2006，19(3)：18～21.

[19]邓杰，杨若莉. 新疆北部阿尔泰地区鸟类调查研究[J]. 林业科学研究，1995，8(1)：62～66.

[20]邓铭江. 新疆水资源战略问题探析[J]. 水资源管理，2009，17：23～27.

[21]邓小林，刘振敏. 新疆巴里坤湖的形成与演化[J]. 化工地质，1992，14(4)：17～23.

[22]杜娟，唐德善. 新疆水环境现状及保护对策研究[J]. 西北水电，2005(4)：10～12.

[23]樊自立，马英杰，季方. 塔里木河生态环境演变及整治途径[J]. 干旱区资源与环境，2001，15(1)：11～17.

[24]方全兴，孙振华. 上海市湿地资源调查中的遥感技术应用[J]. 国土资源遥感，2001，49(3)：25～30.

[25]冯思，黄云，许有鹏. 全球变暖对新疆水循环影响分析[J]. 冰川冻土，2006，28(4)：500～505.

[26]冯祚建. 喀喇昆仑山—昆仑山地区兽类资源的现状与保护[J]. 自然资源学报，1990，5(4)：343～352.

[27]高行宜，谷景和，博春利，等．新疆阿尔泰山地鸟类区系与动物地理区划问题[J]．高原生物学集刊，1984，(6)：97～104.
[28]高行宜，周永恒，谷景和．新疆鸟类资源考察与研究[M]．乌鲁木齐：新疆科技卫生出版社，2001，1～37.
[29]高行宜．昌吉州鸟类名录[J]．干旱区研究，1997，14(增刊)：60～62.
[30]高行宜．东昆仑—阿尔金山地区的鸟类[J]．干旱区研究，1987，4(4)：1～10.
[31]高行宜．新疆脊椎动物种和亚种分类与分布名录[M]．乌鲁木齐：新疆科学技术出版社，2005.
[32]谷景和．新疆东昆仑—阿尔金山地区的有蹄动物[J]．干旱区研究，1997，(3)：5～17.
[33]顾定法．用层次分析法决策水资源合理利用和保护(以新疆开都河、孔雀河、博斯腾湖为例)[J]．自然资源，1993，(3)：40～47.
[34]关欣，张凤荣，李巧云．新疆土地资源的持续利用与开发[J]．干旱地区农业研究，2002，3(1)：95～101.
[35]管瑶，何仲林，张斌，等．新疆水资源开发利用现状合理性分析[J]．水土保持通报，2006，26(2)：104～106.
[36]国家林业局《湿地公约》履约办公室．湿地公约履约指南[M]．北京：中国林业出版社，2001：2～34.
[37]海鹰，张立运，李卫．《新疆植被及其利用》专著中未曾记载的植物群落类型[J]．干旱区地理，2003，23(4)：326～320.
[38]海鹰．新疆昆仑山中段北坡植物区系研究[J]．新疆师范大学学报(自然科学版)，2009，28(4)：8～12.
[39]郝毓灵，霍勇．博期腾湖及周围地区环境质量评价及预测[J]．地理科学，1993，13(2)：155～160.
[40]和田地区草地资源调查队．和田地区草地资源及其利用[M]．乌鲁木齐：新疆人民出版社，1989：96～108.
[41]侯兰新，李蓉，肖红，等．伊犁地区两栖爬行类调查[J]．西北大学学报(自然科学版)，1996，26(增刊)：874～879.
[42]胡安焱，吴文玲，邓建伟．新疆水土流失的特点及水土保持对策[J]．水利科技与经济，2005，11(8)：490～492.
[43]胡杨．阿尔金那里有海拔最高的大沙漠[J]．中国国家地理，2008：64～76.
[44]胡志刚．艾丁湖变迁和艾丁湖洼地的地理教学意义[J]．地理教学，2010，12：4～5.
[45]黄锡畴，马学慧．我国沼泽研究的回顾与展望[J]．地理科学，1988，8(1)：1～10.
[46]黄锡畴．沼泽生态系统的性质[J]．地理科学，1989，9(2)：97～104.
[47]姜金生，李平．新疆叶尔羌河水能开发的生态效益[J]．内蒙古水利，2007，2：36～38.
[48]姜全生．新疆叶尔羌河水资源分配与绿洲生态[J]．新疆农业大学学报，2002，25(增刊)：62～65.
[49]蒋明康，周泽江，贺苏宁．中国湿地生物多样性的保护和持续利用[J]．东北师大学报(自然科学版)，1998，(2)：29～84.
[50]康蔼黎，达来，买买江・司马义．新疆中昆仑自然保护区科学考察报告[C]．中昆仑自然保护区管理局，2006.
[51]李崇皓．新疆沼泽资源考察[J]．植物生态学与地植物学丛刊，1981，5(3)：230～231.
[52]李都，尹林克．中国新疆野生植物[M]．新疆：新疆青少年出版社，2006.
[53]李浩．罗布泊钾盐项目进展及开发状况[J]．无机化工信息，2004，(3)：35～36.
[54]李建星，王永和，校佩曦．阿尔金断裂与周缘新生代盆地关系[J]．西北地质，2005，38(2)：19～23.
[55]李静，孙虎，邢东兴，等．西北干旱半干旱区湿地特征与保护[J]．中国沙漠，2003，23(6)：670～674.
[57]李军华，杨珊珊．新疆水资源合理开发利用与生态环境保护[J]．环境与可持续发展，2010，(5)：30～32.
[59]李维东，廖文波，张宏达．新疆种子植物科的区系地理成分分析[J]．干旱区地理，2000，23(4)：326～320.
[60]李卫红，陈跃滨，郭永平，等．博斯腾湖环境与资源的保护和可持续利用[J]．干旱区地理，2002，25(3)：

225 ~ 230.

[61]李文华，郭江平，赵强. 新疆艾比湖荒漠生态保护区建设条件评价及规划[J]. 中国沙漠，2000，20(3)：278 ~ 282.

[62]李学禹，马淼，阎平. 中国帕米尔高原种子名录[J]. 石河子大学学报，1998，4：266 ~ 280.

[63]李英俊. 吉林省湿地保护管理对策的研究[J]. 吉林林业科技，2011，40(6)：32 ~ 35.

[64]李宇安，谭芫，姜逢清，等. 20 世纪下半叶开都河与博斯腾湖的水文特征[J]. 冰川冻土，2003，25(2)：215 ~ 218.

[65]廖资生，曹毅哲. 发挥新疆旅游资源优势，打造欧亚大陆腹部旅游胜地[J]. 首都师范大学学报(自然科学版)，2009，30(3)：52 ~ 55.

[66]刘红玉，吕宪国，刘振乾. 环渤海三角洲湿地资源研究[J]. 自然资源学报，2001，16(2)：101 ~ 106.

[67]刘会源，宋锦霞. 论博斯腾湖水域及湿地保护[J]. 水土保持研究，2004，11(1)：150 ~ 151.

[68]刘立诚. 新疆土地类型结构及其合理利用[J]. 新疆大学学报(自然科学版)，1994(1)：91 ~ 96.

[69]刘宁. 新疆内陆河泛流域水利发展探析[J]. 水利水电技术，2006，37(1)：1 ~ 5.

[70]刘松. 博斯腾湖水质矿化度模型及预测研究[J]. 干旱环境监测，1996，10(3)：142 ~ 146.

[71]刘文祥，李喜俊，郭海燕. 新疆博斯腾湖水环境容量研究[J]. 环境科学研究，1999，12(1)：35 ~ 38.

[72]刘永顺，于海峰，辛后田. 阿尔金山地区构造单元划分和前寒武纪重要地质事件[J]. 地质通报，2009，28(10)：1430 ~ 1438.

[73]刘振敏，魏东岩，邓小林. 新疆巴里坤盐湖物质成分及湖体演化[J]. 化工矿产地质，1996：170 ~ 172.

[74]陆健健. 中国湿地[M]. 上海：华东师范大学出版社，1994.

[75]罗格平，李策，汤奇成，等. 博斯腾湖环境变化及其与焉耆盆地绿洲开发关系研究[J]. 地理研究，2001，20(1)：14 ~ 17.

[76]马超. 阿尔金山国家级自然保护区人为活动的影响简析[J]. 干旱环境监测，2004，18(2)：101 ~ 102，123.

[77]马广仁. 加强湿地保护管理工作确保湿地健康持续发展[J]. 湿地科学与管理，2007，3(3)：4 ~ 7.

[78]马鸣，才旦，付春利，等. 巴音布鲁克鸟类调查报告[J]. 干旱区研究，1993，10(2)：60 ~ 66.

[79]马鸣，戴昆. 昆仑山地区两栖爬行类调查[J]. 干旱区研究，1989，6(3)：59 ~ 61.

[80]马鸣，陆健健. 新疆的湿地及其水禽[J]. 生物多样性，1997，(5)：10 ~ 14.

[81]马鸣，王德忠，谷景和，等. 新疆西南山地鸟类调查初报[J]. 动物学杂志，1991，26(3)：12 ~ 20.

[82]马鸣. 新疆鸟类分布名录[M]. 北京：科学出版社，2011.

[83]马鸣. 新疆野生动物的保护问题[J]. 干旱区地理，2001，24(1)：47 ~ 51.

[84]马学惠，吕宪国，杨青，等. 三江平原沼泽地碳循环初探[J]. 地理科学，1986，6(4)：323 ~ 330.

[85]马勇. 伊犁河湿地保护与合理利用[J]. 中国林业，2009，3：55.

[86]马志珍，武振彬，陈汇远. 中国西北地区盐湖卤虫资源的评估[J]. 现代渔业信息，1994，9(3)：15 ~ 18.

[87]买买提·阿不都拉，杜农，史军. 新疆湿地[M]. 乌鲁木齐：新疆人民出版社，2007.

[88]买买提 · 阿布都拉. 新疆湿地状况与保护[J]. 新疆林业，2001，4：4 ~ 5.

[89]满苏尔 · 沙比提，王雯静. 新疆湿地资源时空变化特征及其保护[J]. 水资源保护，2007，23(6)：84 ~ 88.

[90]米吉提·胡达拜尔地，徐建国. 新疆高等植物检索表[M]. 乌鲁木齐：新疆大学出版社，2000：1 ~ 718.

[91]努尔巴衣 · 阿布都沙力克，塔西甫拉提 · 特依拜，巴哈尔古丽. 湿地综述与新疆湿地研究[J]. 新疆环境保护，2004，26：63 ~ 66.

[92]努尔巴衣 · 阿布都沙力克. 关于湿地与新疆湿地的研究[J]. 干旱区地理，2001，20(4)：16 ~ 25.

[93]潘晓玲，张宏达. 柴达木盆地植物区系分析及其形成的探讨[J]. 新疆大学学报(自然科学)，1995，12(1)：

81～86.

[94]潘晓玲，张宏达. 哈纳斯自然保护区植被特点及植物区系形成的探讨[J]. 干旱区研究，1994，11(4)：1～7.

[95]潘晓玲，张宏达. 准噶尔盆地植被特点与植物区系形成的探讨[J]. 中山大学学报论丛，1996，2：93～97.

[96]潘晓玲. 新疆植物区系研究[D]. 广州：中山大学，1995.

[97]潘晓玲. 新疆种子植物科的区系地理成分分析[J]. 植物研究，1997，17(4)：397～402.

[98]潘晓玲. 新疆种子植物属的区系地理成分分析[J]. 植物研究，1999，19(3)：249～258.

[99]潘裕生. 西昆仑山构造特征与演化[J]. 地质科学，1990(3)：224～232.

[100]裴新国，闫晓燕，周国良. 博斯腾湖的盐污染及其控制[J]. 干旱区地理，1991，14(1)：59～63.

[101]裴新国，闫晓燕. 博斯腾湖生态环境的演变[J]. 干旱区研究，1992，9(4)：57～62.

[102]秦萌，王润峰. 基于集对分析模型的新疆水资源开发利用评价[J]. 地下水，2011，33(2)：146～149.

[103]秦毓茜. 漫谈湿地功能[J]. 农业与技术，2007，27(1)：88～90.

[104]热合木都拉·阿迪拉. 巴音布鲁克高寒草地生态系统的结构和生产力的特点. 新疆植物学研究文集[C]. 北京：科学出版社，1991，53～58.

[105]施雅风. 中国西北气候由暖干向暖湿转变问题评估[M]. 北京：气象出版社，2003.

[106]石玉林. 新疆水生生物与渔业[M]. 北京：科学出版社，1989.

[107]史密斯，解焱. 中国兽类野外手册[M]. 长沙：湖南教育出版社，2009.

[108]宋宪宗. 叶尔羌河流域开发中有关环境问题的探讨[J]. 新疆环境保护，2008，30(1)：15～19.

[109]孙本国，毛炜峄，冯燕茹，等. 叶尔羌河流域气温、降水及径流变化特征分析[J]. 干旱区研究，2006，23(2)：203～209.

[110]孙玉芳，刘维忠. 新疆博斯腾湖湿地生态系统服务功能价值评估[J]. 干旱区研究，2008，25(5)：741～744.

[111]谭略，杨荣和，努尔曼古丽. 阿尔金山自然保护区野生动物的种类及其保护[J]. 草食家畜(季刊)，2007，1：7～8.

[112]唐德善，陈正虎. 新疆用水水平及对策分析[J]. 人民长江，2005，36(8)：18～20.

[113]王保才，张海军. 新疆湿地资源存在的生态环境问题及保护对策[J]. 中国新技术新产品，2009，8：138.

[114]王常贵，张佃民. 罗布泊干涸后罗布荒原植被演化的特点[J]. 干旱区研究，1985，2(1)：17～21.

[115]王辰，王英. 中国湿地植物图鉴[M]. 重庆：重庆大学出版社，2011.

[116]王东. 新疆湿地生态系统保护法律研究[J]. 新疆财经大学学报，2011(1)：69～72.

[117]王飞，谢其明. 论湿地的保护和利用——以洪湖湿地为例[J]. 自然资源学报，1990，5(4)：297～303.

[118]王国英，范勇. 新疆蛇类的分布及生态特征[J]. 干旱区研究，2005，2(2)：181～185.

[119]王荷生. 植物区系地理[M]. 北京：科学出版社，1992.

[120]王江，邓铭江，李世新. 新疆水资源开发利用的基本认识与实践[J]. 新疆农业大学学报，2002，25：11～15.

[121]王诗瑜. 我国的芒硝资源及其利用研究[J]. 化学工程师，2004：37～38.

[122]王世江，章曙明，邓铭江，等. 中国新疆河湖全书[M]. 北京：中国水利水电出版社，2010.

[123]王世江. 新疆水利发展思路[J]. 中国木利，2001，(4)：86～88.

[124]王思博等. 新疆啮齿动物志[M]. 乌鲁木齐：新疆人民出版社，1983.

[125]王霞，何颖舟. 新疆水资源承载力探析[J]. 新疆财经大学学报，2011(4)：11～19.

[126]王宪礼，李秀珍. 湿地的国内外研究进展[J]. 生态学杂志，1997，1：58～62.

[127]王秀玲，艾山，袁亮，等. 新疆两栖动物研究进展[J]. 新疆师范大学学报，2006，25(6)：50~53.
[128]王亚俊，李宇安，谭芫. 新疆博斯腾湖生态环境变迁分析[J]. 干旱区资源与环境，2004，18(2)：61~65.
[129]王逸群. 新疆伊犁湿地资源现状与生态环境评价[J]. 水土保持研究，2006，13(6)：314~318.
[130]王忠军，王忠兵. 巴里坤湿地环境保护的几点思考[J]. 新疆水利，2010，3：26~28.
[131]温刚，严中伟，叶笃正. 全球环境变化[M]. 长沙：湖南科学技术出版社，1997：50~107.
[132]吴征镒，孙航，周浙昆，等. 中国种子植物区系地理[M]. 北京：科学出版社，2008.
[133]吴征镒，王荷生. 中国自然地理(植物地理)[M]. 北京：科学出版社，1983.
[134]吴征镒. 中国种子植物属的分布区类型[J]. 云南植物研究(增刊Ⅳ)，1991：1~139.
[135]武素功，费勇，夏榆. 喀喇昆仑山—昆仑山植物区系的一般特征及植物资源的保护与开发利用[J]. 自然资源学报，1990，5(4)：376~382.
[136]武云飞，吴翠珍. 喀喇昆仑山—昆仑山地区渔业资源及渔业发展对策的初步研究[J]. 自然资源学报，1990，5(4)：354~364.
[137]夏诚训. 罗布泊科学考察与研究[M]. 北京：科学出版社，1987.
[138]肖笃宁，王根绪，王让会. 中国干旱区景观生态学研究进腱[M]. 乌鲁木齐：新疆人民出版社，2003：174~121.
[139]谢柄庚，李晓青. 湿地景观生态学理论和方法研究[M]. 长沙：中南工业大学出版社，1997：20~55.
[140]谢占国. 新疆石油产业可持续发展战略[J]. 合作经济与科技，2010：8~9.
[141]新疆克里雅河及塔克拉玛干科学探险考察队. 克里雅河及塔克拉玛干科学探险考察报告[C]. 北京：中国科学技术出版社，1991.
[142]新疆森林编辑委员会. 新疆森林[M]. 乌鲁木齐：新疆人民出版社，1989：1~418.
[143]新疆塔什库尔干野生动物自然保护区科学考察组. 新疆塔什库尔干野生动物自然保护区科学考察报告[C]. 新疆，2005.
[144]新疆维吾尔自治区畜牧厅. 新疆草地植物名录[M]. 乌鲁木齐：新疆人民出版社，1990：1~64.
[145]新疆植物志编辑委员会. 新疆植物志(第一卷)[M]. 乌鲁木齐：新疆科技卫生出版社，1992：1~301.
[146]新疆植物志编辑委员会. 新疆植物志(第二卷第一分册)[M]. 乌鲁木齐：新疆科技卫生出版社，1994：1~351.
[147]新疆植物志编辑委员会. 新疆植物志(第二卷第二分册)[M]. 乌鲁木齐：新疆科技卫生出版社，1995：1~372.
[148]新疆植物志编辑委员会. 新疆植物志(第三卷)[M]. 乌鲁木齐：新疆科学技术出版社，2004：1~625.
[149]新疆植物志编辑委员会. 新疆植物志(第四卷)[M]. 乌鲁木齐：新疆科学技术出版社，2004：1~519.
[150]新疆植物志编辑委员会. 新疆植物志(第五卷)[M]. 乌鲁木齐：新疆科技卫生出版社，1999：1~481.
[151]新疆植物志编辑委员会. 新疆植物志(第六卷)[M]. 乌鲁木齐：新疆科技卫生出版社，1996：1~597.
[152]刑文渊，肖继东，沙依然，等. 基于MODIS影像的湖泊动态变化遥感监测——以巴里坤湖为例[J]. 草业科学，2009，26(7)：28~31.
[153]许丽. 新疆水资源可持续利用浅析[J]. 科技经济市场，2011(1)：11~12.
[154]薛燕. 新疆水问题与对策研究[J]. 新疆农业科技，2004(4)：42~43.
[155]阎顺. 新疆旅游资源及其开发利用[J]. 干旱区地理，2001，24(4)：297~304.
[156]杨川德. 艾比湖流域水资源利用的环境效应[J]. 干旱区地理，1990，13(4)：45~50.
[157]杨春鸣，郑旭荣，王旭芳. 浅谈水利枢纽工程对叶尔羌河流域经济发展的研究[J]. 水资源与水工程学报，2008，19(5)：90~93.

[158]杨德刚. 新疆土地资源可持续利用[J]. 干旱区资源与环境，2003，17(3)：7～11.
[159]杨发相，穆桂金，赵兴有. 艾丁湖萎缩与湖区环境变化分析[J]. 干旱区地理，1996，19(1)：73～77.
[160]杨海英，阎顺，于生华. 新疆森林公园的分布及旅游开发初探[J]. 干旱区地理，2007，30(1)：156～162.
[161]杨建中. 新疆帕米尔高原湿地现状与保护对策[J]. 新疆林业，2002，5：42～43.
[162]杨利，李维青，马斌凤. 新疆水资源的开发利用[J]. 华北水利水电学院学报(社科版)，2007，23(6)：38～40.
[163]杨淑萍，徐海燕，阎平. 中国帕米尔高原种子植物区系的特征[J]. 植物学通报，2007，24(5)：597～602.
[164]杨永兴，刘兴土，韩顺正，等. 三江平原沼泽区“稻—苇—鱼”复合生态系统生态效益研究[J]. 地理科学，1993，13(1)：41～48.
[165]杨永兴. 国际湿地科学研究进展和中国湿地科学研究优先领域与展望[J]. 地球科学进展，2002，17(4)：508～514.
[166]叶尚明，李兴玖，李晓春，等. 新疆塔什库尔干河水库建设对鱼类资源的影响[J]. 水利渔业，2004，24(4)：63～65.
[167]伊巴代提. 新疆水资源开发利用现状浅析[J]. 西部探矿工程，2006，(11)：238～239.
[168]伊玛木·塔依尔. 新疆水体旅游资源形成机制及其各类景观基本特征初探[J]. 新疆工学院学报，1998，19(4)：282～285.
[169]易湘仁. 浅谈新疆水环境状况及其可持续发展[J]. 大众商务，2009：233.
[170]尹光华，蒋靖祥，朱令人. 阿尔金断裂乌尊硝段的现今活动速率[J]. 大地测量与地球动力学，2002，22(3)：28～31.
[171]尹林克. 新疆珍稀濒危特有高等植物[M]. 乌鲁木齐：新疆科学技术出版社，2006.
[172]袁国映，雪克热提，张斌. 阿尔金山自然保护区的土壤类型及分布规律[J]. 干旱区研究，1990，2：17～24.
[173]袁磊，孟剑英，萨根古丽. 罗布泊野骆驼国家级自然保护区生态环境问题及恢复措施[J]. 新疆环境保护，2007，29(1)：24～26.
[174]约翰·马敬能. 中国鸟类野外手册[M]. 长沙：湖南教育出版社，2000：1～571.
[175]张佃民. 从阿尔金山的植被特点论柴达木盆地在植被区划上的位置[J]. 西北植物研究，1983，2.
[176]张佃明，刘晓云，刘速. 新疆植被区划的新方案[J]. 干旱区研究，1990，1：1～9.
[177]张锦辉，艾孜买提·艾合买提. 巴里坤湖生态问题及原因分析[J]. 新疆水利，2009，4：33～34.
[178]张经炜，王金亭，等. 西藏中部的植被[M]. 北京：科学出版社，1966.
[179]张娟，张海军，王立平. 新疆湿地保护与管理建议[J]. 森林工程，2008，24(4)：21～22.
[180]张立运，海鹰.《新疆植被及其利用》专著中未曾记载的植物群落类型I. 荒漠植物群落类型[J]. 干旱区地理，2002，25(1)：84～89.
[181]张明祥. 湿地资源现状及其保护[J]. 地球，2011，(1)：84～87.
[182]张玉进，刘玉甫，吴健军，等. 新疆水资源分布及绿洲水资源开发利用探讨[J]. 水土保持研究，2004，11(3)：157～159.
[183]章曙明，王志杰. 新疆水资源可利用量与环境需水初步研究[J]. 水文，2007，27(4)：88～90.
[184]赵家荣，刘艳玲. 水生植物图鉴[M]. 武汉：华中科技大学出版社，2009.
[185]赵魁义. 地球之肾——湿地[M]. 北京：化学工业出版社，2002：55～109.
[186]赵一. 植被分类系统与方法综述[J]. 河北林果研究，2010，25(2)：152～156.
[187]甄仁德. 中国的湿地保护[J]. 野生动物，1997，18(4)：2～3.

[188]郑度，潘裕生．喀喇昆仑山—昆仑山地区综合科学考察研究的新进展[J]．地球科学进展，1991：94～98.
[189]郑光美，王岐山．中国濒危动物红皮书——鸟类[M]．北京：科学出版社，1998：1～340.
[190]中国科学院兰州沙漠研究所．中国沙漠植物志(第二卷)[M]．北京：科学出版社，1987：1～443.
[191]中国科学院兰州沙漠研究所．中国沙漠植物志(第三卷)[M]．北京：科学出版社，1992：1～471.
[192]中国科学院兰州沙漠研究所．中国沙漠植物志(第一卷)[M]．北京：科学出版社，1985：1～520.
[193]中国科学院新疆分院罗布泊综合考察队．罗布泊科学考察与研究[M]．北京：科学出版社，1987.
[194]中国科学院新疆生物土壤沙漠研究所．新疆植物学研究文集[M]．北京：科学出版社，1991.
[195]中国科学院新疆综合考察队，中国科学院植物研究所．新疆植被及其利用[M]．北京：科学出版社，1978.
[196]中国植被编委会．中国植被[M]．北京：科学出版社，1980.
[197]钟巍，熊黑钢．南疆博斯腾湖全新世环境演变特征的初步研究[J]．新疆大学学报，1998，15(3)：83～88.
[198]周华荣，黄韶华．对新疆生态环境问题及其对策的若干思考[J]．干旱区资源与环境，1999，13(4)：1～8.
[199]周华荣．干旱区湿地多功能景观研究的意义与前景分析[J]．干旱区地理，2005，28(1)：16～20.
[200]周嘉稿，李思华，谷景和．昆仑—阿尔金山盆地兽类初步考察[J]．兽类学报，1995(2)：2～16.
[201]周金龙，王能英．新疆自然旅游资源分类与开发利用探讨[J]．新疆农业大学学报，2004，27(增刊)：97～100.
[202]周可法，吴世新，李静．新疆湿地资源时空变异研究[J]．干旱区地理，2004，27(3)：405～408.
[203]周永恒等．昆仑—阿尔金山陆栖脊椎动物的地理分布特征[J]．新疆八一农学院学报，1985，2：1～10，79～80.
[204]周聿超．新疆河流水文水资源[M]．乌鲁木齐：新疆科技卫生出版社，1999：59～90.
[205]朱宏，周宏飞，陈小兵，等．新疆喀什地区的地下水资源特征分析[J]．干旱区研究，2005，22(2)：152～155.
[206]朱筱玲，高存海．博斯腾湖水矿化度趋势面分析初探[J]．干旱区地理，1991，14(1)：54～58.

附件1

新疆维吾尔自治区湿地资源调查主要参与单位及人员

清华大学3S研究中心：马洪兵　王　侠　谢　磊

乌鲁木齐市林业局：昝少平　吴　刚　努尔兰　王吉善

　　柴窝堡湖国家湿地公园管理局：黄　勇

克拉玛依市林业局：宋革新　秦天保

昌吉回族自治州林业局：朱云川　郭海军

　　天池自然保护区：高　峰　古　丽　木拉提

　　昌吉市：马君伟　杨弘文

　　玛纳斯县林业局：骆绪让　唐菊莲

　　呼图壁县林业局：张金成　马玉东

　　阜康市林业局：伊　娟　石　贞

　　吉木萨尔县林业局：查　达　祝德强

　　奇台县林业局：陈生明　刘　云

　　木垒哈萨克自治县林业局：严玉新　陶生岩

博尔塔拉蒙古自治州林业局：塔西买买提　袁建峰

　　艾比湖湿地国家级自然保护区管理局：高　翔　牟宗江

　　温泉县中亚北鲵自然保护区管理站：刘晓伟　杨于俊

　　夏尔希里自然保护区管理站：康建军　艾　力

　　赛里木湖国家湿地公园管理局：廖新刚　王　亭

　　博乐市林业局：道尔坤　米吉提　阿不里米提　比拉力

　　精河县林业局：吴　强　迪里夏提

　　温泉县林业局：孙新忠　再努热木

伊犁河流域湿地保护管理局：米力根

　　西天山国家级自然保护区管理局：刘文成　李红军

　　伊宁市林业局：马木提江

　　伊宁县林业局：吐尔逊

　　察布查尔县林业局：邓迎江　王宏莉

　　霍城县林业局：张　义

　　巩留县林业局：王新山

　　新源县林业局：李　波　王叶芳　阿德力

　　昭苏县林业局：邹　兵　达　夏

特克斯县林业局：吴成明　巴音巴图

尼勒克县林业局：成幻林　乔　拉

塔城地区林业局：张　勇

甘家湖梭梭林国家级自然保护区管理局：王　刚　刘炳强

塔城地区巴尔鲁克山自然保护区管理站：阿尼瓦尔　卡卡尔曼

塔城市林业局：王建国　宿秀凤　郭燕

乌苏市林业局：张旭辉　杨志勇

额敏县林业局：于长义　杨金成　吐尔逊

沙湾县林业局：杨　波　郭新春

托里县林业局：朱新东　帕萨拉特

裕民县林业局：罗　林　张卫中　阿依多斯

和布克赛尔蒙古自治区县林业局：邓　凯　王仕军

阿勒泰地区林业局：初红军　周启华　卢　山　田军成

哈纳斯国家级自然保护区管理局：余戈壁　达列力　刘　杰

额尔齐斯河科克托海湿地自然保护区管理站：张　利

阿勒泰科克苏湿地自然保护区管理站：李国平　杨建新

卡拉麦里山有蹄类自然保护区管理站：陶永善　邵长亮

新疆布尔根河狸自然保护区管理站：候金雷　马尔哈别克　陈　刚　王立龙

阿勒泰市林业局：徐建新　林永安

布尔津县林业局：王　亮　李红强

富蕴县林业局：巴夏别克　王定宝

福海县林业局：王阿林　王德法

哈巴河县林业局：王　军

青河县林业局：刘德坤　努尔兰别克

吉木乃县林业局：石宏成　毕永河

阿尔泰山国有林管理局：哈拜·叶金拜　曹定贵　高传峰

阿尔泰山两河源头自然保护区：陈轶民　阿　汉

哈巴河林场：波拉提　卢　琪

布尔津林场：李新玲

阿勒泰林场：阿斯哈提　董自盛

福海林场：张益民　张新泰

富蕴林场：何振彪　段学军

青河林场：努尔巴哈提　徐志扬

巴音郭楞蒙古自治州林业局：阿不都热合曼　吐逊江·麦合木提　张则岑　何　健

阿尔金山国家级自然保护区：张　翔　高　峰　苑　涛

巴音布鲁克国家级自然保护区：乔龙巴提

塔里木胡杨林国家级自然保护区：赵　峥

库尔勒市林业局：热木吐拉·再依东　安尼瓦尔·艾买提
轮台县林业局：迪力夏提·玉素甫　依明·哈斯木
焉耆县林业局：杨春林　陈　洁
和硕县林业局：依拉木江·阿牙孜　图　亚
若羌县林业局：华北平　阿依努·吐尔地
博湖县林业局：吉尔泰　欧　云
和静县林业局：才吾加甫　周俊红
且末县林业局：吐尔逊·亚克甫　阿里木·赛地
尉犁县林业局：李新艳　宋铁东

阿克苏地区林业局：吐尔逊

托木尔峰国家级自然保护区：江丽
阿克苏市林业局：刘志勇
拜城县林业局：阿西木
库车县林业局：艾合买提
新和县林业局：斯依提
阿瓦提县林业局：艾买尔江
乌什县林业局：吐尔逊
沙雅县林业局：亚　森
温宿县林业局：艾尔肯
柯坪县林业局：木合塔尔

喀什地区林业局：李树海　周忠赞　朱　琳　戴志刚　王小虎　麦麦提艾力

塔什库尔干自然保护区管理站：阿里木江·热依木巴依　尕瓦尔夏　李京涛　杨建伟
叶尔羌河流域湿地：梁建新　纪新豫　张　强　艾尔肯·吾守尔　穆拉丁买买提
喀什市林业局：王淑荣
疏勒县林业局：买买提吐尔逊·亚森
疏附县林业局 ：买买提依明·库尔班
叶城县林业局：燕文明
麦盖提县林业局：艾力热合曼
泽普县林业局：宁　超
莎车县林业局：刘　江
英吉沙县林业局：李　郭
巴楚县林业局：吴志博
伽师县林业局：王　波
岳普湖县林业局：西日艾力
塔什库尔干县林业局：克里木·波斯坦

克孜勒苏柯尔克孜自治州林业局：杨建中　艾克拜·艾山　阿不都色里木　买买提力

帕米尔高原湿地自然保护区：吐尔洪　冯　苗　孙　莹　泰来提

阿图什市林业局：阿曼吐尔

阿合奇县林业局 ：米吉提

乌恰县林业局：李永权

阿克陶县林业局：孜亚吾东

和田地区林业局：齐　军

西昆仑藏羚羊自然保护区管理站：阿不都·热依木

和田市林业局：阿玛江

和田县林业局：乌尔古丽

皮山县林业局：苏红英

墨玉县林业局：刘　严　陆杨奎

洛浦县林业局：李登伟　刘金立

策勒县林业局：古尔班

于田县林业局：阿里木江　范心奎

民丰县林业局：张慧林

哈密地区林业局：克尤木·阿布都热依木　吾买尔·吾斯曼　易新辉　许华明

哈密东天山生态功能自然保护区：赛甫拉·苏巴

哈密市林业局：雪道锋

伊吾县林业局：艾合买提

巴里坤县林业局：阿地力　李忠孝　阿迪力别克　韩　波　阿依肯

吐鲁番地区林业局：韩正龙

吐鲁番市林业局：唐德林

托克逊县林业局：周文涛

鄯善县林业局：刘彦霞

附件2

新疆生产建设兵团湿地资源调查主要参与单位及人员

兵团野生动植物保护办公室：张 林　陈建明　江 伟　熊 杰

兵团林业调查规划设计院：李杰军　丁守杰　何 鹏　邢庆振

农一师：

任光洪　李 峰　李 雷　黄夜明　于冬梅　艾力·沙吾提　郭福庆　董卫民
苑卫宏　陈海波　李少军　付建华　甘文杰　张建华　张 洁　杜 辉　刘少武
王宏伟　艾 三　于海军　张 忠　陈俊业　刘俊刚　谷 军　王科峰　卡买尔江
王中华　王海文　马俊宇　李 俊　雷松垒　苏新华　苏文婷　汤江湖　代牟东
王一平　魏卫红　柴清泉　张兆荣　何 磊　蒋 沂　赵元元　王 华　王 婷
蔡仁海　刘林虎　徐 珊　宋银涛　牛军强　沈万斌　付 强　刘小波　唐 旭
郝红颖　石均初　姬 超　訾 辉　于景欣　郭 瑞　程媛媛　杨海龙　张军军
师再忠　石振涛　童湘霆　钟 强　赵卫群

农二师：

周成军　李叶春　张微微　党 辉　韩洪波　陈 明　吕动邦　夏雪黎　权 江
缪为民　李春诚　常海青　徐建军　邓盛春　王世新　林 平　张宏龙　赵永华
朱家虎　张汉勤　安继江　李 辉　景永国　孙常戈　尹伟东　叶红星　宋财富
何成华　蔡礼明　张林军　李建军　许殿华　曹军峰　许文照　闫江平　徐永丰
张建华　王志傲　师海涛　杜卫东　王亚军　杨从杰　任江新　刘富安　康淑珍
张玉栋　郑培祥　史爱平　侯卫东　邓世羿

农三师：

李 俊　鲁丽娟　杨长远　杨辉民　魏 娜　赵克清　张 波　明 理　孙 伟
姜明君　王 磊　张 鹤　冉鹏博　毛高华　王武杰　宋才龙　周 军　王 伟
马九群　王志敏　张新革　冯建磊　任卫明　王海军　刑 剑　张会领　陈 枫
袁火霞　胡 军　赵 建　梅新平　陈晓英　朱文娟　阿木提　陈 辉　姜效近
刘彦峰　郭永军　朱春娟　郑炬荣　吴 洪　苏 豪　阿部都艾力木　李传杰
陈 平　买买提　岳晓洋　罗丽娜　谢章辉　黄 娟　潘桂河　王 豹　刘继信
王 昊　连海友　李秀娣　刘 沩　塔基古

农四师：

刘 霞　朱新勇　田永新　鞠昌利　郭创民　马哈萨提　卢 强　唐自力　高 峰
黄蜀江　李鸿武　张银波　戴海荣　方进良　孔祥彪　褚新民　郑雪芹　聂仲胜
郝 惠　王红梅　张富忠　李海龙　高亚军　段伟伟　赖 刚　孙爱国　杨 静

范西安 马　永 唐　伟 赵永东 韩俊文 赵　青 齐　超 李　东 刘　东

农五师：

王碧萧 达　军 李　慧 杨　峰 刘保权 左　攀 陈　刚 何　博 姚　军
王玉萍 周加平 郭建新 李　蓉 徐博生 蒋来友 吴雪梅 申　健 刘振江
王桂英 徐　东 王容德 薛秀惠 靳　杰 李仕伟 崔政领 肖　燕 刘世权

农六师：

曲建法 李特林 蒋　理 薛卫兵 王　丽 邢　健 刘大江 惠凤江 杨德华
潘志辉 张立宇 徐　峰 张存亮 贾全义 张　军 洪　亮 李永江 李新明
张玉梅 刘凡过 刘要先 张宏琦 刘富春 陈　润 付从兵 李玉琴 高天亮
田志齐 孙兆明 李志云 刘　兵 徐军成 白伟本 张　峰 李　臣 陈海建

农七师：

李小飞 时俊华 常新龙 肖向阳 范明强 闫学新 刘玉辉 杨红霞 王　凯
李　慧 罗　斌 马平元 胡宝生 陈　哲 杨　斌

农八师：

孙书民 姜应龙 石文江 李典霖 王新平 赵国林 李源涛 王贵江 李胜国
马新和 魏浩明 彭选择 罗飞宇 包益路 张　虎 王海峰 张　磊 许皓文
毕鲁江 雍小江

农九师：

王茂文 李燕杰 马青虎 田德萍 张林青 李鲁强 陈伟业 余现增 赵新良
董留才 杨志雄 秦文胜 冷　慧 陈云龙 朱文煜 冯远超 刘　东 杜建鹏

农十师：

张　新 杨　剑 邹海龙 李　强 张建斌 刘志刚 熊举乾 陈守江 刘　菊
刘新利 张永涛 邱海滨 郭三杰 陈　夕 乔银珍 欧阳军 刘华岳 陶盛林
毛亚涛

农十二师：

程雪飘 王　巍 吴以军 王　啸 马　翔 孙雯燕 韩立新 闫成林 李文善

农十三师：

游玺剑 李　伟 石金刚 邵晶晶 石振江 俞华建 蔡育军 王登婷 朱钰龙
李永清 刘进民 赵双喜 杨永久 尹柏明 吴　玲 陈雄来 哈丽旦 杨红英
郭　峰 朱骏亮 朱秀芹 王邦永 周海燕 买买提 刘宗辉 郭志勇 林存亮
谢建明 刘银山 宋德强 程振雷

农十四师：

蔡国義 黄献玲 孔令磊 朱春江 常建康 姚忠林 王鹏飞

后　记

根据国家林业局的要求和相应的机构设置，新疆维吾尔自治区林业厅成立第二次新疆湿地资源调查工作领导小组、领导小组办公室、专家技术委员会等组织机构，组建了湿地调查队伍。

以新疆林业科学院、新疆林业规划院、新疆生产建设兵团林业调查规划设计院调查队伍为主、各调查县(市、区)、兵团林业部门配合，清华大学3S中心提供技术指导。清华大学3S中心承担新疆湿地调查中的遥感资料处理、区划、判读、面积数据汇总，为新疆湿地调查提供湿地基础图等任务；指导制订和审查《新疆湿地资源调查实施细则》及《新疆湿地资源调查工作方案》、调查成果汇总、调查报告编写以及成果审核等工作。

由新疆林业科学院负责南疆和东疆重点调查湿地的外业调查，由新疆林业规划院负责北疆重点调查湿地的外业调查，由新疆生产建设兵团林业调查规划设计院负责兵团重点调查湿地的外业调查，系统进行重点调查湿地斑块现地验证、湿地野生动植物调查、湿地自然及社会经济调查。并在各县(市、区)林业局和各团场林业局的大力配合下，完成一般调查湿地的现地验证和一般调查湿地斑块调查表格填写工作。调查工作结束后，三家调查单位共同进行湿地数据分析处理和汇总工作，最后由新疆林业科学院编写完成《中国湿地资源・新疆卷》。

本书全面详实的介绍了新疆各湿地类型的面积和分布、新疆湿地区划分及不同湿地区不同湿地类型的面积、新疆流域划分及不同流域不同湿地类型的面积、新疆各行政区各湿地类型的面积、新疆湿地特点及分布规律，包括不同类型湿地特点及分布规律、不同行政区的湿地分布规律、新疆湿地成因分析、新疆湿地资源利用现状分析、新疆湿地资源保护管理现状分析、新疆湿地资源十一年间时空变化比较分析，新疆湿地植物物种组成、区系分布、区系特点、湿地植被类型及分布、湿地植物保护及利用现状，新疆湿地动物物种组成、区系分布、区系特点、湿地植被类型及分布、湿地植物保护及利用现状，新疆86块湿地现状、生态环境评价，野生动植物资源概况等第一手资料，对湿地资源的科学管理与有效保护有很重要的实际意义，并为今后新疆开展湿地资源科研监测、湿地自然保护区建设、湿地公园建设、湿地保护与恢复工程建设以及湿地野生动植物资源保护和合理利用提供了科学依据，为编制新疆湿地保护工程十三五规划、新疆湿地公园中长期规划等相关规划提供了重要的基础数据。

全书共包括六章。第一章为基本概况，主要包括新疆自然概况和社会经济概况；第二章为新疆湿地类型，主要包括各类湿地类型、分布及分布规律；第三章为新疆湿地生物资源，主要包括湿地植物与植被和湿地动物资源；第四章为新疆湿地资源利用，主要包括湿地资源利用现状和可持续利用前景分析；第五章为新疆湿地资源评价，主要包括湿地生态状况、受威胁状况和湿地变化及其原因分析；第六章为新疆湿地保护与利用，主要包括湿地保护管理现状、保护管理建议和重点调查湿地概况。其中布早拉木编写第一章；齐成编写第二章；刘丽燕、江晓珩编写第三章；蔡新斌编写第四、第五、第六章；王燕燕参与编写了第三章的部分内容；柳吉业、王立平参与编写了第二、第三章；买尔燕古丽参与了整理格式；齐成、谢磊参与绘制地图；蔡新斌、王立平、阿勒泰、杨军参与摄影图片。蔡新斌、杜农共同负责本书的审校工作。吾拉孜别克·索力坦、杜农、张林负责本书的统编工作。

本次湿地资源调查是按照国家林业局湿地保护管理中心的统一要求，在自治区林业厅和新疆生产建设兵团林业局的领导下，以清华大学3S研究中心为技术支撑单位，由新疆林科院、新疆林业规划设计院和和兵团林业调查规划设计院负责调查实施，在新疆各地州市县林业局、各师林业局和水利部门、自然保护区管理局、各重点调查湿地主管部门等单位的支持和配合下，克服种种困难，共同完成。在调查工作开展期间，国家林业局湿地保护管理中心、自治区林业厅、兵团林业局的有关领导和专家多次亲临现场进行指导。在此谨向参与和支持关心本次调查工作的部门、单位、领导、专家表示衷心的感谢！

由于本书编写组人员水平和编写时间所限，该书可能存在一些不尽如意的指出，敬请读者批评指正。

《中国湿地资源·新疆卷》编写组

2015年5月